STORIA D'ITALIA

Indro Montanelli
Roberto Gervaso

L'Italia degli anni di piombo
(1965-1978)

Premessa di Sergio Romano

Pubblicato per

da Mondadori Libri S.p.A.
Proprietà letteraria riservata
© 1991 Rizzoli Editore, Milano
© 2001, 2012 RCS Libri S.p.A., Milano
© 2016 Rizzoli Libri S.p.A. / BUR Rizzoli, Milano
© 2018 Mondadori Libri S.p.A., Milano
Published by arrangement with The Italian Literary Agency

ISBN 978-88-17-10142-4

Prima edizione Rizzoli: 1991
Prima edizione BUR: 2001
Terza edizione BUR Storia d'Italia: aprile 2021

I testi dell'Appendice sono di Massimiliano Ferri
Le mappe sono di Angelo Valenti

Seguici su:

Twitter: @BUR_Rizzoli   www.bur.eu   Facebook: /RizzoliLibri

Premessa

Abbiamo osservato che nel volume precedente (*L'Italia dei due Giovanni*) la distanza fra gli autori e gli eventi si era ulteriormente accorciata. Qui potremmo constatare che è del tutto scomparsa. Negli «anni di piombo» Montanelli e Cervi non sono stati soltanto cronisti. Il giornale che il primo ha fondato dopo la sua uscita dal «Corriere» non è stato esclusivamente un organo di stampa, impegnato a seguire giorno per giorno le turbolenze di un Paese che sembrava incapace di rientrare nella normalità. È stato anche considerato, a torto o a ragione, un protagonista della lunga crisi italiana: un reazionario antagonista della contestazione per alcuni, un faro di razionalità e buon senso per altri. L'attentato contro Montanelli a Milano nel giugno del 1977 fu per questa ragione diverso da quelli che colpirono nello stesso periodo altri giornalisti.

Non tutti gli avvenimenti qui narrati ebbero luogo dopo la fondazione del «Giornale». Per Montanelli e Cervi le origini degli anni di piombo vanno ricercate nel clima politico che segnò, sin dai primi passi, le aperture della Democrazia cristiana al Partito socialista di Pietro Nenni. La svolta a sinistra della politica nazionale avrebbe dovuto allargare la base popolare del consenso democratico, favorire l'unificazione dei partiti socialisti, togliere al partito comunista una parte consistente dei voti che aveva accumulato negli anni precedenti. Raramente un progetto politico ha prodotto risultati così lontani dagli obiettivi che ne avevano ispirato la realizzazione. L'unificazione socialista ebbe luogo, ma fu clamorosamente punita dagli elettori e durò soltanto tre anni, dal 1966 al 1969. Il Partito comunista dovette attraversare fasi difficili – la defenestrazione di Kruščëv, l'invasione sovietica della Cecoslovacchia, la dissidenza dei fondatori del «manifesto», l'apparizione sulla sua sinistra di un'ala massimalista – ma conservò e finì addirittura per accrescere il suo patrimonio elettorale. E al posto di un più largo consenso democratico vi fu una contestazione che nacque nelle università, si estese alle fabbriche e creò organizzazioni terroristiche che poterono contare su molti fiancheggiatori: giornali militanti, associazioni politiche e culturali, intellettuali. Il '68 fu una grande rivoluzione dei costumi e investì le maggiori democrazie europee. Ma soltanto in Italia il fenomeno divenne cronico e assunse le dimensioni di una pericolosa minaccia alle istituzioni democratiche.

In questo libro il lettore troverà gli eventi più sanguinosi di quegli anni – dall'attentato di piazza Fontana a quello della stazione di Bologna, dall'assassinio del commissario Calabresi a quello di Aldo Moro – con il loro inevitabile codazzo di illazioni, sospetti, indagini giudiziarie, rivelazioni scandalistiche, processi. Alcuni di questi avvenimenti e scandali si prolungano al di là dei confini temporali del libro – il «piano Solo», Gladio – e costringono gli autori a spingere il loro sguardo verso anni che saranno la materia dei volumi successivi. Più di altri Paesi l'Italia sembra digerire le sue crisi con grande difficoltà e trascinare lungamente nel suo corpo i postumi delle sue malattie. Eppure la società italiana cambia, cresce, modifica il suo stile di vita, cerca di adattarsi ai tempi. Gli anni raccontati in questo volume sono anche quelli in cui la FIAT crea una grande fabbrica automobilistica in Unione Sovietica, il governo e il parlamento avviano una discutibile ma necessaria riforma regionale, l'economia supera la grande crisi energetica del 1973 e le Camere approvano una legge sul divorzio che i cittadini, chiamati a giudicarla con un referendum, rifiuteranno di abrogare. Alla fine del libro i socialisti tornano sulla scena nazionale. Al Quirinale entra un vecchio, Sandro Pertini, che conquisterà le simpatie dei suoi connazionali. Alla testa del partito appare un giovane, Bettino Craxi, che sarà uno dei protagonisti del prossimo volume.

Sergio Romano

L'ITALIA DEGLI ANNI DI PIOMBO

AVVERTENZA

Questo degli Anni di piombo è stato, per Cervi e per me, il capitolo insieme più facile e più difficile da ricostruire. Il più facile perché, avendolo entrambi vissuto in prima persona e in qualità di cronisti e di commentatori dei suoi vari episodi, non abbiamo avuto bisogno di consultare molti testi e documenti: bastava la nostra memoria. Il più difficile perché questi episodi sono talmente aggrovigliati che il dipanarli ci ha costretto ad un giuoco di anticipazioni e rievocazioni che rende arduo seguire il filo del racconto.

Un'altra difficoltà è stata, per noi che ci siamo stati dentro fino al collo, prendere dagli avvenimenti la distanza necessaria a rappresentarli col dovuto distacco. Degli anni di piombo noi non siamo stati spettatori neutrali. Fondammo un giornale apposta per intervenirvi, e l'abbiamo fatto giorno dopo giorno, con quanta più incisività potevamo, e da posizioni in pieno contrasto con quelle assunte, più o meno scopertamente, da quasi tutta l'altra stampa, quotidiana e periodica, nazionale. Fu una battaglia dura e difficile, che ci ha lasciato addosso parecchie cicatrici, e non parlo soltanto di quelle materiali. Per tutti gli anni Settanta, e per i primi Ottanta, noi fummo indicati alla pubblica esecrazione come i fascisti, i golpisti, in una parola i lebbrosi. E forse saremmo ancora nel ghetto in cui ci avevano relegato, se a

3

*trarcene fuori dandoci completa ragione non fossero so-
pravvenuti i fatti.*

Spogliarci di questo passato e parlarne come se non ci
avessimo partecipato è stato, per Cervi e per me, lo sforzo
più grosso. Speriamo di esservi riusciti: nei limiti, si capisce, di quell'angolatura da cui nemmeno lo storico più
obiettivo e imparziale può prescindere. Per noi gli anni
che vanno dalla strage di piazza Fontana all'assassinio di
Moro non sono affatto «formidabili» come li dipingono
certi commentatori e memorialisti di sinistra per giustifi-
care i propri trascorsi di fiancheggiatori del terrorismo.
Per noi quei «formidabili» anni furono quelli del sopruso
di una minoranza ubriaca di mode e di modelli
d'importazione (Marcuse, Mao, Che Guevara) su una
maggioranza succuba anche perché priva di una voce che
la rappresentasse. Noi fummo questa voce. E non possiamo prescinderne anche se abbiamo fatto di tutto per di-
menticarcene.

Secondo noi, il bilancio di quei «formidabili» anni è tutto in passivo. Essi non si sono lasciati dietro che lutti, gale-
re, e quella cosiddetta «cultura del sospetto» che seguita ad
inquinare la nostra vita pubblica, continuamente scossa da
scandali più o meno pretestuosi che proprio in quei «formidabili» anni hanno la loro origine e radice.

Ma il nostro, intendiamoci, non è un libro di denuncia.
Le denunce le sporgemmo via via che i fatti ce ne offrivano
il destro. Oggi che la storia ha emesso il suo verdetto, la denuncia sarebbe anacronistica e ingenerosa. È alla storia che
noi abbiamo voluto dare il nostro modesto contributo. E
credo che sia tempo di farlo prima che i Grandi Delusi della sinistra si approprino, come sempre fanno, anche di quella e la stravolgano a profitto delle loro sbugiardate e ridico-
lizzate tesi.

Se abbiamo assolto il nostro impegno, lo giudicheranno i lettori, e specialmente quelli che, come noi, hanno vissuto quel periodo. Per aiutarli a ricordare, noi crediamo di avere fatto del nostro meglio.

I.M.

CAPITOLO PRIMO

GLI ANNI DI GOMMA

Gli anni che precedettero quelli di piombo furono piuttosto anni di gomma. La situazione politica era insieme statica e friabile, con maggioranze parlamentari ognuna sempre simile alla precedente e sempre pericolanti, con governi protesi a parole verso ambiziosi traguardi e nella realtà impegnati a risolvere quotidiani bisticci di meschina bottega. I partiti maggiori erano affidati a leader di non consolidato e contestabile prestigio, tranne uno: il PSI con Pietro Nenni. Lo scriviamo pur avendo piena consapevolezza della leggenda postuma creata attorno alla figura di Aldo Moro, e in qualche modo legittimata dalla sua fine tragica.

Moro era nella primavera del 1965 – da quell'epoca riprendiamo il filo della narrazione interrotta con *L'Italia dei due Giovanni* – Presidente del Consiglio: e guidava un governo di centrosinistra, il suo secondo, che sarebbe stato di durata inversamente proporzionale a quella dei suoi discorsi. A fianco di Moro come vicepresidente era Nenni. Ministro degli Esteri Amintore Fanfani, recuperato dopo burrascosi incidenti. I due «cavalli di razza» della DC trottavano – l'uno diffidente se non svogliato, l'altro scalpitante ma con il morso stretto – nello stesso governo, e la carenza d'adrenalina dell'uno avrebbe dovuto essere compensata dall'abbondante dotazione dell'altro. Gli accennati infortuni inducevano Fanfani a una inconsueta prudenza, e Moro dedicava ogni sua fatica al rapporto con i socialisti.

Era un rapporto tormentato perché la DC aveva l'esigenza di non impaurire, con iniziative traumatiche, il suo elettorato moderato – di gran lunga più numeroso degli iscritti al partito – nonché le correnti che s'erano battute contro il centrosinistra; mentre, all'opposto, il PSI era smanioso di dimostrare ai massimalisti del partito – quelli rimasti dopo la scissione del PSIUP – e ai concorrenti comunisti che gli annunci di cambiamento non erano chiacchiere.

Se Moro, professionista insuperabile della divagazione e del rinvio, aveva la responsabilità dell'esecutivo, Mariano Rumor reggeva la segreteria della DC con il suo stile emolliente. L'unico decisionista, Fanfani, era di regola fuori porta, alla Farnesina o in viaggio, a covare propositi di rivincita: per il governo, per il Partito, per il Quirinale, per tutto.

Sulla sponda socialista, il settantaquattrenne Nenni era disincantato e stanco, anche per travagli familiari (in particolare la malattia dell'amatissima moglie Carmen). Nel novero dei politici di questo periodo Nenni era senza dubbio – con Saragat issato al Quirinale – quello che aveva più valide credenziali di coerenza e di coraggio, più solido prestigio internazionale, più vasta popolarità. Nelle sue scelte strategiche, era incappato in errori madornali: come quello di impegnare il Partito socialista nel Fronte popolare con i comunisti, e di votarlo non solo alla sconfitta del 18 aprile 1948, ma a un ruolo subalterno, da allora in poi, nei confronti del PCI. Convertito, aveva poi giuocato tutte le sue carte per conseguire due obiettivi: l'ingresso dei socialisti nell'area del potere – con la costituzione di governi organici di centrosinistra – e la riunificazione socialista. Gli riuscirono entrambi, il primo stabilmente, il secondo fuggevolmente. Per raggiungerli, dovette tuttavia rassegnarsi a molti compromessi con i suoi residui slanci populisti, e con le frange irrequiete d'un partito che, almeno fino a Craxi, consacrava le sue migliori energie alle lotte fratricide: d'accordo su niente e indeciso a tutto ancor più e ancor meglio (o peggio) della Democrazia cristiana.

Lasciata la segreteria del PSI per entrare nel governo, Nenni l'aveva trasmessa in eredità a Francesco De Martino, un napoletano cinquantottenne, professore di diritto romano, che nei comportamenti privati dava prova di molta bonomia e tolleranza. Ma nell'attività politica portava invece l'intransigenza rissosa che accomunava tutti gli ex militanti del Partito d'azione. Anche lui – come con più aggressivo vigore Riccardo Lombardi – ripeteva di volere molto e subito, e si atteggiava a fustigatore dei socialdemocratici, secondo lui troppo timidi nell'anelito al nuovo. «A nostro giudizio» diceva «i partiti socialdemocratici hanno abbandonato la lotta per il socialismo, sostituendovi una società di benessere, mentre noi vogliamo continuare a batterci per la trasformazione radicale della società.» Era, la sua, una visione velleitaria, ed estranea – quali che fossero i bla-bla-bla dell'intelligenza di sinistra – alle esigenze più autentiche e profonde d'una grande maggioranza di Italiani. Nella concezione di De Martino, che assimilava il benessere a una colpa, si aveva un singolare intreccio tra puritanesimo azionista e massimalismo socialista d'altri tempi: e nello stesso tempo la disponibilità a tollerare e razionalizzare le fughe nell'utopia che sarebbero venute, con il '68 e oltre.

Nel Partito comunista non affioravano, malgrado la

scomparsa di Togliatti, segni evidenti di divisione. Luigi Longo era approdato alla segreteria per successione burocratica, senza suscitare entusiasmi o contrasti. Non era del resto uomo che ispirasse sentimenti calorosi, con quella sua rudezza sbrigativa da sottufficiale piemontese. L'età – era sui sessantacinque anni, che sono pochi per un Papa, ma parecchi per qualsiasi altro incarico – non gli accreditava un lungo periodo di comando. La naturale scontrosità, che rendeva poco piacevole la sua frequentazione, lo isolava.

Anche se il suo *pedigree* di esule e di «moscovita» somigliava in più d'un punto a quello di Togliatti, il temperamento era profondamente diverso. Non per nulla Longo aveva impersonato il «vento del Nord» con le sue istanze rivoluzionarie, e Togliatti il PCI duttile, cinico, compromissorio della «svolta di Salerno» e dell'approvazione all'articolo 7 della Costituzione, che dava ai Patti lateranensi tra Mussolini e Pio XI il solenne riconoscimento della Repubblica antifascista. La statura intellettuale di Togliatti era senza dubbio un palmo al di sopra di quella di Longo, che aborriva le sottigliezze dottrinali e non si compiaceva delle citazioni erudite, care a Togliatti. Come Togliatti, Longo affermava che «nel Partito comunista non si può fare del dibattito un pretesto per una lotta contro il partito e la sua ideologia, motivo di rottura della necessaria unità di azione, elemento di paralisi e di disfattismo»: e non temeva di scrivere che «la verità ai fini dell'azione immediata la fissa il partito, secondo il metodo del centralismo democratico, salvo a controllarla continuamente sulla base dell'esperienza ed eventualmente a rivederla». Erano schemi rigidi che Longo ribadiva perché ci credeva, mentre Togliatti li aveva ribaditi perché gli servivano. In definitiva mancava alla ribalta politica italiana un protagonista solitario, anche se Giuseppe Saragat, che sempre s'era ritenuto tale, era stato rafforzato in questa sua ferma convinzione dall'ascesa al Quirinale. Si agitavano invece sullo sfondo molti comprimari, alcuni di presenza incisiva, altri flebili fino all'evanescenza.

Questa dirigenza a bassa caratura enunciava progetti magniloquenti, come il piano quinquennale che nel marzo del 1965 fu presentato dal Ministro del Bilancio, il socialista Giovanni Pieraccini (e che la sinistra del suo partito, infallibile nel rinunciare all'uovo di oggi per *non* avere la gallina domani, bocciò subito come inadeguato: senza capire che sarebbe stato un miracolo se fosse approdato a qualcosa, pur nella sua modestia). Nel giugno dello stesso anno Luigi Preti, Ministro senza portafoglio per la Riforma burocratica, annunciò che il personale direttivo della pubblica amministrazione sarebbe stato ridotto del venti per cento in breve volgere di anni. Com'era inevitabile, non se ne fece niente. La pletora dei laureati in legge sfornati dalle università meridionali premeva perché i posti pubblici fossero aumentati, non ridotti. Lo Stato continuò ad ingaggiare futuri inutili dirigenti generici, mentre già trovava difficoltà a reperire ingegneri o ricercatori scientifici ben altrimenti utili. L'amministrazione accentuava le caratteristiche corporative per le quali ogni provvedimento – deliberato dalla debole classe politica ma sollecitato dalla potente burocrazia – soddisfaceva le esigenze degli addetti all'amministrazione stessa, non quelle dei cittadini.

Nella fioritura di scandali che contrassegnò quel periodo – e ogni altro del dopoguerra italiano in un inquietante crescendo – ve ne furono alcuni che colpirono *grands*

commis dello Stato in vena d'efficientismo e di sganciamento da eccessive sudditanze partitiche; come il professor Felice Ippolito del CNEN (Comitato nazionale per
l'energia nucleare) o come il professor Domenico Marot-
ta dell'Istituto superiore di Sanità. Entrambi avevano va-
gheggiato di far procedere gli enti in cui agivano con una
certa snellezza, svincolandoli in qualche modo – ed erano
modi illegali, secondo l'accusa – da complesse, dilatorie e
a volte demenziali pastoie regolamentari.

Altri scandali furono più consueti: maggiore tra tutti,
perché comprometteva un ex Ministro delle Finanze democristiano, lo scandalo dei tabacchi. Esso investì Giuseppe Trabucchi, notabile DC, presidente della Banca cattolica del Veneto, senatore. Nel maggio del 1965 egli fu
rinviato a giudizio dalla Corte d'Appello di Roma per
abuso di potere: ossia per aver consentito traffici e specu-
lazioni sospetti nell'importazione di certi tabacchi messi-
cani, che erano coltivati laggiù da società italiane, e che
erano stati importati con autorizzazione speciale del Ministro, nonostante l'opposto parere dei suoi consiglieri
tecnici. Trabucchi si giustificò sostenendo d'aver dovuto
consentire l'importazione perché una malattia della pianta aveva falcidiato la produzione nazionale.

L'accusa sosteneva invece che Trabucchi – noto nel
mondo politico perché non portava quasi mai la cravatta –
avesse voluto favorire due società concessionarie dell'importazione di tabacchi di cui era azionista un altro democristiano influente, Carmine De Martino (niente a che fare con il De Martino socialista), salernitano, già sottosegretario di Stato e leader d'una corrente moderata, quella
dei «vespisti», che aveva avuto una certa notorietà.

Il bubbone era scoppiato su denuncia di ditte concorrenti della SAIM e della SAID, che a Carmine De Martino

facevano capo. In un primo momento la commissione inquirente, cui l'istruttoria era stata trasmessa dalla magistratura ordinaria, aveva prosciolto Trabucchi: che fu egualmente portato davanti ai due rami congiunti del parlamento perché il giudizio contro di lui era stato chiesto dalla metà più uno dei parlamentari (socialisti, comunisti, liberali, repubblicani, social-proletari, missini). Vale a dire che la sola Democrazia cristiana era rimasta a far quadrato attorno all'imputato. Al voto conclusivo, il 20 luglio 1965, 461 deputati si pronunciarono per la messa in stato d'accusa di Trabucchi, 440 per la sua assoluzione. Fu scagionato, per un motivo meramente tecnico. Il *quorum* richiesto era della metà più uno dei componenti le due assemblee, 476. Di sì la mozione ne aveva raccolti, a causa delle assenze, quindici in meno. Anche se la maggioranza del parlamento era contro di lui, Trabucchi usciva dunque indenne dal «processo». La scena che seguì non fu edificante. Attorno a Trabucchi si strinsero gli amici di partito, prorompendo in gridi di «viva» al suo indirizzo, al che Giancarlo Pajetta sbottò: «Dategli una medaglia». Poi i comunisti scandirono «ladri-ladri-ladri», e i democristiani replicarono «assassini-assassini-assassini». I «laici» stavano a mezza strada, diffidenti, e alcuni anche sinceramente indignati. In questa circostanza – come nell'altra, che verrà a distanza di alcuni anni, dello scandalo Lockheed – la DC si sentì assediata, e reagì con una baldanza difficilmente distinguibile dall'arroganza all'accerchiamento degli altri partiti.

La verità vera è che in quei remoti scandali finanziari, come in altri che sarebbero seguiti, la classe politica non è mai stata in grado di giuocare a carte scoperte. Ogni casa partitica aveva nei suoi ripostigli, se non innumerevoli scheletri, certo innumerevoli code di paglia. Taciuta ma incombente era la convinzione dei partiti di governo, a cominciare dal partito che più d'ogni altro meritava questa qualifica, la DC, che malversare o incassare tangenti per il partito non fosse un reato, ma una buona azione. Posto così il problema, la discriminante non era più tra gestione onesta e gestione disonesta del denaro pubblico, ma tra gestione disonesta a fini di partito e gestione disonesta a fini privati. Il grande equivoco spiegava gli indecenti applausi a chi – pur graziato da un marchingegno tecnico – era stato bollato dalla maggioranza del parlamento; così come avrebbe spiegato altre appassionate difese. Non solo di democristiani a sostegno di democristiani, sia chiaro. Allo stesso modo i comunisti avevano tranquillamente incassato quattrini provenienti da Mosca, e lucravano percentuali sull'*export-import* con i Paesi dell'Est. Che poi nell'arraffa arraffa pubblico potessero trovar posto anche colpi di mano lesta privati era immaginabile, e inevitabile. Impinguato e ammorbato dal metano, inquinato dal tabacco, o dalle banane, o dagli aerei, il Palazzo non era e non fu mai di vetro, né allora né dopo.

Nei quotidiani gonfi di titoli a tutta pagina per lo scandalo dei tabacchi o per la guerra del Vietnam – che aveva riverberi continui sulla politica interna – meritò rilievo assai più modesto un avvenimento che pure stava ad indicare molte cose, sul piano economico e sul piano politico: la firma, il 4 maggio 1965, dell'accordo tra la FIAT e la dirigenza della pianificazione sovietica per la costruzione sul Volga di una grande fabbrica di auto.

Più che ottantenne, il presidente della FIAT Vittorio Valletta chiudeva con quell'ultimo successo un itinerario manageriale non privo di errori, ma ricco di intuizioni audaci, soprattutto in rapporto agli umori dominanti nel mondo imprenditoriale. Valletta non aveva intravisto i pericoli del gigantismo di Mirafiori, né i problemi che sarebbero stati creati dalla calata su Torino d'una mano d'opera meridionale ansiosa di trovare un'occupazione purchessia, ma presto – almeno in parte – frustrata dal traumatico cambio d'ambiente, dai ritmi rigorosi del lavoro di fabbrica, dal gelo d'una città che la respingeva o la emarginava. Capì invece, Valletta, che l'ingresso dei socialisti nel governo era un fatto inevitabile, e che le sparate massimaliste di alcuni tra loro erano sfoghi verbali, non concreti programmi d'azione. Nel suo pragmatismo spregiudicato egli badava alla sostanza, non alle chiacchiere. Durante una visita agli stabilimenti della FIAT, Kossighin, uno dei grandi del Cremlino, gli aveva detto: «Abbiamo molte cose da imparare da voi». Tranquillo, Valletta aveva ribattuto: «E noi abbiamo da imparare da voi come si fa a impedire gli scioperi». In effetti Valletta, nominato senatore a vita nel novembre 1966, e morto l'estate dell'anno successivo, non ebbe modo di assistere al dilagare di scioperi e di turbolenza operaia del decennio successivo. Il suo paternalismo illuminato sarebbe stato messo a dura prova da quella tempesta, che gli fu risparmiata. Fu poco sensibile al rumoreggiare di terremoto che stava sotto la superficie stagnante dell'Italia. Percepì invece molto bene quanta stanchezza vi fosse in URSS per i sacrifici che venivano chiesti in nome di future e, stando alle mai mantenute promesse, più fortunate generazioni. Il compagno Ivan esigeva qualcosa subito.

Citiamo dal diario di Nenni, in data 2 settembre 1966: «Ricevuto la visita di Valletta sulla entità e le prospettive dell'accordo con l'URSS per la costruzione sul Volga di una azienda automobilistica capace di produrre duemila vetture al giorno, la metà della produzione della

FIAT. L'accordo è stato molto contrastato dalla Francia per ragioni di concorrenza; non dall'America, almeno non dal governo americano. Il tipo di vettura prescelto è la 124 FIAT con adattamenti alle strade e al clima russo. Il negozio è grosso: duecento miliardi. Valletta dice giustamente che se l'Unione Sovietica si avvia alla produzione di consumi, sarà a tutto beneficio della politica di coesistenza pacifica. A Roma alcuni ambienti di destra hanno masticato amaro. Un ultimo motivo di perplessità è nato quando si è saputo che la nuova grande industria sorgerà in una zona industriale del Volga intitolata al nome di Togliatti. Come se Togliatti non appartenesse ormai di pieno diritto alla storia del nostro Paese». Considerazione ragionevole, l'ultima. Senonché il maestro di Togliatti, Giuseppe Stalin, che pure apparteneva di pieno diritto – chi oserebbe dubitarne? – alla storia dell'URSS, era stato depennato dalla geografia e dalla toponomastica sovietiche.

Nel 1966 Valletta era finalmente rassegnato alla pensione. Le redini del colosso industriale italiano passavano a Gianni Agnelli, allora quarantacinquenne, che deteneva con la famiglia il controllo azionario della FIAT, ma che alla FIAT non aveva mai contato gran che durante la dittatura del grande vecchio. Gianni Agnelli, famoso come personaggio mondano, era come dirigente industriale un'incognita. Passava per un personaggio amabilmente scettico e di intelligenza brillante, ma piuttosto frivola. I più ignoravano che il *playboy* internazionale – ancora semplice laureato in legge, non l'*Avvocato* e nemmeno il *Signor Fiat* – aveva da qualche tempo messo giudizio, e studiato a fondo i problemi del colosso industriale italiano. Non gli era stato possibile fino a quel momento esprimere una sua strategia, ma alcuni tra coloro che lo frequentavano ebbero la sensazione che ne avesse maturata una. Si constatò presto, infatti che l'èra Agnelli era per la FIAT diversa dall'èra Valletta. In parte per uno stacco generazionale: ma soprattutto perché la vita economica e sociale cambiò ben presto registro. La FIAT, che negli anni Cinquanta e nei primi anni Sessanta era stata per molti Italiani – operai compresi – il modello del capitalismo illuminato ma tradizionale, l'esempio d'una industria padrona e mamma insieme, che assisteva e proteggeva i suoi dipendenti dall'assunzione alla tomba, ma in cambio pretendeva patriottismo aziendale e acquiescenza sindacale, divenne La Nemica, La Piovra. Il capitalismo di Mirafiori non apparve più illuminato, ma sfruttatore e inquisitore, con le sue schedature e i suoi sindacati «gialli».

Gianni Agnelli dovette confrontarsi con questa nuova realtà, che lo collocò tra i protagonisti degli anni Settanta e Ottanta. Lo fece con uno stile diverso – non sappiamo se migliore o peggiore – da quello vallettiano. Quando si spense, Valletta ebbe riconoscimenti anche da chi avrebbe dovuto essergli avversario. Scrisse il già citato – e ci capiterà di citarlo frequentemente nelle prossime pagine – Pietro Nenni: «A lui (Valletta) si doveva il miracolo della resurrezione e dello sviluppo della FIAT. L'avevo conosciuto nel 1947 su presentazione di Di Vittorio e di Oreste Lizzadri. L'avevo rivisto alcune volte negli ultimi tempi. Era un aperto fautore del centrosinistra. Chiedeva al governo una sola dote, l'efficienza. Per il resto diceva, senza del resto crederci, fate quello che volete e magari nazionalizzate la FIAT se credete che ciò possa giovare al Paese».

Nenni dubitava della sincerità di Valletta, quando si dichiarava disposto a veder nazionalizzata la FIAT. Ne dubitiamo anche noi. Per fortuna la nazionalizzazione non ci fu. Lo Stato s'imbarcò invece in un'altra avventura che alla FIAT diede molte e – come si vide più tardi – ingiustificate inquietudini, e che finì per determinare non una nazionalizzazione, ma una snazionalizzazione: l'avventura dell'Alfa Romeo, che finirà per collasso da cattiva gestione proprio nelle braccia di Agnelli. Il progetto dell'Alfasud acquistò concretezza all'inizio del 1967, quando il ministro delle Partecipazioni statali Giorgio Bo (sinistra matteiana della DC) e il ministro del Bilancio Pieraccini (socialista) gli diedero la loro approvazione. Le parole d'ordine cui il progetto si ispirava erano di quelle che suscitano facili applausi: ampliamento del settore pubblico, l'unico sottratto, si affermava, ai biechi egoismi del capitalismo privato, e l'unico che garantisse ai dipendenti un buon trattamento; una spinta decisiva all'economia meridionale, per consentirle di attenuare il distacco dalle aree prospere del Nord; incremento dell'occupazione.

Per il varo dell'iniziativa si adoperarono il presidente dell'Alfa Giuseppe Luraghi, il vicedirettore dell'IRI Leopoldo Medugno (napoletano) e il notabilato campano, con alla testa il potente Silvio Gava, padre di Antonio. I politici locali e non locali, i manager pubblici, i «faccendieri» che vivevano nelle anticamere e nei corridoi ministeriali o subministeriali videro nella fabbrica, per la quale fu designata la zona di Pomigliano d'Arco, un'occasione d'oro per procacciarsi clientele, distribuire incarichi, ottenere promozioni, incamerare tangenti. Si parlò d'un investimento di trecento miliardi per fabbricare trecentomila vetture l'anno e arruolare direttamente quindicimila operai e impiegati (con una «ricaduta» d'occupazione per altri cinquanta o sessantamila in quello che in gergo viene definito l'«indotto»).

Nessun partito si oppose seriamente all'iniziativa, nemmeno il PCI che pure in un primo tempo aveva insistito sulla sua vecchia tesi che la motorizzazione privata dovesse essere penalizzata in favore del «collettivo», ferrovie, autoveicoli industriali, autobus. Il ragionamento comunista, secondo il quale l'Italia aveva cattive ferrovie perché dalla FIAT era stata imposta la realizzazione d'una eccellente rete autostradale, faceva acqua da tutte le parti. Altri Paesi, come la Germania, erano riusciti ad avere buone autostrade ed eccellenti ferrovie. Ciò ch'era avvenuto in altri settori dove non esisteva alternativa – nettezza urbana o catasto o giustizia penale – dimostrava che il «pubblico» era allo sfascio comunque, senza bisogno di sabotaggi. Sta di fatto che anche il PCI aderì dopo blande resistenze all'Alfasud, le cui assunzioni furono un test avvilente della corruzione e del clientelismo meridionali, un campione da manuale del fenomeno chiamato camorra. Ovviamente l'Alfasud si risolse in un disastro gestionale, produttivo e di bilancio: l'esempio di come una fabbrica *non* deve essere.

CAPITOLO SECONDO

LA RIUNIFICAZIONE SOCIALISTA

Il secondo governo Moro inciampò, come già il primo del giugno 1964, su un provvedimento per la scuola: tema per la DC estremamente delicato, perché metteva in discussione i suoi rapporti con il Vaticano. Nel '64 era stato d'ostacolo un disegno di legge che prevedeva finanziamenti per le scuole private e che spiaceva ai laici. Questa volta – gennaio 1966 – i franchi tiratori democristiani si mobilitarono perché doveva essere varato un disegno di legge per l'istituzione della scuola materna pubblica. I ruoli erano invertiti, l'effetto fu lo stesso. Forse – nel '66 come nel '64 – la scuola era stata, almeno in parte, un falso scopo. Le inquietudini cattoliche per ogni riforma che sottraesse spazio alla scuola privata, e quindi agli istituti religiosi, erano una realtà: ma offrivano ottimi pretesti a quegli esponenti democristiani che avevano conti da regolare, pretese da avanzare, avvicendamenti da proporre. E che occultavano le loro manovre dietro l'invalicabile cortina del voto segreto.

Sospettato d'obbligo, quando si scatenavano queste burrasche, era Fanfani: che aveva ripreso animo, durante il 1965, e ricominciava ad agitarsi. Si diceva che non fosse più disposto a stare da isolato nel governo, sia pure in un Ministero di massimo prestigio come quello degli Esteri, e che esigesse la presenza, accanto a lui, di uomini della sua corrente. A metà gennaio del 1966 aveva pronunciato a Grosseto un discorso in cui accusava di inerzia il governo di cui faceva parte. In particolare, Fanfani imputava a Moro di far troppo poco per trovare una soluzione al conflitto vietnamita, come se questo fosse dipeso dall'Italia. Saragat s'era irritato per queste critiche al punto da ritenere che Fanfani, inguaribile «nella frenesia di ricercare l'appoggio comunista e della destra», sensibile alle sirene dell'integralismo e d'un «deteriore gollismo», non fosse più idoneo per la carica che occupava.

Il 20 gennaio 1966 venne la bocciatura del governo per la già accennata legge sulle scuole materne. Moro ebbe, per designazione unanime, il reincarico. Benché la causa delle dimissioni fosse stata minore, gli esperti pronosticarono consultazioni e trattative estenuanti. Moro, che di natura era tutto tranne un velocista, e che si scontrava con difficoltà obiettive, impiegò un mese intero per allestire il suo terzo governo: che vide la luce il 23 febbraio 1966, e che poco si discostava dal precedente. I mutamenti apportati a nomi e incarichi non modificarono la struttura della coalizione. Il trasferimento di maggior rilievo, almeno nell'ottica di oggi, fu quello di Andreotti dalla Difesa all'Industria. Il socialdemocratico Tremelloni andò alla Difesa: a sua volta rimpiazzato alle Finanze dal compagno di partito Luigi Preti. Entrarono – vincendo l'opposizione socialista – gli scelbiani Restivo e Scalfaro. L'arrembaggio ai posti di sottosegretario fu, secondo tradizione, indecoroso, e per dare la maggior possibile soddisfazione agli appetiti si decise di portare il numero delle eccellenze di serie B da 43 a 46. Tra esse era, come sottosegretario alla Difesa, un giovane giurista sardo, Francesco Cossiga. Perfino il paziente Moro era stremato per questi maneggi e a una telefonata di Nenni – rimasto alla vicepresidenza così come Fanfani era rimasto agli Esteri – che chiedeva se le liste fossero finalmente pronte rispose: «Non sono alla fine delle mie pene». Va da sé che nel mese di negoziati erano stati messi nero su bianco bellissimi programmi, con la promessa solenne di dar loro una attuazione integrale e rapida: grosse cose per la scuola, per l'edilizia popolare, per la previdenza, per gli ospedali. Fu pure deliberato che nel 1968, contemporaneamente alle politiche o a breve distanza da esse, si sarebbero svolte le prime elezioni per i consigli regionali.

Superata la crisi e messo in piedi il governo – che sarebbe stato uno dei più longevi del dopoguerra – i riflettori del Palazzo si appuntarono sulle fatiche della riunificazione socialista, voluta da Nenni e da Saragat. Mancavano, perché fosse cosa fatta, le ratifiche degli organi istituzionali, cioè degli apparati dei due partiti.

La luce verde alla riunificazione era stata data dai Congressi socialista e socialdemocratico del novembre '65 e del gennaio '66. Nenni aveva detto, a proposito delle sorti passate e di quelle future del socialismo, cose sacrosante: «Quanto diversa sarebbe stata la nostra incidenza sulla società italiana senza l'orgia delle scissioni: quanto più consistente la nostra forza, quanto più incisiva la nostra azione, quanto maggiore il nostro peso politico. Quanti socialisti disgustati dalle scissioni hanno abbandonato ogni organizzazione? Quanti giovani si sentono respinti dalla pluralità dei partiti che si richiamano al socialismo? Quanti elettori scuotono il capo dubbiosi di fronte alla molteplicità dei simboli socialisti, tra i quali rifiutano di scegliere?». L'appello di Nenni fu accolto, l'ottanta per cento dei delegati votò per lui, meno del venti per cento per Riccardo Lombardi, portabandiera della sinistra massimalista. Ma tra gli autonomisti di Nenni già s'erano create due correnti, una che faceva capo al vecchio leader, l'altra che faceva capo al segretario del Partito Francesco De Martino.

Meno travagliata era la situazione dei socialdemocratici, per i quali l'ascesa di Saragat al Quirinale era stata in complesso positiva: se il partito non poteva più contare sull'apporto d'attività quotidiana di Saragat (che del resto era un eccellente stratega ma un mediocre tattico, e proprio nell'attività quotidiana rivelava le sue debolezze temperamentali), si giovava in compenso del prestigio e dell'autorevolezza riverberati dal Quirinale. Infatti i socialdemocratici avevano proposto che la riunificazione si facesse a tambur battente, il 2 giugno 1966. De Martino invece, reso inquieto dagli ammonimenti del PCI che esortava concitatamente i socialisti a non commettere irreparabili errori in danno della classe operaia, premette il pedale del freno.

In luglio fu resa nota una Carta dell'unificazione approvata dai «saggi» dei due partiti. Nel documento erano indicati generici obiettivi di giustizia, di uguaglianza e di pace, e si insisteva sul controllo pubblico degli investimenti e sulla programmazione democratica. I dogmi del marxismo – nazionalizzazioni, proprietà pubblica dei mezzi di produzione – erano ignorati o svogliatamente accennati, con grande stizza dei lombardiani, e con un rumoreggiare d'accuse di tradimento da parte dei comunisti e del PSIUP, il troncone massimalista che già s'era staccato dal PSI.

Fu, quella, un'estate contrassegnata dalle speranze socialiste, ma anche da segnali negativi. In Alto Adige si ebbe una recrudescenza del terrorismo, la frana di Agrigento (dovuta ad un dissesto geologico causato dalla forsennata speculazione edilizia, dalla corruzione, dalla carenza di controlli) innescò i fuochi di un ennesimo scandalo, l'Italia intera fu in lutto perché la nazionale di calcio s'era fatta battere dalla Corea ai mondiali d'Inghilterra, ed era stata eliminata. In lutto, per ben più serio motivo, era anche Nenni, che aveva da poco perduta la moglie Carmen, e che pure si batteva con fervore perché nascesse il grande Partito socialista che aveva sempre sognato, e che mai aveva realizzato.

Le amministrative parziali di metà giugno (1966), che avevano interessato alcune città importanti – Roma in primo luogo, e poi Firenze, Bari, Foggia, Pisa – furono una doccia fredda per i riunificatori del PSI. Il test aveva portata acqua al mulino dei socialdemocratici, che a Roma, a Bari, a Foggia, avevano addirittura raddoppiato voti e seggi; confermato la solidità della DC e del PCI; e lasciato i socialisti al palo, con un sensibile regresso nella capitale non compensato da modesti incrementi altrove. «C'è un dato particolarmente preoccupante» osservava Nenni riferendosi a Roma «ed è che perdiamo più di quanto non ci tolga il PSIUP. C'è un altro dato preoccupante: diecimila elettori che a Roma città, nelle elezioni provinciali, hanno votato per noi, hanno votato per altri candidati nelle elezioni comunali.» E concludeva: «Al di là dei dati elettorali il problema rimane quello di una forza socialista che non sia di apporto né alla DC né al PCI, ma che sia in grado di condizionare la politica italiana».

La Costituente per l'unificazione, ossia la affollata *kermesse* che il 30 ottobre 1966 sancì, al Palazzo dello Sport di Roma, il ricongiungimento dei due tronconi e delle due anime del socialismo, ebbe carattere più celebrativo che politico. Ventimila i partecipanti, una selva di bandiere e drappi rossi, mezzo milione di volantini lanciati sulla platea, discorsi col cuore in mano (il primo, applauditissimo, fu di Pertini), lacrime di commozione e applausi interminabili. Nenni fu acclamato presidente del Partito unificato che ebbe, come cosegretari, De Martino e Tanassi. Riccardo Lombardi, che a quel passo s'era rassegnato per disciplina di partito, non rinunciò a pretendere, quando gli fu data la parola, una vigorosa «strategia delle riforme». La festosa ottobrata romana aveva tutta l'aria di preludere a un rilancio del socialismo, che il PCI aveva largamente distanziato, ormai, nei risultati elettorali, e che surclassava in capacità propagandistica.

Ma poi cominciarono i guai novembrini: con il maltempo che per tutto quell'anno '66 flagellò l'Italia, provocando allagamenti un po' dappertutto; con il disastroso straripamento dell'Arno a Firenze; e, sul terreno politico, con avvisaglie del peggio per i socialisti. Alla fine del mese s'era avuta una nuova e minore tornata di amministrative, coinvolgente un milione e mezzo di cittadini: e in particolare due province (Trieste e Massa Carrara) e il comune di Ravenna. Il Partito socialista unificato subì, se non una bocciatura, di sicuro un avvertimento: dimostrando, secondo il commentatore Enrico Mattei, «che due più due non fanno quattro, non fanno cinque, ma fanno tre e mezzo». «Il calcolo è spiccio, ma dimostra il livore dei nostri avversari» si lagnò Nenni. Ma Mattei era stato buon profeta.

Il 1967 fu – per quanto riguardava l'esito della riunificazione socialista, e per quanto riguardava in generale la politica italiana – un anno interlocutorio. I dibattiti più accesi ebbero per oggetto il «caso» SIFAR, ossia le ripercussioni postume d'un progetto di colpo di Stato, o di involuzione autoritaria, che il generale De Lorenzo aveva o avrebbe – secondo i punti di vista – approntato nel luglio del 1964, complice o consenziente il Presidente della Repubblica Antonio Segni. Un dibattito dunque retrospettivo: ma straordinariamente attuale e tempestivo se raffrontato a quello che, avendo lo stesso oggetto, arroventerà l'Italia ventitré anni dopo. Dello scandalo SIFAR ci siamo già occupati ne *L'Italia dei due Giovanni*, e ce ne occuperemo ancora nel prossimo capitolo.

Il resto fu *routine*: all'interno, s'intende, perché il mondo continuava ad essere insanguinato dalla guerra del Vietnam e fu folgorato dalla guerra dei sei giorni, con cui agli inizi di giugno Israele mise in ginocchio l'Egitto – che s'era insignito dell'etichetta di Repubblica araba unita – e la Giordania, conquistando la Cisgiordania: una conquista i cui strascichi politico-diplomatici hanno pesato sul mondo nel decenni successivi.

Tra i socialisti, era pace armata. Tanassi diffidava di De Martino, che ricambiava con slancio, e Nenni era continuamente costretto a far da paciere. Stentatamente ma irresistibilmente qualche profonda riforma della società italiana si apriva un varco tra le sabbie mobili parlamentari: a cominciare dal divorzio – o il piccolo divorzio, come si diceva allora per i contenuti restrittivi della legge in discussione – che sollevava l'indignazione e le proteste del Vaticano, secondo il cui parere il nuovo istituto avrebbe arrecato un *vulnus* gravissimo e intollerabile ai Patti lateranensi, dalla Costituzione recepiti e avallati, con l'assenso comunista. In vista d'una controffensiva, la DC divenne a quel punto risoluta fautrice d'una legge che, dando attuazione a una norma costituzionale fino a quel momento disattesa – e dalla stessa DC a lungo avversata –, introducesse l'istituto del *referendum* abrogativo. Grazie ad esso il divorzio, se accettato dal parlamento, avrebbe potuto essere revocato dal voto popolare. Ma questa battaglia era ancora, nel 1967, nella fase delle scaramucce iniziali.

Senza battaglie che il pubblico dei non addetti ai lavori potesse percepire fu invece il decimo Congresso della DC, tenutosi a Milano a fine novembre 1967. L'unico momento visibilmente drammatico esso lo visse quando il segretario Rumor fu colto da un lieve malore, e rianimato da una misteriosa pillola viola che Aldo Moro trasse dalla sua capace borsa di pelle. Pur tra i soliti litigi e stilettate, il Congresso confermò la «grande maggioranza» (dorotei, morotei, fanfaniani, centristi) cui andò circa il 65 per cento dei voti. La «base» e i sindacalisti ebbero il 23 per cento, i «pontieri» di Taviani, così chiamati perché volevano collegare il doroteismo alla sinistra, il 12 per cento. A destra, Andreotti era in quel momento ghettizzato come esponente d'un filoamericanismo oltranzista.

Con un po' di buona volontà i socialisti videro nelle deliberazioni congressuali democristiane, che sotto l'ispirazione di Moro erano chilometriche, omnicomprensive e multiuso, il segno d'uno spostamento a sinistra del maggior partito italiano. Ma ormai il governo e i partiti agivano nella prospettiva delle elezioni politiche, fissate per il 19 maggio dell'anno successivo, che si aprì con una catastrofe. Il 15 gennaio 1968 il terremoto del Belice, con i suoi trecento morti e i suoi ottantamila senza tetto, distolse per qualche giorno l'attenzione del Palazzo dalla marea di parole dei comizi. Ma presto anche il Belice diventò materia di disputa elettorale e contribuì a ingrossarla, mentre i terremotati lamentavano l'inadeguatezza dei soccorsi e qualcuno, in Sicilia o a Roma o altrove, faceva i conti delle somme da chiedere, degli appalti da concedere, delle clientele da soddisfare, delle tangenti da incassare. Nelle case partitiche ci si accapigliava per le candidature e per i collegi da assegnare a questo o a quel notabile. La DC era in preda alle consuete convulsioni da seggio parlamentare, ma anche i socialisti non scherzavano. Nenni ricordò una frase di Turati: «Che magnifica cosa sarebbe il socialismo se non ci fossero i socialisti».

Mentre gli Italiani si apprestavano a deporre la loro scheda nelle urne, a Praga era in pieno sviluppo la primavera di Dubcek. Luigi Longo era corso nella capitale cecoslovacca per cercar di capire cosa stesse accadendo: e anche, aveva dichiarato, per atto di solidarietà con il nuovo corso. Secondo Smirkowsky, Presidente dell'Assemblea nazionale cecoslovacca, il segretario del PCI aveva invece espresso *in loco* «preoccupazioni analoghe a quelle sovietiche». I partiti di governo si auguravano che gli avvenimenti cecoslovacchi contribuissero alla punizione elettorale del PCI, e ad un successo dei suoi avversari: in particolare un successo di chi da tempo aveva chiesto, inutilmente, che il «socialismo reale», con le sue connessioni in Occidente, avesse un volto umano.

Invece proprio il PCI uscì trionfante dalla prova del 19 maggio 1968 mentre i socialisti unificati ebbero il 14,5 per cento dei voti, un quarto in meno di quanti ne avevano in passato raccolti presentandosi separatamente. Naufragarono candidati di spicco come Santi, Vittorelli, Greppi, Paolo Rossi, Garosci. Mezzo milione di elettori socialisti aveva preso la fuga, optando per il PSIUP – l'ala scissionista del PSI che rifiutava la riunificazione –, che infatti ottenne il 4,5 per cento. I «laici» non fecero faville, e la DC – salita dal 38,3 al 39,1 per cento – non si sentiva più incalzata dai liberali, ormai in fase calante. Al PCI né la scomparsa di Togliatti né il dramma di Praga né le prime convulsioni sessantottine avevano nuociuto: era passato dal 25,3 al 26,9 per cento accrescendo di undici seggi la sua «dote» alla Camera.

La televisione era stata – e il fenomeno si sarebbe, come sappiamo, accentuato – la protagonista della campagna elettorale: ma senza influire gran che sui risultati. Il primato della simpatia lo aveva senza dubbio avuto Nenni, attore così consumato da non sembrarlo affatto. Nessuno aveva detto meglio di lui delle cose più ragionevoli e sensate di lui. Nessuno più di lui aveva saputo toccare con accenti patetici il cuore del telespettatore. Nessuno aveva saputo dosare con altrettanta maestria fermezza e umiltà, modestia e coraggio. Nessuno insomma era stato più «faccia» di lui, eppure proprio lui era il grande sconfitto. Non Moro, involuto e poco convincente, non Rumor, bonario ma inguaribilmente retorico. Meno ancora il goffo, rozzo e impacciato Longo, promosso a pieni voti.

L'esito infausto della riunificazione ribadiva un'antica verità, che non cessava d'essere tale per il solo fatto di venire negata dai socialisti: che cioè quando il Partito socialista pretendeva d'essere unito, e di raccogliere tutte le forze che si richiamassero ai suoi ideali, era esposto alle disfatte o alle delusioni elettorali perché l'unità era fittizia, e il comun denominatore socialista poco meno che un equivoco. Socialdemocratici e massimalisti non erano le due diverse facce d'uno stesso partito: erano stati sempre, e continuavano ad essere, due partiti, che si rivolgevano a due diversi elettorati, e soddisfacevano aspettative ed esigenze sociali diverse. Questo fossato si è ultimamente attenuato, sia per la sostanziale «borghesizzazione» della base socialista, anche di quella di condizioni più modeste, sia per una evoluzione politica che ha relegato le parole d'ordine del socialismo classico tra i ferrivecchi della storia. Ma la riunificazione del 1966 era stata una decisione di vertice, da tutti approvata perché appariva in se stessa buona e sensata, osannata dalla stampa, salutata dai commentatori come una svolta durevole della vita politica italiana. Una di quelle manovre a tavolino nelle quali gli strateghi s'impegnano senza chiedersi se l'esercito marcerà e se le fanterie attaccheranno davvero. I disertori erano stati molti: anzi erano stati troppi perché l'insuccesso potesse essere passato agli atti senza ripercussioni sul governo.

Nenni era affranto, ma risoluto a proseguire l'esperimento di centrosinistra. Non così Saragat, che aveva visto nello smacco una sorta di affronto personale e, tarantolato dalla rabbia contro quello che definì «destino cinico e baro», chiedeva vendetta: ossia l'abbandono della coalizione governativa (che, per un Capo dello Stato in teoria al di sopra delle parti, era cosa piuttosto incongrua). Del suo stesso parere erano, seppure senza le pittoresche escandescenze presidenziali, De Martino e Tanassi. Si arrivò, il 29 maggio, a una pronuncia della direzione socialista per il disimpegno. Saragat ne fu soddisfatto: «Una volta tanto il partito si è tirato su i calzoni» disse. Moro presentò le sue dimissioni, che per l'occasione non furono formali.

Si trattava ora di mettere insieme un nuovo governo, e la responsabilità vera toccava, dopo l'Aventino socialista, alla DC, che aveva escluso dalla rosa dei papabili, intanto, un cavallo di razza: Amintore Fanfani. Questi aveva accettato la carica di Presidente del Senato, alla Presidenza della Camera era stato nominato Pertini. Mentre a Parigi infuriavano le manifestazioni studentesche, e Bob Kennedy veniva assassinato in California, i soliti noti del Palazzo avviarono un'ennesima volta il rituale delle consultazioni, con il loro contorno di manovrette d'anticamera o di corridoio. Essendo impensabile una riesumazione del centrosinistra, ed essendo altrettanto impensabile una coalizione d'altro tipo, si pensò in casa DC alla soluzione che il Partito aveva in serbo per queste del resto frequenti evenienze: un monocolore «balneare», da affidare a un Presidente del Consiglio che del bagnante avesse la vocazione, ossia Giovanni Leone.

La defenestrazione di Moro poteva sembrare iniqua, perché in definitiva la DC se l'era cavata ottimamente alle urne, e il governo non aveva particolarmente demeritato, fosse o no merito suo. Dopo la minirecessione del '64-65 l'economia aveva ricominciato ad andar bene. Nel '67 il reddito reale era cresciuto del 5,9 per cento e – quel che più conta – il centrosinistra s'era rivelato per il mondo dell'imprenditoria e della finanza un pericolo se non inesistente, certo modesto. Ma l'autocannibalismo è nella DC uno degli esercizi preferiti, e pertanto Moro dovette passare il testimone. Rumor – cui, come segretario del Partito, era concesso di tentare per primo – non riuscì, così come non riuscirono Colombo e Taviani. Toccò, lo si è accennato, a Leone; che già nel '63 era stato chiamato per un compito identico. Egli accettò che il governo avesse una vita prefissata, fino al 19 novembre, ossia subito dopo il Congresso socialista che si sarebbe tenuto dal 23 al 27 ottobre.

L'estate fu profondamente segnata, anche in politica interna, dagli avvenimenti di Praga. Quando, tra il 20 e il 21 agosto 1968, la Cecoslovacchia fu schiacciata e Dubcek liquidato, il PCI non ripeté l'infamia commessa nel '56, dopo la repressione di Budapest. Condannò l'intervento delle truppe sovietiche, pur non escludendo che, nel modo in cui Dubcek aveva perseguito la sua linea, fosse stato dato troppo spazio a «pressioni centrifughe, disgregatrici o liquidatrici o attività ostili». Tuttavia quando Saragat, in un messaggio inviato a un'assemblea dei democristiani d'Europa riuniti a Venezia, deplorò che fosse stata soffocata la libertà di una «nobile nazione europea con una aggressione», Longo gli rinfacciò d'aver «mostrato la corda antisocialista, atlantica ed imperialista».

La balneazione leonina consentì ai socialisti, attossicati dalla delusione elettorale, di affilare in tutta tranquillità i loro pugnali in vista del Congresso al quale si presentarono divisi in cinque correnti accomunate soltanto dalla voglia di attaccar briga. Il dibattito fu suggellato da una gazzarra finale alla quale il pubblico, che aveva fischiato chiassosamente gli oratori «moderati», diede un contributo decisivo. Nel pletorico Comitato centrale entrarono 43 nenniani, 39 demartiniani, 21 tanassiani, 11 lombardiani e 7 giolittiani (da Giolitti Antonio, non Giovanni). Nenni fu nominato presidente del Partito, Mauro Ferri, che non era un politico di memorabile polso, segretario, Cariglia – dalla fronte «inutilmente spaziosa», ironizzava Fortebraccio – vicesegretario. «Dopo il 19 maggio» confessava Nenni nel suo diario «io non sono riuscito a tenere in pugno il partito, senza che altri lo abbiano conquistato.»

La collaborazione con questo Partito socialista sconfortato e senza guida appariva alla *leadership* della DC, più che auspicabile, indispensabile. Ridotto in quelle condizioni, il socialismo non era in grado di fare la voce grossa: ma era invece in grado di dare al governo, in una situazione sociale deteriorata – il 2 dicembre 1968 v'erano stati due morti tra i braccianti che ad Avola, nel Siracusano, allestivano sbarramenti stradali durante una violenta dimostrazione – una qualche copertura a sinistra. Se per il Partito socialista era tempesta, non era bonaccia per la DC dove Moro, in disparte, aveva annunciato, in un Consiglio nazionale, la sua autonomia dalla corrente dorotea, non senza qualche bacchettata sulle dita dei colleghi per «questa inerzia, questa passività, questo appagarsi di un misterioso rimescolio ai vertici del Partito». Curiosi rimproveri, in bocca ad Aldo Moro.

Il 12 dicembre, scaricato Leone, il centrosinistra risorse, affidato alle morbide mani di Mariano Rumor, che costituì così il suo primo governo. De Martino fu vicepresidente, Nenni Ministro degli Esteri. Inusitatamente Andreotti, che con Leone aveva conservato il suo posto di Ministro dell'Industria, restò fuori dal Rumor I, e divenne presidente del gruppo parlamentare democristiano alla Camera, mentre Flaminio Piccoli veniva, con voto molto risicato, designato alla segreteria.

Mariano Rumor, Presidente del Consiglio a metà dicembre 1968, sembrava, tra tutti i protagonisti della politica italiana, il più inadatto ad occupare quell'incarico in quel momento. La contestazione studentesca, le agitazioni sindacali, la violenza crescente, richiedevano un uomo che le sapesse capire e interpretare: ma che le sapesse anche affrontare con piglio risoluto, per impedire che il Paese entrasse nel tunnel in cui effettivamente entrò, e dal quale uscì, dopo prove tragiche, solo negli anni Ottanta. Nessuno – men che meno altri esponenti della DC che pure venivano ritenuti cavalli di razza, e non *outsiders* – sarebbe probabilmente riuscito ad evitare il peggio. Ma certo la designazione di questo professore di liceo dai modi felpati e dall'eloquio rotondo, fu una delle mosse tipiche con cui la DC «rimuove» talvolta i problemi, affidandosi ai suoi giuocatori di panchina, anziché ai titolari.

Il maggior partito italiano ha sempre avuto abbondanza di questi preziosi rincalzi: Rumor, Emilio Colombo (che in sostanza per circa un decennio ha manovrato le leve dell'economia italiana), Giovanni Leone, più di recente Goria. I presidenti di transizione consentivano alla DC di guadagnar tempo, rimettere un po' d'ordine nelle sue correnti, sistemare i rapporti con gli alleati, studiare le mosse del PCI. Ma guadagnar tempo, in quella emergenza, significava anche perderne.

Eppure Rumor, personaggio da commedia goldoniana più che da tragedia contemporanea, fu da allora in poi uno dei democristiani di più assidua frequenza a Palazzo Chigi. La sua biografia era uno spaccato dell'Italia «bianca», il Veneto operoso, zuccheroso, pio, all'occorrenza anche gaudente. Per gli Italiani Rumor fu, fino al giorno in cui divenne Presidente del Consiglio (e forse anche dopo), uno sconosciuto, tranne che nel diletto ambito vicentino. Oggi, a pochi anni dalla scomparsa, è un dimenticato.

La famiglia era di quelle «buone», nella Vicenza stretta attorno al vescovo. Il nonno Giacomo aveva fondato «L'Operaio cattolico», giornale stampato nella tipografia pontificia e vescovile San Giuseppe, che gli apparteneva. Il figlio di Giacomo, Giuseppe, continuò la tradizione di famiglia, il che lo portò ad attriti con il fascismo, che sulla stampa stava stendendo, negli anni Venti, la sua cappa censoria. Mariano era nato il 16 giugno 1915, primo di cinque fratelli. A scuola era primo della classe, ebbe la laurea in lettere *magna cum laude* per una tesi su Giuseppe Giacosa. Di essa s'occupò, non favorevolmente, Benedetto Croce che, forse piccato per alcune osservazioni dell'universitario Rumor che direttamente lo riguardavano, gli dedicò un'acida nota sulla «Critica», nel 1940: «L'intenzione del libro è buona, perché vuol rinnovare il ricordo e l'affetto per un nobile e gentile scrittore quale fu Giuseppe Giacosa. Ma purtroppo l'autore, quantunque elogiato per capacità critica in un attestato di tre suoi insegnanti di Padova messo innanzi al volume, si dimostra affatto ottuso a intendere i problemi della bellezza e dell'arte, e della idealità e moralità intrinseca all'arte, come si vede dai recati giudizi sul Becque e su Verga».

Non per questo il giovanotto che negli anni di pace aveva fatto al fascismo la fronda blanda e ostinata dei cattolici, si perse d'animo. Insegnò finché fu chiamato alle armi, per lo scoppio della seconda guerra mondiale. Seguì il corso allievi ufficiali, ebbe i galloni di sottotenente d'artiglieria e finì istruttore alla scuola d'artiglieria contraerea di Sabaudia dove lo sorprese il «tutti a casa!» dell'8 settembre 1943. Nei mesi cupi della Repubblica di Salò cospirò, da professorino, prodigandosi per riallacciare le fila del mondo cattolico, così da porre le basi della Democrazia cristiana vicentina e delle ACLI. Aveva tutte le credenziali necessarie per tuffarsi, quietamente, nella vita politica, e infatti fu trionfalmente eletto alla Costituente, e dopo d'allora non gli mancò mai la valanga di voti dei suoi conterranei.

Esordì, come deputato, con una interrogazione che attestava le sue radici locali. Chiedeva al Ministro dell'Interno, onorevole Scelba, di metter pace tra due borgate, Lastebasse in provincia di Vicenza e Folgaria in provincia di Trento, rissanti da secoli per una disputa riguardante certi pascoli indivisi. Scelba, che aveva ben altre gatte da pelare, diede «ampie assicurazioni». Poi l'orizzonte di Rumor si allargò, riuscì a farsi notare dai notabili della DC, e un giorno del 1951 Amintore Fanfani, che in un rimescolamento ministeriale era passato dal Lavoro all'Agricoltura, gli offrì una poltrona di sottosegretario. Si racconta che Rumor avesse obiettato: «Ma non so distinguere un pino da un abete». «Se è per questo» rispose Fanfani «tra un pino e un abete non c'è poi tanta differenza.» Una sintesi di saggia filosofia ministeriale.

Entrato nella stanza dei bottoni, non ne uscì più. «Morbido, affettuoso, sfumato, guardingo, tergiversante, duttile, colorito e garbato in conversazione» citiamo da un ritratto di Gigi Ghirotti «non gli sarebbero stonati la tabacchiera, le fibbie e il tricorno goldoniano.» Era stato collocato dapprima, come aclista, nella sinistra della DC. Ma rifiutò presto quell'etichetta. Non si identificava con la destra, non abiurava la sinistra, stava dovunque e da nessuna parte. Ma tutto, cultura educazione temperamento, gli dava l'impronta del moderato. Era, come Moro, un mediatore nato: solo che Moro inseriva nei suoi discorsi qualche affermazione importante avvolgendola in una caligine di frasi tortuose, dalle quali era necessario estrarla con un faticoso lavoro di esegesi: il periodare di Rumor era invece limpido, ma una volta liberati di reminiscenze professorali e citazioni classiche, i suoi discorsi si rivelavano per quello che erano: esercizi d'equilibrio rassicuranti e sedativi. Dopo il sottosegretariato con Fanfani – che era stato preceduto da una vicesegreteria della DC – fu tra i fondatori della corrente «dorotea», quindi (1959) Ministro dell'Agricoltura, nel 1963 Ministro dell'Interno in un effimero governo Leone, nel gennaio del 1964 segretario della DC, nel 1967 presidente dell'Unione democristiana mondiale. Finalmente, Presidente del Consiglio.

CAPITOLO TERZO

SOLO COL GLADIO

Questo capitolo si propone di riassumere e spiegare – entro i limiti in cui un nulla di gigantesche dimensioni e di allucinante complessità può essere riassunto e spiegato – la nascita e la crescita dei «casi» Solo e Gladio: con un accenno alle loro molteplici connessioni, vere o presunte. Siamo stati costretti a superare, in questo lavoro di onesta ricapitolazione, un reticolato di difficoltà non tutte nettamente eliminabili: semmai in parte aggirabili (e ci siamo sforzati di farlo). Anzitutto difficoltà d'ordine cronologico. Nella stesura della *Storia d'Italia* abbiamo di norma cercato di procedere ordinatamente, con qualche modesto arbitrio derivante dall'opportunità di portare fino alla conclusione una determinata vicenda: ma si trattava di vicende che, inserite nel filone essenziale degli avvenimenti, li sopravanzavano al più di uno o due anni. Questa volta ci siamo trovati di fronte a tuffi nel passato e voli nel futuro che fanno a pugni con il nostro metodo di narrazione. Gladio nasce nel 1956, il sottosegretario alla Difesa Francesco Cossiga se ne occupa tra il '66 e il '69, gli arsenali dell'organizzazione segreta sono smantellati tra il '72 e il '73, lo stesso Cossiga rivela nel '90, come Presidente della Repubblica, la parte da lui avuta nel mettere a punto la struttura anti-invasione: con tutto ciò che ne è seguito. Una trama che si dipana per sette lustri, segreta e superflua, e che sembra ben lontana dall'aver esaurito tutte le sue possibilità di deflagrazioni a vuoto (ma potentissime).

Il piano Solo fu concepito dal generale De Lorenzo nel 1964 – ad esso sono state infatti dedicate alcune pagine de *L'Italia dei due Giovanni*, che arriva fino al 1965 –, diventò di pubblica ragione nel 1967 con un'inchiesta giornalistica dell'«Espresso», sfociò in inchieste amministrative e parlamentari e in processi che si trascinarono fino al 1972, riemerse dalle tenebre del passato nel 1990. Il *feuilleton* numero due è un po' più breve dell'altro cui sarà abbinato, e con il quale finirà per coabitare, sulle pagine dei quotidiani. Ma durò pur sempre ventisei anni, quanti ne trascorsero tra la presa della Bastiglia e la fine, a Waterloo, dell'epopea napoleonica. Il materiale che altrove viene definitivamente passato agli archivi, e considerato d'interesse soltanto storico, in Italia è gabellato come bruciante attualità politica, dalla quale possono essere messi in discussione la carica del Capo dello Stato e la stabilità del governo. Ci riferiremo solo fuggevolmente, per non dilatare il nostro arbitrio cronologico oltre confini ragionevoli, alle vicende ultimissime. Ma per il resto dobbiamo concederci dei *flash-back* e delle anticipazioni che in cinematografia sono d'uso corrente, ma che per la storia sono inconsueti. È che nel nostro Paese politica e giustizia diventano spesso e volentieri archeologia, con una certa morbosa propensione al ritrovamento di scheletri, sia che si trovino negli armadi (il mobilio tombale della *nomenklatura*, tutta la *nomenklatura*, inclusa quella d'opposizione, è ragguardevole) sia che si trovino più propriamente nei cimiteri. Dobbiamo adeguarci, cominciando proprio da Gladio.

Nel 1951 – un ulteriore passo indietro, ma di poco

conto rispetto al 1956 già indicato –, ossia nel colmo della «guerra fredda», la NATO, o meglio i suoi servizi segreti, ritennero che fosse utile approntare nei Paesi dell'alleanza una rete segreta di cittadini fidati disposti, in caso d'invasione da parte dell'Armata Rossa o da altre truppe dell'Est, a svolgere un'azione di resistenza «attraverso la raccolta delle informazioni, il sabotaggio, la propaganda, la guerriglia». L'idea prevedeva che nuclei di quel tipo si formassero, così come in Italia, anche in Francia, in Olanda, in Belgio, in Danimarca, in Norvegia. Si apprenderà un giorno che neutrali o non allineati, come la Svizzera e la Jugoslavia, avranno iniziative analoghe. Per quanto riguardava specificamente l'Italia il progetto cominciò a prender corpo, il 26 novembre 1956, con un accordo tra il SIFAR, ossia i servizi segreti italiani, e la CIA, ossia i servizi segreti statunitensi. La rete clandestina post-occupazione fu battezzata ufficialmente *stay behind*, stare indietro, e, nel gergo corrente di chi della rete si occupava, Gladio.

Il nome non era molto indovinato: proprio il gladio era stato adottato dalla Repubblica di Salò per sostituire le stellette. Chi lo riesumò aveva la memoria troppo corta. O troppo lunga. Nel '59 l'Italia fu chiamata a partecipare, accanto a USA, Gran Bretagna e Francia, ai lavori del Comitato clandestino di pianificazione che, in ambito NATO, studiava le contromosse per il dopo-invasione. Sotto la guida del generale De Lorenzo il SIFAR procedette dunque all'arruolamento dei gladiatori: tutta gente che «per età, sesso ed occupazione avesse buone possibilità di sfuggire ad eventuali deportazioni ed internamenti». Si è discusso se i gladiatori siano stati soltanto 622, come risulta ufficialmente, o se il loro numero fosse maggiore. L'allargamento dell'organico stava particolarmente a cuore a chi, dovendo dimostrare che tra i gladiatori v'era molta gentaglia, e non trovandone tra i 622, ipotizzava una substruttura criminal-politica coperta dalla segreta ma legale struttura Gladio, a sua volta posta sotto l'egida della normale struttura dei servizi segreti. In coerenza con gli scopi di Gladio – la resistenza contro il nemico invasore, che poteva allora essere soltanto l'Armata Rossa, o chi per essa – il grosso delle reclute di Gladio fu cercato e trovato nelle regioni nordorientali: dove fu anche collocato, tra il '59 e il '63, il maggior numero di depositi nascosti e interrati di armi.

Queste erano custodite in contenitori a chiusura ermetica che ne assicurassero il buon funzionamento in ogni circostanza. Si trattava di fucili automatici, esplosivi, munizioni, bombe a mano, pugnali, mortai da 60 millimetri, cannoncini da 57 millimetri, radio riceventi e trasmittenti. Qualora l'eventualità dell'occupazione si fosse avverata, Gladio avrebbe dovuto operare in sei branche: informazioni, sabotaggio, propaganda e resistenza generale, radiocomunicazioni, cifra, sgombero di persone e materiali. Una «base esterna di ripiegamento» era stata approntata in Sardegna. Il SIFAR procedette all'istituzione d'un centro di addestramento per la formazione dei quadri della rete clandestina. Risulta dalle carte che l'organizzazione poteva svolgere attività «marine, aeree, paracadutistiche e subacquee». Sembra la descrizione dei piani di battaglia d'una possente armata, ed era soltanto il regolamento burocratico d'un organismo che per fortuna non ebbe mai occasione di agire. Fortuna duplice. Fu inattivo perché mancò la temuta invasione, e, essendo mancata l'invasione, non dovette dar prova della sua efficienza. Mai chiamato all'azione come strumento di guerra, Gladio s'è trasformato, *faute de mieux*, in strumento di polemica e di propaganda, ad uso di qualche furbo.

Quando a Gladio venivano dati gli ultimi tocchi il sottosegretario Cossiga, l'abbiamo accennato, se ne occupò (e coraggiosamente rivendicherà molti anni più tardi, durante un viaggio a Londra come Presidente della Repubblica, la legittimità dell'organizzazione nonché l'onorabilità e il patriottismo di chi aveva accettato d'entrarvi). Cossiga non era uomo che prendesse alla leggera i suoi compiti di supervisore dei servizi segreti e che sottovalutasse i pericoli di deviazioni. In un appunto a Luigi Gui, Ministro della Difesa dal giugno del 1968 al marzo del 1970, egli aveva segnalato un'iniziativa inquietante del SIFAR, quando lo comandava il generale De Lorenzo. Il regolamento che specificava quali fossero le attività dannose alla sicurezza dello Stato dal punto di vista militare recitava, nel 1955: «La polizia militare ha il compito di predisporre e attuare le misure necessarie per prevenire, combattere e reprimere lo spionaggio e il sabotaggio in campo militare o di preminente interesse militare». Il testo era stato così modificato, nel 1962: «La polizia militare ha il compito di predisporre e di attuare le misure necessarie per prevenire, combattere e reprimere lo spionaggio, il sabotaggio e la sovversione». Spariva con ciò la specificazione militare delle norme, e vi veniva introdotta la sovversione.

Gladio provocò qualche tragicomico equivoco. In due piccole grotte dell'altopiano del Carso, nei pressi di Aurisina (a un tiro di schioppo da Trieste) i carabinieri rinvennero nel 1972 un piccolo arsenale: venti chili di dinamite ed esplosivo al plastico, detonatori, micce, pistole, granate, bombe. Tutto di fabbricazione straniera. Incombeva sull'Italia l'insidia del terrorismo, e fu ovvio sospettare che quella roba fosse stata occultata da eversori d'estrema destra o d'estrema sinistra. Si trattava invece d'uno dei 139 Nasco – questo il nome convenzionale dei depositi di armi – che erano stati disseminati prevalentemente nell'Italia nordorientale, ma anche altrove. A quel punto il SID, succeduto al SIFAR, decise di smantellare la rete dei Nasco. Ne furono recuperati, tra il 1972 e il 1973, 127 (su 139). I mancanti erano in massima parte finiti sotto le fondamenta di nuovi edifici, chiese, cappelle. Ve ne furono di irrecuperabili perché il terreno in cui si trovavano era stato aggregato a un camposanto. La dispersione degli esplosivi e delle armi doveva insomma essere attribuita, secondo la versione ufficiale, agli imprevisti che il seppellimento, e il trascorrere degli anni, fatalmente comportavano. La tesi opposta è che una parte almeno del materiale bellico non ritrovato sia stata utilizzata per attentati e stragi, addebitati alla destra: e che, se collegati a Gladio, dimostrerebbero l'esistenza d'un nesso tra il «patriottismo» dei gladiatori e il «golpismo» dei Generali o dei neofascisti.

Mentre Gladio era in fase di smantellamento l'Italia fu funestata – 31 maggio 1972 – da una delle sue tante stragi: l'unica che abbia un colpevole, confesso e condannato all'ergastolo, e che possa essere senza alcun dubbio attribuita al terrorismo neofascista. Una telefonata anonima avvertì i carabinieri, quel giorno di fine maggio, che nelle campagne attorno a Peteano di Sagrado, nel Goriziano, era stata abbandonata una FIAT cinquecento con due buchi da proiettile sul parabrezza. Accorse una pattuglia; l'auto era imbottita di esplosivo che deflagrò uccidendo tre carabinieri, e mutilandone un quarto. Le indagini furono tortuose. Seguirono dapprima una pista rossa, poi puntarono contro alcuni delinquenti di mezza tacca della zona, arrestati, e più tardi scagionati, finalmente s'indirizzarono verso gli ambienti dell'eversione di estrema destra. Nel 1982 Vincenzo Vinciguerra, affiliato a Ordine nuovo, confessò d'essere l'autore del criminale attentato, rivendicandone per intero la responsabilità, ed escludendo l'esistenza di mandanti o complici. La Corte d'Assise di Venezia, che gli inflisse l'ergastolo nel 1987, condannò come correo un latitante, Carlo Cicuttini. L'inchiesta non si esaurì tuttavia con questa sentenza. Dall'istruttoria erano emersi indizi seri di deliberato inquinamento delle prove per opera di due ufficiali e d'un sottufficiale dei carabinieri, incriminati per falso, calunnia e peculato. Proprio questi strascichi della strage di Peteano finirono sullo scrittoio del giovane giudice veneziano Felice Casson: il quale chiederà ad un certo punto d'avere accesso agli archivi dei servizi segreti. Con l'autorizzazione di Andreotti a Casson perché frugasse tra i fascicoli di Palazzo Braschi, dove l'*intelligence* italiana tiene i suoi documenti, vennero anche – agosto 1990 – le ammissioni ufficiali sull'esistenza di Gladio.

Un altro giudice di Venezia, Carlo Mastelloni, era a sua volta sulle tracce della struttura segreta. Ce l'aveva portato un fascicolo press'a poco coetaneo degli altri maneggiati da Casson. Mastelloni s'era trovato ad indagare su certi residuati giudiziari d'una tragedia avvenuta il 23 novembre 1973 nel cielo di Marghera. Un vecchio bimotore Dakota messo a disposizione del SID s'era quel giorno schiantato al suolo causando la morte di quattro militari – due ufficiali e due sottufficiali – che erano a bordo. La sciagura dell'aereo, conosciuto in codice come Argo 16, fu minimizzata dal Ministero della Difesa: un incidente. In realtà Argo 16 era stato utilizzato per trasportare alla chetichella in Libia alcuni terroristi arabi venuti in Italia ad organizzare attentati: e lasciati espatriare, nonostante le prove schiaccianti a loro carico, ad evitare ulteriori guai per il nostro Paese. Si sospettò pertanto che il Dakota fosse stato sabotato dal MOSSAD, il servizio segreto israeliano. Si sa con sicurezza che, a bordo di Argo 16, gruppi di gladiatori erano portati in Sardegna per addestramento, e che i morti di Marghera erano tutti gladiatori.

Quando l'esistenza di Gladio è diventata di dominio pubblico Cossiga e Andreotti hanno ripetuto che l'organizzazione aveva, in tempi di guerra fredda, scopi pienamente conformi all'interesse nazionale. La sorpresa ostentata da molte parti politiche per la scoperta di Gladio è del resto poco credibile. Se n'era parlato molto – pur senza specificare il nome dell'organizzazione – negli anni precedenti. Ma a quel punto – estate del 1990 – Gladio divenne un'arma preziosa per distogliere l'attenzione dell'opinione pubblica dallo sfascio della ideologia e dei partiti comunisti, e per avvalorare la tesi che l'Italia fosse vissuta in una falsa democrazia, viziata da presenze poliziesche, autoritarie e golpiste.

Diventava a quel punto indispensabile ridare attualità a un altro arrugginito arnese politico e polemico: il piano Solo. Dall'intreccio – sempre asserito, mai dimostrato – tra Gladio, il piano Solo, e le stragi derivava la squalifica della democrazia e della dirigenza politica italiana. Con il risultato che unico partito rispettabile, in tanto sfascio, rimaneva il PCI poi divenuto PDS, sconfitto dalla storia recente; ma che si pretese fosse rivalutato, grazie a un'abile operazione trasformistica, dalla storia di venti o trenta o quarant'anni or sono.

Piano Solo. Abbiamo spiegato, ne *L'Italia dei due Giovanni*, che Antonio Segni, Presidente della Repubblica, ansioso per temperamento e forse già minato dal male che l'avrebbe folgorato – facendone un invalido – il 7 agosto 1964, era stato impensierito fino all'angoscia dalla crisi di governo esplosa all'inizio dell'estate di quell'anno. Aldo Moro, che guidava una coalizione di centrosinistra, s'era dimesso il 25 giugno (1964) e la ricomposizione dei cocci appariva ardua: per di più la riedizione del centrosinistra che dal restauro sarebbe presumibilmente uscita non piaceva a Segni: il quale vedeva, in prospettiva, rischi gravi di destabilizzazione per la democrázia italiana. In quei frangenti egli si consultò ripetutamente con i comandanti delle Forze Armate – che erano forti soprattutto nelle faide di caserma – e in particolare con De Lorenzo, che era stato capo del SIFAR, che comandava in quel momento i carabinieri, e che con disinvoltura sudamericana andava tessendo intrighi tra il turbato Quirinale e i vertici militari.

Il mondo politico non ebbe la sensazione che una minaccia autoritaria incombesse sull'Italia: per convincersene basta scorrere il diario di Nenni nelle annotazioni dedicate a quei giorni, fitte di normale «cucina» crisaiola ma senza angosce. L'accenno più grave – «una crisi inutile e funesta che ha ancor più scosso il prestigio dei partiti e del parlamento» – si attaglierebbe alla perfezione, ancor oggi, ad ogni crisi di governo italiana. I «l'avevo capito», «lo sentivo», «avevo paura» arrivarono quasi tutti più tardi: quando – maggio 1967 – «L'Espresso» diretto da Eugenio Scalfari diede inizio a una campagna giornalistica che ricostruiva le vicende del «bimestre nero» dando ad esse i connotati d'un *golpe* incompiuto ma innegabile. Alla «bomba» dell'«Espresso» seguirono una vertenza giudiziaria tra De Lorenzo da una parte, Scalfari e Jannuzzi – quest'ultimo autore degli articoli – dall'altra (dopo una condanna dei giornalisti in primo grado tutto si concluse con una remissione di querela): e poi commissioni d'inchiesta militari, e una commissione d'inchiesta parlamentare. Tanto le prime quanto la seconda – almeno per quanto riguardava la relazione di maggioranza – censurarono con espressioni dure De Lorenzo, ma ritennero che quel suo piano illegittimo – perché approntato all'insaputa dei responsabili governativi e delle altre forze dell'ordine e affidato unicamente ai carabinieri, donde il nome di piano Solo – fosse irrealizzabile e fantasticante. Una deviazione deprecabile, non un tentativo concreto di colpo di Stato. Parte del materiale raccolto dagli organismi che avevano indagato fu coperto da *omissis* per motivi, fondati o no, di sicurezza. Mentre gli *omissis* duravano, noi abbiamo così riassunto, ne *L'Italia dei due Giovanni*, le caratteristiche del piano Solo: «(Esso) prevedeva, in caso d'emergenza, una serie di interventi dei carabinieri, e l'arresto di individui – l'elenco comprendeva circa settecento nominativi... – ritenuti pericolosi. Gente, secondo il singolare linguaggio delorenziano, da "enucleare"... De Lorenzo aveva organizzato un apparato militar-spionistico capace, venuta l'ora X, di neutralizzare gli elementi infidi "enucleandoli" – e magari trasferendoli in Sardegna o altrove sotto buona scorta; di ordinare l'occupazione della RAI, delle prefetture, delle sedi dei partiti e di altri punti nevralgici; e di spianare infine la strada a un governo "forte"». Come si vede, l'essenza del piano Solo era ampiamente nota, anche prima che la rimozione degli *omissis* fosse deliberata, a fine 1990, dal governo Andreotti. Il nuovo che è emerso riguarda taluni obiettivi del piano – si è saputo così che anche la sede del PSI avrebbe dovuto essere occupata – e il numero dei carabinieri da impiegare, ventimila. Il piano Solo, anche questo va detto, ebbe quattro versioni: il che sembra

confortare la tesi di chi sostiene che, pur nella sua pericolosità e illegalità, esso appartenesse alla numerosissima famiglia dei progetti cartacei che Stati Maggiori e capi della
polizia hanno nei cassetti, per contrastare un largo venta-
glio di emergenze.

Un punto, ed è un punto fondamentale, rimane, nonostante tutto, irrisolto. De Lorenzo intendeva agire al-
l'insaputa di Segni, o d'accordo con lui? D'accordo con
lui, si direbbe: tanto che, quando la crisi di governo ebbe una soluzione fisiologica – tra l'altro con la conferma
del centrosinistra – le velleità del Generale evaporaro-
no. Con l'aiuto d'un generale spregiudicato, privo di re-
more morali e disciplinari – ma in quel momento gradito alle sinistre – Segni, garante delle istituzioni, avrebbe
dovuto attentare alle istituzioni. Senonché Andreotti,
quando nel gennaio del 1991 è stato celebrato il cente-
nario della nascita di Segni, ha escluso con forza che egli
potesse covare propositi golpisti. Ed ha aggiunto – con
l'autorità che gli derivava dell'essere stato nel 1964 Ministro della Difesa – che non vi fu alcuna seria minaccia
di *putsch*.

Il *golpe* fantasma, o il fantasma del *golpe* – ci riferiamo
a quello di De Lorenzo, d'altri presunti *golpes* parleremo
a parte –, inseguì per anni i politici, chiamati a schierarsi,
in una polemica rovente, sull'una e sull'altra barricata: il
golpe c'era stato, il *golpe* non c'era stato. Nenni fu più
d'ogni altro nell'imbarazzo. Scriveva il primo giugno
1967: «L'"Espresso" pubblica una mia lettera sulla crisi
ministeriale del giugno 1964 e sul preteso "colpo di Stato" che il generale De Lorenzo avrebbe predisposto su
istigazione dell'allora Presidente della Repubblica Segni.
Non sono contento della lettera ma sono stato trascinato
a scrivere da Scalfari che pure sapeva, per una conversa-

zione dei giorni scorsi, che la mia tesi concorreva ad annullare o contestare la sua. Ho cioè confermato nella lettera che ci fu un tentativo di scavalcamento a destra del parlamento, ma che a mia conoscenza non ci furono minacce di colpo di Stato e non si fece in nessun momento pesare su di noi una tale minaccia. È la pura e semplice verità. Ho evitato tuttavia di dire tutta intera la verità, e cioè la parte politica che Segni ebbe nella crisi nell'ambito dei suoi poteri. Ma mi ripugna mettere in discussione un uomo – Segni – che non è né vivo né morto [Segni, colpito da *ictus*, era ormai un invalido, N.d.A.]». Considerazioni che trovano il loro completamento in queste altre che Nenni affidò al suo diario a metà gennaio del 1971, quando furono divulgati i testi delle relazioni sul «caso SIFAR»: «Rimango ancora oggi convinto che preminenti furono nella crisi gli interessi politici. Segni era deciso a rendere impossibile la ricostituzione del centrosinistra. Tale atteggiamento venne in luce nella riunione quadripartita del 14 luglio [1964, N.d.A.] a Villa Madama quando Moro si lasciò sfuggire che il Presidente della Repubblica avrebbe rifiutato di firmare la legge urbanistica se essa comportava l'esproprio generalizzato... Ora apprendo dalla deposizione di Moro che proprio nei giorni 14 e 15 giugno ci fu l'incontro in casa Morlino di Moro, Rumor, Zaccagnini e Gava, cioè di tutto lo stato maggiore democristiano, con il generale De Lorenzo e con Vicari [capo della polizia, N.d.A.], e che in quell'incontro si considerarono le possibili conseguenze dell'ordine pubblico in caso di scioglimento anticipato delle Camere e della convocazione dei comizi elettorali. Anche questo io ignoravo nei dettagli, anche se Moro mi disse allora di aver consultato il comandante dell'Arma e il capo della polizia sulle condizioni dell'ordine pubblico. Nella sua deposizione Moro fa ripetutamente riferimento ai miei allarmi... Questo nel 1964. Ma oggi [1971, N.d.A.] la minaccia è maggiore mentre di crisi in crisi si è fatta minore la capacità di resistenza e di controffensiva del centrosinistra e dei suoi partiti più lacerati che mai da lotte interne di frazioni e di fazioni». Secondo Nenni, dunque, la crisi era stata principalmente politica: una delle tante che hanno contrassegnato – con vuoti di potere fatti apposta per invogliare al peggio gli ambiziosi – la vita della Repubblica. Da notare inoltre che se il piano Solo si distingueva – e assumeva caratteristiche devianti – proprio perché vi erano coinvolti i carabinieri, ad esclusione di ogni altra forza dell'ordine, le riunioni sull'emergenza dimostravano la inquietudine di uomini che, come Moro e Zaccagnini, non sono mai stati sospettati di autoritarismo (semmai il loro difetto era opposto, la debolezza).

Rimangono misteriose (ma nemmeno tanto, pensandoci bene) le ragioni per cui, sulla base di *omissis* che, una volta tolti di mezzo, non hanno alterato lo svolgimento dei fatti, il piano Solo sia stato, con un procedimento degno della cinematografia fantascientifica, proiettato d'un colpo vent'anni avanti, in pieno 1990: ed abbia potuto innescare una reazione a catena per la quale Francesco Cossiga avrebbe dovuto lasciare il Quirinale e Andreotti Palazzo Chigi. Le colpe dei Segni – se colpe ci furono – ricadono sui Cossiga, forse per affinità regionale? E il *golpe* di De Lorenzo – se *golpe* ci fu – ricade su Andreotti per contagio gerarchico, dal comando dell'Arma dei carabinieri al Ministero della Difesa, e dal Ministero della Difesa di vent'anni fa al Palazzo Chigi di oggi? Un *feuilleton* in confronto al quale l'Alessandro Dumas padre di *Vent'anni dopo* è un principiante del ro-

manzesco e dei «passi indietro» a sensazione. È una tele-
novela, questa di Gladio e del piano Solo, che continua
ad imperversare inesorabile, di puntata in puntata, anche se i suoi protagonisti – Segni, De Lorenzo, Moro,
Nenni – sono, come gli attori di tanti film trasmessi sul
piccolo schermo, tutti morti.

CAPITOLO QUARTO

I MESI CALDI

La contestazione studentesca prese l'avvio, in Italia, con il sommesso ronzio d'una Zanzara. Era questo il nome d'un giornaletto studentesco che veniva compilato alla meglio nel liceo Parini di Milano. In un suo numero fu pubblicata nel 1966 una sorta di inchiesta-sondaggio dal tema cautamente sessuale. «Vogliamo» era stato scritto sulla «Zanzara» – «che ognuno sia libero di fare ciò che vuole a patto che ciò non leda la libertà altrui. Per cui assoluta libertà sessuale e modifica totale della mentalità.» E ancora: «Sarebbe necessario introdurre una educazione sessuale anche nelle scuole medie in modo che il problema sessuale non sia un tabù ma venga prospettato con una certa serietà e sicurezza. La religione in campo sessuale è apportatrice di complessi di colpa».

Come si vede, niente di particolarmente grave, nell'ottica di oggi. Ma la confusa provocazione fu presa terribilmente sul serio da una magistratura incapace di intuire le fiamme – ben altrimenti pericolose – che covavano sotto la cenere. I redattori della «Zanzara» furono inquisiti e incriminati, fu rinviato a giudizio anche il preside dell'Istituto, Daniele Mattalia. Luigi Bianchi d'Espinosa, presidente del Tribunale di Milano, pronunciò, assolvendo gli studenti e il preside, parole paternamente sensate: «Non montatevi la testa, tornate al vostro liceo e cercate di di-

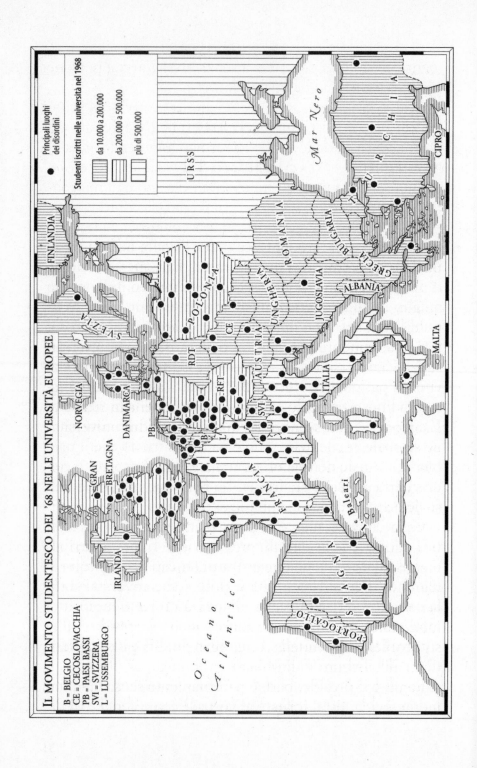

IL MOVIMENTO STUDENTESCO DEL '68 NELLE UNIVERSITÀ EUROPEE

B = BELGIO
CE = CECOSLOVACCHIA
PB = PAESI BASSI
SVI = SVIZZERA
L = LUSSEMBURGO

Principali luoghi
dei disordini

Studenti iscritti nelle università nel 1968

da 10.000 a 200.000

da 200.000 a 500.000

più di 500.000

menticare questa esperienza senza atteggiarvi a persone più importanti di quello che siete».

L'auspicio non si avverò. Per molti motivi – la scimmiottatura di ribellioni già avvenute nell'Università californiana di Berkeley e nella Germania Federale, gli ammaestramenti di Marcuse nel suo *L'uomo a una dimensione*, ma anche obiettive situazioni di disagio e di malcontento nelle strutture scolastiche italiane – la contestazione montò, dal 1967 in poi, e divampò nella società italiana negli ultimi anni Sessanta e per tutti gli anni Settanta: con qualche sussulto, in tono minore, anche successivamente.

L'università aveva gran bisogno d'una ventata rinnovatrice. Nel 1956-57 gli iscritti ai corsi erano 212.000, dieci anni dopo il loro numero s'era raddoppiato, 425.000, con una crescita imponente delle immatricolazioni. L'università d'*élite* diventava dunque università di massa, senza che il fenomeno fosse stato debitamente previsto e affrontato. L'insegnamento era in mano ai «baroni», per una parte dei quali la cattedra universitaria rappresentava un accessorio ornamentale dal quale riceveva prestigio la lucrosa attività professionale. Il docente, almeno per quanto riguardava i corsi importanti, si rivolgeva a una calca di allievi che a stento ne percepivano la voce. Era sottovalutata o ignorata l'esigenza di laboratori o seminari che preparassero gli studenti all'attività professionale, e molti professori erano «ferroviari», comparivano cioè (quando comparivano) per la loro lezione, ma vivevano altrove e non avevano con i ragazzi nessun rapporto umano. Per la soluzione di questi problemi gli studenti avrebbero potuto e dovuto battersi, e il governo muoversi.

Senonché il governo scelse, come sempre accade in Italia, la strada più facile e meno utile: quella del «facilismo». Mentre l'esame di maturità veniva svuotato di contenuti a tal punto che la quasi totalità dei candidati era promossa, tutte le università aprivano i battenti, per l'iscrizione, a tutti i diplomati delle scuole medie superiori: il che – in mancanza d'altre misure – lungi dall'eliminare le disfunzioni, le aggravava. Chi a Roma s'era forse illuso di conquistare la quiete universitaria – e di non dover toccare né privilegi né abusi – con la politica della manica larga, fu presto smentito. Lo fu perché gli studenti – una esigua ma vociante minoranza – che promuovevano la contestazione non avevano a cuore l'università e tanto meno riforme efficientistiche: infatti si opposero a quella – la cosiddetta legge 2314 – che era stata allora proposta del ministro Luigi Gui, così come si sarebbero opposti più di vent'anni dopo alla riforma del ministro Ruberti. Volevano il trionfo dell'ideologia e della demagogia sullo studio. Era il Gran Rifiuto di Marcuse.

Nel '67 furono volta a volta occupate, sgomberate, rioccupate la Sapienza di Pisa (dove vennero elaborate le «tesi» che qualche intellettuale ha esaltate come abbozzo d'un nuovo mondo universitario, e che erano solo cascami di marxismo e di maoismo), Palazzo Campana a Torino, la Cattolica di Milano, e poi Architettura a Milano, Roma, Napoli. Nella facoltà di Sociologia di Trento praticamente non si riuscì a tenere nessun corso, perché i suoi locali erano permanentemente occupati o in vari modi bloccati.

Questo di Trento era un caso singolare. Con la mancanza di fiuto culturale che li distingue, i democristiani avevano chiesto e ottenuto la creazione di questo ateneo, illudendosi che, nella pace appartata d'una città estranea ai grandi sconvolgimenti sociali potessero essere formati dei tecnocrati: una fabbrica di manager. Nata nel 1962, l'Università di Trento divenne, come sappiamo, qualcosa di assai lontano dai propositi dei suoi sprovveduti promotori. I professori erano di livello: ma erano anche disponibili alle utopie d'un giovanilismo sconsiderato e d'un rivoluzionarismo salottiero. Quanto agli studenti, ha scritto Giorgio Bocca, capitarono lassù, «come se fosse suonato un misterioso tam-tam, tutti gli avventurosi, gli utopisti, gli spostati, gli irrequieti della penisola». Tra loro, Marco Boato, Mauro Rostagno, Renato Curcio, Margherita Cagol (presto la storia della contestazione s'intreccerà con quella del terrorismo: cercheremo, per maggior chiarezza della narrazione, di tenere distinti i due filoni, sempre che sia possibile).

Gli studenti della cattolicissima Trento «avrebbero dovuto coltivare, raddrizzare, potare uomini che sarebbero stati a loro volta coltivati, potati, raddrizzati loro stessi come piante. Ma gli uomini non sono piante. Chi decide come devono essere gli uomini?». La profonda riflessione è in un «documento di lavoro n. 9» elaborato da Francesco Alberoni, che a Trento era rettore.

I vecchi organismi rappresentativi studenteschi furono rinnegati e spazzati via, sovrana era l'assemblea: che avrebbe dovuto essere emancipatoria, e divenne presto repressiva. Alle voci dissenzienti fu impedito di farsi sentire. Aldo Ricci ha scritto che «i personaggi del movimento che andavano per la maggiore avevano deciso per tutti che non si studiava più, studiare era un fatto borghese e i vari nomi sacri della sociologia [questo sempre a Trento, N.d.R.] non contavano più nulla. C'era Marx, soltanto lui come Dio, come star, letto lui eri a posto per tutta la vita».

Alberoni, che pure aveva tentato disperatamente d'adeguarsi, si sentiva smarrito di fronte a questa «orgia

distruttivo-radicale». L'estremismo diventava delirio. A
Palazzo Campana, a Torino, «la commissione delle facoltà scientifiche compiva l'estremo atto liberatorio nei
confronti del Dio libro: lo squartamento dei libri in lettura per distribuirne un quinterno a ognuno dei membri»
(Guido Viale). Montava la colossale sbornia provocata da
un cocktail ideologico nel quale Marx e Marcuse, Ho Ci
Min e il Che Guevara, Rudi Dutschke, Freud, Mao, e un
operaismo fumoso si mescolavano disordinatamente.

Per i professori erano tempi d'umiliazione e
d'abdicazione, o di rischio. Pochi docenti di nessun peso,
portati in cattedra da chissà quali misteriose congiure
d'interessi, concordavano con la protesta nichilista, molti
si piegavano, a volte simulando letizia, per meritare la medaglia di «progressisti» e per evitare guai, alcuni altri tentavano di resistere con manovre elastiche, pochissimi
fronteggiavano risolutamente l'esplosione. Al professore
veniva negato il diritto di valutare lo studente. L'esame
doveva essere un tu per tu alla pari, e poco importava che
lo studente fosse un asino (ma a volte il professore era un
«barone» che non aveva mai speso un po' del suo tempo
e della sua pazienza per capire e avvicinare gli studenti).
La cultura era disprezzata, si scriveva Kultura con la kap-
pa, uno sfregio ortografico che ai Marat in diciottesimo
piaceva enormemente. A Roma il rettore D'Avack, disperato e impotente contro il dilagare del disordine, si risolse
infine a mettere tutto «nelle mani del potere democratico
dello Stato», ossia a invocare la forza pubblica.

Il primo marzo 1968, a Roma, il Movimento studentesco, che fino ad allora s'era proclamato non violento, mostrò l'altra sua faccia: quella degli scontri duri con la polizia, delle spranghe e delle bottiglie Molotov. A Valle Giulia, presso Villa Borghese, dov'era la sede di Architettura,

studenti e agenti s'impegnarono in una mischia furibonda con lancio di sassi e di bottiglie incendiarie da una parte, manganellate e idranti dall'altra. Si contarono a centinaia i feriti e i contusi, vi furono parecchi fermi o arresti. Anche una classe politica in sopore perenne come quella italiana fu impressionata dall'aggressività con cui i militanti del Movimento studentesco s'erano avventati contro la polizia. Per «l'Unità» «la polizia è stata scatenata contro gli studenti romani», ma poi la cronaca del quotidiano comunista riferiva che «davanti alle gradinate bruciavano roghi di jeep e di pullman» senza peraltro spiegare chi avesse appiccato il fuoco. In soccorso dei dimostranti malintenzionati era venuta una rivista, «La Sinistra», che aveva pubblicato un manuale per la fabbricazione di bottiglie Molotov, con tanto di illustrazioni.

In opposizione a chi aveva visto nella «battaglia di Valle Giulia» un episodio della lotta perenne tra lo Stato oppressore e il popolo oppresso, Pier Paolo Pasolini rovesciò, in uno scritto rimasto famoso per il suo carattere provocatorio, i ruoli. Popolo erano i poliziotti, poveri, umili e umiliati: e bersagliati da figli di papà che cercavano, nella guerriglia di piazza, anche una rivalsa contro quei papà che, non contenti di pagare, pretendevano di esercitare qualche influenza sull'educazione dei figli.

E poi fu il maggio francese, un incendio di dimensioni colossali. L'agitazione studentesca, che già era in atto, diventò acuta, ai primi del mese, alla Sorbona e a Nanterre. I motivi di fondo erano gli stessi della protesta italiana: l'inadeguatezza delle istituzioni, la richiesta di una maggior partecipazione studentesca alla gestione degli atenei, la ribellione alla dittatura «baronale». Ma presto anche a Parigi, e ancor più a Parigi che in Italia, le motivazioni politiche ed ideologiche presero il sopravvento. Ne fecero fede i tentativi, in parte riusciti, di saldare il movimento studentesco al movimento operaio, benché Georges Marchais avesse pronunciato sulla rivolta universitaria, ai suoi primi accenni, un giudizio sprezzante: «I gruppuscoli gauchisti, unificati in quello che chiamano il movimento del 22 marzo diretto dall'anarchico tedesco Cohn-Bendit, potrebbero solo far ridere. Tanto più che in generale sono figli di grandi borghesi che metteranno presto a riposo la loro fiamma rivoluzionaria per andare a dirigere l'impresa di papà e sfruttare i lavoratori». Era la tesi di Pasolini, quasi alla lettera.

Tuttavia il 6 maggio i manifestanti parigini furono 15.000 e il 7 maggio 50.000. I loro propositi volavano verso i cieli della fantasia, «l'immaginazione al potere», «siamo tutti indesiderabili», «proibito proibire», «siate ragionevoli, chiedete l'impossibile». Era una continua improvvisazione che rifiutava la logica in quanto borghese.

A quel punto scesero in campo, mutando radicalmente la fisionomia della protesta, gli operai. I sindacati erano incerti e lacerati, la sinistra «legale» insieme affascinata e impaurita dalla deflagrazione improvvisa e largamente spontanea, che era anche una dichiarazione di guerra al generale De Gaulle e al suo Primo ministro Pompidou (la sinistra francese ed europea, che avrebbe anni dopo tributato omaggi solenni alla memoria del Generale, vedeva in lui allora un simbolo della reazione autoritaria, un semi-dittatore appena poco meno esecrabile dei colonnelli che s'erano impadroniti del potere in Grecia il 21 aprile del 1967).

Quando il 13 maggio una manifestazione parigina riunì centinaia di migliaia di persone, vi furono alla fine scontri tra operai e studenti, che avevano sfilato insieme: perché gli studenti rifiutarono di sciogliere i loro assembramenti, e occuparono la Sorbona, appena riaperta. Entrarono quindi in sciopero le maestranze della Renault, finirono in mano alla piazza i teatri di Stato e l'Académie française. Era l'anarchia, con il blocco di scuole, fabbriche, ferrovie, miniere, porti: e insieme ad esso devastazioni, tumulti, le prime code di gente presa da panico davanti ai negozi di alimentari. Il segretario del Partito comunista, Waldeck Rochet, propose la costituzione d'un governo «popolare», ma il capo della CGT (il sindacato comunista) Seguy, che per lo spontaneismo studentesco aveva un'avversione profonda, non volle lo sciopero insurrezionale.

De Gaulle, che era in Romania in visita ufficiale, anticipò precipitosamente il ritorno a Parigi, e pronunciò dalla televisione, il 24 maggio, un discorso di sette minuti durante il quale promise d'indire, entro giugno, un *referendum*: «Se doveste rispondere no, non c'è bisogno di dire che non continuerei ad assumere per molto le mie funzioni. Ma se, con un massiccio sì, esprimerete la vostra fiducia in me, comincerò con i pubblici poteri e, spero, con tutti coloro che vogliono servire l'interesse comune, a cambiare ovunque sia necessario le vecchie, scadute e inadatte strutture e ad aprire una via più ampia per il sangue giovane di Francia».

La voce del grande vecchio cadde, o così sembrò, nel vuoto. La *kermesse* populista continuava, e nel teatro Odéon da loro presidiato gli studenti proclamarono l'attacco alla «cultura dei consumi». Dichiararono che i teatri nazionali cessavano di essere tali e diventavano «centri permanenti di scambi culturali, di contatti tra lavoratori e studenti, di assemblee continue. Quando l'Assemblea nazionale diventa un teatro borghese, tutti i teatri borghesi devono diventare assemblee nazionali». Jean-Paul Sartre concionava, tra acclamazioni ma anche grida ostili, alla Sorbona. La partita sembrava perduta per il governo, dal quale si dimetteva il Ministro dell'Educazione, Peyrefitte. Nel frattempo i sindacati facevano marcia indietro, e approvavano una bozza di accordo per miglioramenti salariali e normativi.

Investito da quest'offensiva, De Gaulle preparò un contrattacco degno di lui. Dopo una visita lampo in Germania, dove s'era incontrato con il generale Jacques Massu che vi comandava le forze francesi (e che nel '57-58 aveva guidato i paracadutisti francesi nella battaglia di Algeri), ripiombò a Parigi e il 30 maggio riparlò al Paese. Dichiarò sciolta l'Assemblea nazionale, indicendo le elezioni politiche per il 23 e 30 giugno; revocò il promesso *referendum* perché «la situazione attuale impedisce materialmente questo procedimento»; si scagliò contro gruppi «da tempo organizzati» che esercitavano «l'intossicazione, l'intimidazione e la tirannia». «La Francia» disse «è minacciata dalla dittatura. È in corso un tentativo per persuaderla a rassegnarsi a un potere che si vuol imporre nel bel mezzo della disperazione pubblica. Questo potere sarebbe essenzialmente quello di un conquistatore, cioè il potere del comunismo totalitario... No, la Repubblica non abdicherà. Il popolo se ne rimpadronirà.» «La voce che abbiamo appena ascoltato» commentò Mitterrand a caldo «è la voce del 18 brumaio [il colpo di Stato di Napoleone Bonaparte nel 1799, N.d.A.], è la voce del 2 dicembre [il colpo di Stato di Luigi Napoleone nel 1851, N.d.A.], è la voce del 13 maggio [la presa di potere di De Gaulle nel 1958, N.d.A.]. È quella che annuncia la marcia del potere minoritario e insolente contro il popolo, è quella della dittatura. Questa voce il popolo la farà tacere.»

Il popolo sbugiardò Mitterrand. Nelle elezioni i gollisti

presero 358 seggi su 485, la *Féderation* di sinistra mitter-
randiana perse 61 deputati, Mendès-France non fu neppure eletto. Prima del responso delle urne, gli ultimi fuochi del maggio s'erano spenti. Il 16 di giugno la Sorbona
era stata evacuata dai duecento della «Comune studentesca» che ancora vi bivaccavano, il 17 finirono i residui
scioperi. Il 27 giugno «l'ultima cittadella studentesca»,
ossia l'Atelier d'espressione popolare che era stato insediato nella Scuola di belle arti, si arrese. De Gaulle aveva
vinto, e sostituì – ma solo a vittoria ottenuta – il Primo
ministro Pompidou con Couve de Murville.

In Francia la «maggioranza silenziosa», che lassù aveva il
diritto di chiamarsi tale senza per questo essere confusa
con il fascismo, aveva affermato il suo diritto e il suo dovere di governare al di sopra e se occorreva contro le frange
estremiste. In Italia i microrivoluzionari del Movimento
studentesco s'esercitarono per anni nel punzecchiare un
potere debole, e sfuggente come gelatina, disposto ad incassare tutto senza che nulla riuscisse veramente a supe-
rarne la gommosa resistenza. Le università erano allo
sbando per le intimidazioni studentesche – di sinistra e, là
dove le circostanze lo consentivano, di destra – e per le
abdicazioni o la codardia di molti professori. Si distingue-
vano, in questa resa al caos, le facoltà di Architettura. Al
Politecnico di Milano il preside di Architettura Paolo Portoghesi si poneva ostentatamente al fianco dei contestatori
approvandone o subendone tutte le richieste, comprese le
più stravaganti. «Si vedono» ha scritto Bocca «baroni universitari come Guido Quazza e Gabriele Giannantoni che
fanno in pubblico le loro autocritiche, gli architetti Zevi,
Quaroni, Marini vengono incriminati per apologia di reato perché hanno sostenuto le tesi studentesche.»

S'era diffuso nell'intelligenza il terrore dell'isolamento, di una emarginazione in retroguardia, fuori del grande flusso degli avvenimenti, e del potere culturale. Prima ancora del maggio '68 – quando tuttavia s'era già verificato un assedio studentesco, in Germania, alle tipografie di Springer, e a Milano un attacco al «Corriere della Sera» diretto da Giovanni Spadolini – Eugenio Scalfari prese posizione sull'«Espresso»: «Questi giovani insegnano qualcosa anche in termini operativi. L'assedio alle tipografie di Springer per bloccare l'uscita dei suoi giornali è un mezzo nuovo di lotta molto più sofisticato ed efficace delle barricate ottocentesche o degli scioperi generali. Ad un sistema "raffinato" si risponde con rappresaglie "raffinate". L'esempio è contagioso. Venerdì sera a Milano [la data dell'articolo è il 21 aprile 1968, N.d.A.] un corteo di studenti in marcia per dimostrare sotto il consolato tedesco si fermò a lungo e tumultuando sotto il palazzo del "Corriere della Sera". Può essere un ammonimento per tutte quelle grandi catene giornalistiche abituate ormai da lunghissimo tempo a nascondere le informazioni e a manipolare l'opinione pubblica. Ammesso che sia mai esistita, la società ad una dimensione sta dunque facendo naufragio. Chi ama la libertà ricca e piena non può che rallegrarsene e trarne felici presagi per l'avvenire».

L'avvenire immediato, e anche quello mediato, non fu per la verità radioso. L'Italia era avvelenata dall'intolleranza. Alla violenza conformista e massiccia delle sinistre – studentesca e operaia – si contrapponeva la violenza di minoranze fasciste, tanto più parossisticamente esaltate quanto più avvertivano la loro inferiorità numerica e il loro isolamento. Poche erano le facoltà in cui l'estrema destra riusciva a farsi viva. Nella maggioranza delle altre – in particolare a Milano – il dominio del Movimento studentesco era incontrastato: anche perché proprio a Milano esso aveva un leader che sapeva usare, alternandole o abbinandole, la demagogia e la violenza.

Era costui Mario Capanna, un ragazzo orfano di padre, d'origine umbra, ch'era potuto entrare nell'Università Cattolica di Milano grazie a una lettera di raccomandazione del suo Vescovo; e che dalla matrice cattolica s'era presto distaccato per veleggiare verso il marxismo. Espulso dalla Cattolica – dove studiava lettere e filosofia, senza troppa fretta di laurearsi – passò alla Statale. Lì il Movimento instaurò una autentica dittatura, esercitata tramite pretoriani del cosiddetto «servizio d'ordine» – che nella terminologia corrente furono chiamati «katanghesi», e che avevano come ferro del mestiere la chiave inglese – e basata sull'altrui paura.

All'inizio sopravvisse, nel Movimento, una connotazione goliardica. Merita tutto sommato questo aggettivo il lancio di pomodori e uova contro gli spettatori che s'avviavano alla rappresentazione inaugurale della Scala, il giorno di Sant'Ambrogio del 1968. Lo scandalo fu grande, ma qualcuno poté trovare l'iniziativa divertente, anche se aveva colpito uno dei simboli sacri di Milano. Ma poi fu imboccato un percorso che, si voglia ammetterlo o no, portava al terrorismo.

Il professor Pietro Trimarchi, figlio del primo presidente della Corte d'Appello di Milano, che non intendeva piegarsi alle imposizioni dei «capannei», fu «sequestrato», insultato, sputacchiato. Ha annotato Capanna nel suo libro di ricordi *Formidabili quegli anni*: «Tutta la vicenda Trimarchi ebbe una certa rilevanza nelle lotte studentesche. Aveva assunto un duplice significato generale. Per gli studenti determinò uno spostamento dei rapporti di forza a proprio vantaggio: da allora, in tutta Italia, anche i docenti più reazionari si mostrarono più duttili». Essere duttili non significava svolgere con maggior assiduità i propri compiti; significava accettare gli esami di gruppo, la promozione obbligatoria, la rinuncia alla selezione e alla meritocrazia.

Sulla scia dei moti studenteschi esplodevano, senza provocare vittime, le prime bombe dimostrative: avvisaglia inascoltata delle tragedie che si preparavano. Dilagava la rivolta – almeno alla superficie della società – e le rivendicazioni più audaci (e spesso strampalate) trovavano fondamento o in sacri testi della sinistra, a cominciare dal libretto rosso di Mao, o nei saggi abborracciati, quando non allucinati, di nuovi improvvisati Maestri. Si ribellavano anche i detenuti: che chiedevano «diritto di assemblea, di commissioni di controllo su tutta l'attività che si svolge nel carcere, apertura all'esterno con possibilità di colloqui senza limitazioni, abolizione della censura, diritto ai rapporti sessuali... possibilità di commissioni esterne d'indagine sulla funzione di funzionari, magistrati e direttori fascisti». Intanto si muoveva il mondo operaio. Al maggio studentesco, diventato contestazione permanente, si sommava l'«autunno caldo».

«Tra il settembre e il dicembre del 1969» ha scritto Sergio Zavoli in *La notte della Repubblica* «la questione operaia esplode con una forza che né imprenditori né operai avevano previsto. Comincia il cosiddetto "autunno caldo". Ha sullo sfondo il rinnovo contemporaneo di trentadue contratti collettivi di lavoro. Oltre cinque milioni di lavoratori dell'industria, dell'agricoltura, dei trasporti e di altri settori sono decisi a fare sentire il peso delle loro rivendicazioni... La combattività dei lavoratori si accentua con l'emergere di una figura nuova: il cosiddetto operaio-massa, generalmente giovane, meridionale, non specializzato, addetto alla catena di montaggio, più combattivo del tradizionale operaio di mestiere.»

Questo terremoto che scuoteva la vita delle fabbriche e, insieme ad essa, la struttura e la strategia dei sindacati, non aveva la sua chiave in motivazioni economiche. I salari italiani erano ancora tra i più bassi dell'Europa occidentale: ma nessuno poteva negare che la condizione operaia fosse grandemente migliorata nell'ultimo decennio. La conquista dell'automobile per l'operaio, da tempo realizzata negli Stati Uniti – e vista a lungo in Italia come un mito remoto e irraggiungibile – era ormai sotto gli occhi di tutti. Il conforto della vita quotidiana si era accresciuto notevolmente.

Ma la storia sindacale insegna che l'inquietudine sociale cresce in periodi di prosperità e di relativa facilità nella ricerca d'un lavoro: si attenua fino a spegnersi, invece, quando il posto, in tempo di crisi, diventa prezioso. Non si trattò dunque d'un fenomeno di collera collettiva provocata dalla povertà, ma dell'espandersi in fabbrica di fermenti ideologici che erano propri del momento. «Il nostro Vietnam è in fabbrica» recitava uno slogan, ed era caratteristico in esso l'intreccio tra l'anti-americanismo e l'anti-imperialismo di maniera, e le rivendicazioni più specificamente operaie e italiane.

I sindacati «ufficiali», soggetti a spinte anarcoidi, smaniosi di non farsi scavalcare dallo spontaneismo dei Cub, i Comitati unitari di base, largheggiavano in «piattaforme» ambiziose e in scioperi generali: per le pensioni, per la casa. In parallelo con le incertezze d'un sindacalismo scavalcato, che rincorreva le avanguardie, v'erano i cedimenti di governi che non sapevano discriminare tra richieste ragionevoli e richieste demagogiche: e si piegavano alle une e alle altre indifferentemente, pur d'avere la pace sociale, senza ottenerla. CGIL CISL e UIL spacciarono come una vittoria, in quei mesi, l'abbattimento delle «gabbie» salariali.

In precedenza le province italiane, dalle più ricche alle più povere, erano divise in sette scaglioni, secondo il livello del costo della vita. Se un operaio milanese guadagnava cento, un operaio di Agrigento guadagnava ottanta. Era, questo, il riconoscimento d'una verità inconfutabile: che vivere a Milano era – ed è – più caro che vivere in un piccolo centro del Meridione. Ma quelli erano gli anni dell'egualitarismo concepito come magico filtro capace di risolvere ogni problema, e ogni iniquità sociale. I Cub esigevano salari uguali per tutti in base al profondo principio che «tutti gli stomachi sono uguali». Non più differenziazioni di merito e di compenso.

Era, questa, una concezione grossolanamente mutuata dal maoismo: che indicava nel profitto una colpa, nella produttività un servaggio, nell'efficienza un complotto. La negligenza diventava così un merito, il sabotaggio un giusto colpo inferto alla logica capitalistica. Nel numero del luglio 1969 dei «Quaderni piacentini» compariva un lungo documento che affermava: «Cosa vogliamo? Tutto». E proseguiva: «Oggi in Italia è in moto un processo rivoluzionario aperto che va al di là dello stesso grande significato del maggio francese... Per questo la battaglia contrattuale è una battaglia tutta politica».

Gli imprenditori italiani, che negli anni grassi avevano peccato spesso e volentieri di miopia, di insensibilità, di avidità, a volte di durezza, furono colti da un sentimento di paura che confinava con il panico. A Valdagno, durante una dimostrazione operaia, fu abbattuto il monumento a Gaetano Marzotto, il creatore del complesso industriale. Nelle fabbriche l'atmosfera diventava invivibile per i dirigenti e per i «capi» e «capetti» intimiditi quando non minacciati. Era un pullulare di scioperi, indetti all'insaputa dei sindacati se non contro i sindacati. «Gli operai» riferiva un testimone «si fermano, come per un ordine arcano, nessuno sa bene ciò che sta per accadere, ma sui visi si legge una voglia comune di violenza, ed ecco passare la voce: "Venga giù il direttore del personale". Per ordini superiori il nostro si rassegna a scendere, preparato al peggio, e succede questo: gli dicono di star fermo, accanto a un tornio, e poi, quanti sono, gli sfilano davanti e ripetono, uno dopo l'altro: "Faccia di merda, faccia di merda"...»

In fabbrica gruppi di operai praticavano l'autoriduzione, rallentando di loro iniziativa ritmi e produzione. Cresceva l'assenteismo. Quando le aziende tentavano di punire i facinorosi – lo fece la FIAT, denunciando alla Procura della Repubblica 122 operai – si aveva una sollevazione sindacale e politica insieme: e il Ministro del Lavoro – nel caso specifico il democristiano della sinistra di Forze nuove Carlo Donat Cattin, che definiva se stesso, più che Ministro del Lavoro, Ministro dei lavoratori, e che aveva perfino avallato la stramba idea che il salario fosse una «variabile indipendente» dei costi – interveniva per costringere l'azienda temeraria alla resa. Niente più denunce, niente più licenziamenti, reintegro dei puniti – gran parte dei quali si dedicava con assiduità professionale alla creazione di disordine in fabbrica – nelle loro mansioni.

Disse molto tempo dopo Gianni Agnelli (e la dichiarazione è stata raccolta da Sergio Zavoli): «L'allora Ministro del Lavoro non concluse la trattativa con i metalmeccanici fino a quando io non consentii, dopo parecchie ore di resistenza, a riassumere in fabbrica un centinaio di operai che si erano resi responsabili di violenze. Ricordo che, ricattato in queste condizioni, accettai la riassunzione. E l'umiliazione non fu accettare, o subire, questa forma di ricatto, ma, tornato a Torino e presentatomi ai dirigenti della produzione delle fabbriche, comunicare loro che avevo ceduto e che dovevano riassumere questo centinaio di operai violenti. Quello fu l'inizio di dieci anni disastrosi di brutalità e di violenze in fabbrica che fu corretto solo dopo più di tremila giorni».

La discussione dei contratti si svolgeva in un ambiente di ruggente tensione ed eccitazione. I tavoli cui sedevano i rappresentanti delle due parti erano attorniati da decine di scalmanati attivisti di sinistra. I portavoce dell'industria cercavano di destreggiarsi come stanchi tori incalzati da *picadores* e *banderilleros*, e beffeggiati da un pubblico implacabile. Per la verità il paragone con i tori non si addice alla parte «padronale» quando il padronato era pubblico. In tal caso la resa a discrezione, più bovina che taurina, era garantita; auspice, ancora, il governo.

L'autunno caldo provocò, o concorse a provocare, la fuga dei capitali, l'impennata dell'inflazione, una decade recessionistica, per stare agli effetti economici. Accadde tutto questo perché l'aggressività eversiva congiurava con la pavidità meschina di molti «padroni» cui bastava di mettere in salvo oltre frontiera le ricchezze accumulate nei precedenti anni di vacche grasse; e, inoltre, con l'ignavia del governo e con il favoleggiare ipocrita di un buon numero d'intellettuali. Stalin non era più lui, una volta morto, ma rimaneva la Cina come esempio luminoso, anche se qualche malvagio insinuava che vi esistessero campi di concentramento: «Questi centri...» scriveva soave Maria Luisa Astaldi «erano specie di collegi situati in campagna in cui, oltre l'economia, la storia politica e la dottrina del comunismo, si insegnava agronomia e scienza delle bonifiche: e chi profittava degli studi in capo a un anno riceveva un regolare diploma. Comunque, questi centri di rieducazione hanno esaurito il loro compito e non ne esistono più».

Il 19 novembre 1969, in occasione d'uno sciopero per la casa, il sindacalista della CISL Bruno Storti tenne un comizio al Teatro Lirico di Milano. Per cattiva sorte, il pubblico che defluiva dal teatro andò a confondersi con un turbolento corteo della sinistra extraparlamentare, fiancheggiato da forze dell'ordine. Intervenne, disorientata dall'imprevisto, la polizia, si accesero scaramucce. Gli estremisti bersagliarono jeep e jeepponi della polizia con ogni sorta di «armi improprie»: in particolare con tubolari d'acciaio presi da un vicino cantiere edile. Rimase ucciso, al volante della sua jeep, un poliziotto ventiduenne, Antonio Annarumma, avellinese, figlio d'un bracciante agricolo. Secondo gli inquirenti, l'agente era stato colpito alla testa da un oggetto pesante, probabilmente un pezzo di tubo d'acciaio. Mario Capanna sostenne, e tuttora sostiene, che «la magistratura non è mai riuscita a stabilire se Annarumma morì perché colpito al capo da un corpo contundente lanciatogli contro o perché, andato a cozzare alla guida del suo automezzo, batté mortalmente la testa». Questa seconda versione – l'incidente – era stata sconfessata dalla perizia medico-legale dei professori Caio Mario Cattabeni, Raineri Luvoni e Romeo Pozzato: «Annarumma è stato ucciso da un oggetto contundente usato come una vera e propria lancia. L'oggetto... l'ha colpito con violenza alla regione parietale destra, poco sopra l'occhio, procurandogli una vasta ferita con fuoriuscita di materia cerebrale». I poliziotti erano in fermento, vi fu tra loro quasi un ammutinamento. Per tutta risposta il Movimento studentesco rioccupò la Statale e l'indomani organizzò un corteo uno dei cui slogan era «solo i padroni sono gli assassini». Capanna, cui non manca un certo spavaldo coraggio, decise di intervenire ai funerali di Annarumma: sfuggì a stento al linciaggio. Portato in questura sotto scorta fu circondato da «un nugolo di poliziotti» furenti. Il commissario Luigi Calabresi e altri funzionari dovettero (è Capanna che lo racconta) «ingaggiare una vera e propria colluttazione per non farmi raggiungere».

In questo clima furono firmati i contratti. L'anno successivo – il 20 maggio 1970 – il parlamento approvò lo Statuto dei lavoratori, che si proponeva d'essere una legge di libertà e di progresso. Al testo che fu inviato alle Camere, e che portava la firma dell'allora ministro del Lavoro Giacomo Brodolini, diede la sua impronta il professor Gino Giugni. Bisogna dire che gli emendamenti parlamentari furono in gran parte peggiorativi. Le parti più equilibrate furono stravolte da uno slancio populista che ebbe conseguenze pesanti: non tanto perché valorizzò – forse al di là del dovuto – l'influenza e l'importanza del sindacato proprio nel momento in cui veniva contestato dallo spontaneismo dei gruppuscoli, quanto perché offrì il modo di penalizzare i buoni lavoratori, a vantaggio dei cattivi. Tra l'altro rimasero nel documento le norme che proteggevano – sacrosantamente – i diritti dei dipendenti, ma fu depennato il passaggio secondo il quale quei diritti dovevano essere esercitati «nel rispetto dell'altrui libertà e in forme che non rechino intralcio allo svolgimento delle attività aziendali».

Il divieto posto ai datori di lavoro di svolgere direttamente accertamenti «sulla idoneità e sulle infermità per malattia e infortunio del dipendente», accertamenti attri-

buiti invece ai medici «pubblici», si risolsero in una incondizionata licenza d'assenza: perché la Sanità pubblica, o
per il lassismo dei medici, o per l'inadeguatezza delle
strutture, era del tutto impreparata a svolgere efficaci controlli. L'altro divieto «di effettuare, ai fini dell'assunzione,
indagini a mezzo di terzi sulle opinioni politiche, religiose
e sindacali del lavoratore nonché su fatti non rilevanti ai
fini della valutazione dell'attitudine professionale» si risolse in una licenza d'ingresso in fabbrica ai più noti e recidi-
vi eversori. La FIAT fu portata in giudizio perché, negli anni del terrorismo, aveva tentato di stabilire se gli individui
che venivano ingaggiati fossero veri operai o agitatori. I
pretori d'assalto decisero, fondandosi sullo Statuto dei lavoratori, che non dovessero essere tenuti lontani dalle of-
ficine personaggi i quali potevano essere addetti a macchi-
nari costosissimi benché avessero il dichiarato proposito
di danneggiarli. L'impianto di telecamere nei locali degli
aeroporti dove avviene lo smistamento dei bagagli e dove
si ripetono i furti fu considerato lesivo dello Statuto: anche se riesce difficile capire quale motivo avessero i lavoratori onesti d'opporsi a quella vigilanza.

Non tanto lo Statuto, dunque, ha dato cattiva prova,
quanto la sua applicazione, soprattutto negli anni della
follia. Era, e rimane in molte delle sue parti, una buona e
illuminata legge. Ma la si scrisse senza tener conto delle
realtà concrete; umane, politiche, amministrative. In una
misura che il trascorrere del tempo, e il «riflusso», hanno
reso meno incidente, lo Statuto ispirò i suoi precetti a un
dipendente ideale e a uno Stato ideale che non esistevano, e probabilmente non esisteranno mai.

Così l'Italia era stata investita dalle convulsioni della contestazione studentesca e degli estremismi sindacali: e si pre-

parava a subire la lunga offensiva del terrorismo, il cui marchio sanguinoso sarebbe stato apposto alla vita del Paese per tutti gli anni Settanta. Del terrorismo dovremo occuparci a lungo, nei prossimi capitoli. Possiamo invece abbozzare subito qualche conclusione per quanto riguarda gli altri due fenomeni. Uno dei quali – la contestazione – si ripresenterà, con caratteristiche di ancor più accentuata violenza, nel 1977.

Le università italiane, questo è certo, erano vecchie nelle strutture, vecchie nelle idee, vecchie nella concezione dell'insegnamento. Molti tra i professori avevano con gli allievi, l'abbiamo già accennato, un rapporto saltuario, anonimo e frigidamente accademico. Molti studenti ambivano soltanto a strappare il pezzo di carta che benevoli laureifici distribuivano senza troppo indagare: soprattutto quei laureifici che, nell'Italia più povera e più affamata di posti statali, elargivano il *passe-partout* – laurea in legge o laurea in scienze politiche – per impieghi parassitari nei meandri imperscrutabili dell'amministrazione di Stato, o di parastato.

L'insegnamento universitario aveva immenso bisogno d'una «rifondazione» concettuale e d'una rifondazione organizzativa. Ma su una strada opposta a quella che venne indicata. Non la promozione a tutti, il ventisette politico, gli esami a getto continuo, i fuori corso perenni, la politicizzazione esasperata, la lotta alla meritocrazia: ma una meritocrazia equa che desse ai migliori la possibilità di imparare in università serie, dove gli studenti poveri e bravi fossero esentati da ogni tassa, e magari stipendiati, dove laboratori, biblioteche, aule fossero decenti, e i «collegi» numerosi e ordinati. Università dove minoranze vocianti smaniose di rivoluzioni future e irraggiungibili non imponessero la loro volontà a maggioranze apatiche o assenti, predicando il tutto o il nulla. Fu tollerato che alcune cattedre diventassero focolai d'eversione, e non fu imposto che i professori lo fossero a tempo pieno, con autentica dedizione, e con assidua partecipazione alla vita degli atenei. Tra gli assaltatori che si scagliavano contro i «baroni» ve n'erano parecchi che aspiravano soltanto a diventare baroncini, e che lo divennero. I «libretti rossi» sventolati nei cortei appartengono da tempo ai più invenduti residuati della cultura. Mao aveva scritto una serie di massime banali e sintetiche per centinaia di milioni di contadini analfabeti, ed esse furono spacciate come la *summa* del sapere, tra i gridolini d'estasiata ammirazione di intellettuali salottieri.

Il Movimento studentesco chiudeva gli occhi di fronte alla realtà, per non confessare che essa divergeva dai suoi slogan. La repressione sovietica in Cecoslovacchia del 1968 fu quasi ignorata dalla «contestazione» che asseriva d'avere ben altro cui pensare. La brutalità divenne un surrogato del ragionamento (e questo vale ovviamente anche per i fanatismi neofascisti, assai meno forti tuttavia). I professori che si schieravano con la contestazione fingevano d'ignorarne taluni aspetti sinistri. Non una pubblicazione reazionaria, ma «il Manifesto», ha dato questa interpretazione, in un suo «lessico sessantottesco», del termine «spranga»: «Il Movimento studentesco della Statale di Milano, organizzato nonostante il nome come un gruppo a sé, inquadra i suoi militanti in uno dei più efficienti servizi d'ordine paramilitari e lo battezza Katanga, riprendendo la denominazione parigina del maggio. I manici di piccone vengono ribattezzati Stalin. I Katanga si incaricano di gestire gli scontri con la polizia ma anche di garantire l'egemonia del Movimento studentesco nella Statale vietando praticamente l'entrata agli appartenenti agli altri gruppi della sinistra extraparlamentare. Più che ai periodici scontri con la polizia, l'importanza crescente che la spranga assume nella sinistra extraparlamentare è legata al confronto quotidiano con i fascisti».

Forse il maggio francese ebbe davvero un po' d'immaginazione. Il Movimento italiano non ne ebbe, al di là della prevaricazione e di qualche goliardata. In fin dei conti il Movimento s'apparentava bene, per qualche aspetto, alle cosiddette avanguardie neofasciste. Come queste ultime, si avventava verso il futuro impugnando equivoche bandiere del passato, e lo stalinismo di maniaci del piccone e delle spranghe corrispondeva bene al mussolinismo becero dei «boia chi molla».

La contestazione dev'essere presa sul serio, anche nell'ottica storica, perché quando un fenomeno sociale assume quelle dimensioni e comporta quelle conseguenze va considerato con grande attenzione: non vanno invece prese sul serio le sue legittimazioni ideologiche e culturali. Che furono un bla-bla-bla di marxismo imparaticcio, di stalinismo nostalgico, e di maoismo frivolo e arrogante.

Quest'antistoricità degli anni «caldi», ben avvertibile nelle cronache del Movimento studentesco, diventa di solare evidenza nelle cronache dell'autunno caldo e del tentativo di sovietizzazione strisciante delle fabbriche. Era alle porte la straordinaria rivincita dell'economia di mercato sul «socialismo»: ma le «grandi lotte operaie» si facevano portatrici di concetti economici – si fa per dire – che nei Paesi dell'Est vivevano la loro ultima, infausta stagione, prima della catastrofe e del rinsavimento. L'egualitarismo esasperato, l'avversione alla meritocrazia, l'odio al profitto, il sabotaggio della produzione inteso come azione meritoria e logica quando la produzione avesse connotati «capitalistici», il rifiuto del merito, il rifiuto delle gerarchie anche tecniche e della disciplina: tutto questo apparteneva o a una retorica populista ottocentesca, o a una pratica «socialista» che stava per dichiarare bancarotta.

Non è che agli operai, e ai sindacati, mancassero temi sui quali impostare legittime e sacrosante battaglie. È certo che il «miracolo economico» era stato in larga parte frutto dei bassi salari (ma in altra e decisiva parte il frutto dell'inventiva e della capacità realizzatrice degli imprenditori). Gli industriali italiani avevano pianto miseria anche quando facevano eccellenti guadagni: e tra loro ve n'erano che sapevano profittare delle commistioni tra politica e affari per mungere miliardi dallo Stato. Il boom non era stato accompagnato – né a livello governativo, né a livello imprenditoriale – da una visione lungimirante dei problemi che ne derivavano: dalle migrazioni interne all'inquinamento. Le tasse venivano pagate prevalentemente dai lavoratori dipendenti, e l'evasione era scandalosa. Una spinta riformistica vigorosa era non solo ammissibile, ma necessaria.

Senonché il sindacato, invece di ammansirla, ritenne di dover cavalcare la tigre, ed anzi di aizzarla. Il criterio economico secondo il quale il salario era una «variabile indipendente» dei costi, ottenne non solo l'*imprimatur* sindacale, ma il consenso di ministri democristiani: ed era semplicemente una cretineria. Le conquiste per l'occupazione erano regolarmente conquiste contro l'occupazione: perché il sostanziale divieto di licenziamento, il marasma delle fabbriche, l'atmosfera assembleare e persecutoria in cui si svolgeva la discussione dei contratti, la protezione accordata a chi, in fabbrica, sabotava e si preparava al salto nel terrorismo, crearono negli imprenditori la sensazione che il dipendente fosse insieme un nemico e un fardello da portare vita natural durante. Mentre s'istituiva il divorzio tra i coniugi, si sanciva l'indissolubilità dei rapporti di lavoro. Perciò gli industriali si ingegnarono a trovare ogni mezzo per evitare le assunzioni.

In realtà il sindacato pensava, anche se non lo confessava, in termini da economia dell'Est. Era un'ottima cosa, perciò, l'impiegare mille dipendenti dove ne bastavano cinquecento, erano non solo tollerabili ma degni di lode i *deficit* mostruosi delle peggiori aziende statali (dove il disordine e la turbolenza raggiungevano livelli inimmaginabili), le aziende potevano soltanto nascere, mai declinare e morire: se rischiavano questa sorte, doveva intervenire lo Stato. I bilanci in rosso non dovevano spaventare, anzi era impresa noiosa e antipopolare quella di ricercarne le cause. «Pubblico» era «bello», anche se estremamente dispendioso per il contribuente, «privato» era brutto. Si faceva polemica per gli investimenti dedicati alle autostrade anziché al miglioramento della rete ferroviaria: ritenendosi che sarebbe stato saggio destinare altre migliaia di miliardi ad una azienda, come le Ferrovie dello Stato, che ricava dalla vendita dei biglietti meno del venti per cento di ciò che spende. Non solo i rivoluzionari di fabbrica, ma anche i sindacati, sembravano ignari dei benefici che (in termini rigorosamente «sociali») la tecnica può procacciare. Qualcuno ha scritto che l'invenzione della corrente elettrica ha giovato alla redenzione delle masse molto più di tutta la predicazione leninista. Ma questa verità è dimenticata, dai professionisti del «sociale».

Il sindacato impostava una polemica estenuante sulla ripetitività alienante del lavoro alle catene di montaggio (che sia ripetitivo ed alienante è un fatto, intendiamoci). Per migliorare la condizione operaia i Soloni del sindacato elaborarono nuovi «tempi» di lavorazione, insomma una durata maggiore per ogni operazione, così da evitare la meccanicità automatica e ossessionante dei chapliniani *Tempi moderni*: non più trenta secondi per una operazione, ad esempio, ma uno o due minuti. Mentre i sindacati si arrovellavano sul problema, i tecnici mettevano a punto i robot che hanno già abbondantemente rimpiazzato gli interventi umani alla catena di montaggio, e presto li elimineranno quasi totalmente. Miopia economica e miopia tecnica si associavano, per impedire al sindacato di vedere lontano. Se anche lo avesse voluto, glielo avrebbero impedito i Cub, che spadroneggiavano, e con le loro enunciazioni oltranziste dominavano le assemblee. Oggi tutti gli slogan di quella stagione, che alcuni commentatori s'ostinano a definire splendida e fruttuosa, vengono rinnegati. I Cub volevano un'Italia le cui economie scimmiottassero quelle dell'Est, e gli operai dell'Est volevano l'economia di mercato. La storia ha detto, con perentorietà, chi avesse ragione.

CAPITOLO QUINTO

BERLINGUER PRENDE IL TIMONE

Nel febbraio del 1969 il dodicesimo Congresso del PCI nominò Enrico Berlinguer vicesegretario del Partito. Era un uomo nuovo, oltre che per l'arido dato anagrafico – era nato a Sassari il 25 maggio 1922 – anche per estrazione familiare e per formazione politica. Luigi Longo che, dopo la morte di Togliatti a Yalta il 21 agosto 1964 ne aveva preso la successione, era un personaggio tipico della vecchia guardia: perseguitato dal fascismo, rifugiato in Unione Sovietica, *apparatchik* del Comintern, combattente «repubblicano» in Spagna, comandante delle Brigate Garibaldi e vicecomandante del Corpo Volontari della Libertà durante la Resistenza, poi tra i massimi dirigenti comunisti nell'Italia del dopoguerra. Longo non era di famiglia operaia, e nemmeno povera. I suoi genitori erano piccoli proprietari terrieri a Fubine Monferrato, nell'Alessandrino, dove Luigi era nato il 15 marzo 1900. Il ragazzo aveva potuto seguire i corsi d'ingegneria fino al terzo anno, ed avere i galloni di sottotenente in un corso allievi ufficiali.

Ma poi la sua vita era stata quella, a suo modo esemplare, del rivoluzionario. Poteva essere duro, se necessario fino alla spietatezza. Diversamente da Togliatti, preferiva tuttavia l'azione alle manovre politiche, era calmo, perfino gelido, e delegava volentieri ad altri le incombenze più dottrinali o burocratiche. Non aveva doti d'oratore. Parlava stento e piatto, inceppandosi. Era stato considerato un segretario di transizione: ma lo fu meno di quanto si prevedesse. Gli era toccato di prendere posizione su un avvenimento che, per i comunisti di tutto il mondo, era stato lacerante: l'invasione sovietica della Cecoslovacchia, il tragico punto finale posto alla primavera di Praga. Longo era fuori d'Italia in quel momento, trascorreva una vacanza nei dintorni di Mosca, ospite, ovviamente, del PCUS, il partito «fratello».

Giorgio Napolitano, il dirigente di maggior livello rimasto a Roma, riuscì a racimolare, nel deserto d'agosto (1968), alcuni componenti dell'ufficio politico, in particolare Alessandro Natta e Umberto Terracini. Fu stilato, dopo breve discussione, un comunicato che condannava l'intervento dell'Armata Rossa e, riaffermando fiducia nel nuovo corso di Dubcek, chiedeva il ritiro delle truppe d'invasione. Ma era necessario, prima che il comunicato fosse reso pubblico, l'assenso di Longo. Lo raggiunsero per telefono, gli lessero due volte il testo. «Va benissimo» rispose.

Enrico Berlinguer era anche lui in ferie con la famiglia, e anche lui in un Paese «fratello», la Romania. Alloggiava, con la moglie Letizia e i tre bambini, in un villino vicino al mare, a Efolie. Lo accompagnava Paolo Bufalini, poco lontano soggiornava il leader comunista francese Georges Marchais. Nonostante tutto, l'Est rimaneva la «casa» dei comunisti italiani. Almeno lo era stato fino a quel momento. La comitiva di Efolie rientrò in Italia in gran fretta, raggiungendo Vienna in automobile per imbarcarsi sul primo aereo disponibile.

Dopo pochi giorni Berlinguer dovette rifare le valigie, e raggiungere Mosca – insieme a Bufalini, Galluzzi, Cossutta e Arturo Colombi – per ascoltare le spiegazioni dei Sovietici: i quali volevano persuadere i loro interlocutori dell'ortodossia del loro comportamento. Chiedevano ai «compagni» italiani una dichiarazione in cui si ammettesse che i carri armati del Patto di Varsavia erano piombati a Praga su richiesta dello stesso Partito comunista cecoslovacco per sventare un *golpe* di destra, e che la reazione emotiva dell'Occidente era ingiustificata. Berlinguer aveva avuto da Longo direttive precise: ed era, come esecutore, inflessibile. I Sovietici parlavano, parlavano, e lui taceva: ribadendo, per tutta risposta, che non poteva firmare nulla di simile.

Due mesi dopo quelle drammatiche giornate, Luigi Longo era stato colpito da un *ictus* cerebrale che l'aveva lasciato semiparalizzato, e quasi incapace di parlare. Poco tempo dopo anche il francese Waldeck Rochet, segretario del Partito comunista francese, avrà un analogo incidente vascolare. È azzardato diagnosticare che lo stress della rottura con la Chiesa Madre di Mosca abbia provocato quegli attacchi ai due vecchi militanti: ma certo la coincidenza è impressionante. Si trattava dunque di occupare la carica che Longo lasciava vuota, anche se per altri tre anni continuerà formalmente ad occuparla.

Non mancavano, nel PCI, le figure di spicco: Giancarlo Pajetta, Giorgio Amendola, Pietro Ingrao, Natta, Napolitano. Le preferenze di Longo andavano, e lo si sapeva, a Berlinguer, che non godeva invece delle simpatie di Pajetta: dal quale era stato bollato con la celebre battuta «s'iscrisse giovanissimo alla direzione del PCI». Uno dopo l'altro, i possibili candidati a una vicesegreteria che in realtà era una segreteria si fecero da parte. Rimase un solo nome, quello appunto di Berlinguer che, si racconta, esitò a lungo. La sua riluttanza era con tutta probabilità

sincera. Berlinguer aveva un forte senso di responsabilità
e quelli erano per un leader comunista – con la contestazione giovanile montante, con lo strappo dall'Unione Sovietica, con l'eresia del «Manifesto», con la guerra ideologica tra URSS e Cina – tempi drammatici. Ma il Congresso
lo designò senza esitazioni né contrasti.

Era stato un Congresso dall'inizio penoso. «Luigi Longo» ha scritto Chiara Valentini nella sua biografia di Berlinguer «con uno sforzo eroico, ha letto il suo rapporto di
83 cartelle, incespicando spesso sulle parole, seduto su
una specie di sgabello da bar studiato per dar l'impressione alla platea che in realtà fosse in piedi. Ma alle sue
spalle, quasi proteso a sostenerlo nello sforzo, molti hanno notato la figura di Mario Spallone, il medico di fiducia
delle Botteghe Oscure.»

Longo s'era un po' ripreso dal colpo. Ma come segretario non esisteva più, o quasi, anche se Berlinguer, con
una certa civetteria della modestia, continuò a occupare
un ufficetto angusto adiacente a quello del segretario ti-
tolare. I cronisti politici, che sapevano a malapena dell'e-
sistenza di questo Berlinguer, ritennero che il PCI avesse
optato per un burocrate zelante e insignificante. Ci fu chi,
ricordando i silenzi di Berlinguer, parlò d'un sardo-muto.
In effetti, per l'opinione pubblica italiana, anche la più
consapevole, colui che prendeva la guida del secondo
partito del Paese era un ignoto nemmeno illustre.

A Sassari i Berlinguer, d'origine spagnola, erano una
delle tre o quattro famiglie che contavano: come i Segni,
come i Delitala, come i Siglienti, come i Satta Branca. Il
nonno del segretario comunista, Enrico come lui, era un
mazziniano acceso e uno di quei penalisti celebri, un po'
tonitruanti, che richiamavano nelle aule di Corte d'Assise
un pubblico – sempre numerose le signore della buona

borghesia – avido di sensazioni forti. Avvocato, e bravo, era anche il padre Mario, progressista in frac, sempre elegante con una punta di snobismo. Lui pure politicamente impegnato, tanto da essere eletto deputato nell'alleanza liberal-democratica di Giovanni Amendola, e da essere aggredito, durante un comizio, dai fascisti. Quello dei Berlinguer, che avevano diritto a fregiarsi del «don» nobiliare, era, ha osservato ancora la Valentini, «un ambiente di anticlericali che però fanno battezzare e cresimare i figli (e anche Enrico lo fu regolarmente alla parrocchia San Giuseppe), di benestanti che detestano gli sprechi e la volgarità, di contestatori che si sposano sempre e solo all'interno del loro ambito sociale».

Come studente, Enrico, non valeva gran che. Nel liceo Domenico Alberto Azuni, dove Togliatti aveva studiato durante un soggiorno sardo della sua famiglia, meritandovi tutti nove, il giovanissimo Enrico faceva collezione di insufficienze. Può darsi che a questo sbandamento scolastico abbia contribuito la tragedia che aveva colpito lui e il fratello, con la malattia e l'agonia straziante della madre Mariuccia. Non si applicava sui libri, ma giuocava bene a poker, discretamente a biliardo. Non frequentò mai, neppure quando ne ebbe l'età, le case di tolleranza; una *pruderie* istintiva, e un'altrettanto istintiva ripugnanza per le conversazioni grassocce e sguaiate della provincia, furono tra le sue caratteristiche costanti. Si vuole che risalisse a quegli anni adolescenziali anche la sua iniziazione comunista, nell'estrema periferia sarda. S'era sottratto alla chiamata alle armi per una lieve malformazione ai piedi.

Iscritto all'università (facoltà di giurisprudenza) rinunciò al proposito di laurearsi quando la politica divenne per lui assorbente come l'ingresso in un ordine religioso.

Mentre molti futuri «quadri» comunisti facevano il loro apprendistato nella Resistenza, Berlinguer poteva iscrivere nel suo *carnet* di benemerenze antifasciste solo un episodio di modico rilievo. Il 13 gennaio del 1944 erano scoppiati a Sassari «liberata» tumulti popolari per la mancanza, sul mercato legale, di generi di prima necessità come l'olio, il carbone, il sapone, e per la scarsità di pane. Nella *jacquerie*, che ebbe connotati violenti, Berlinguer era in prima fila. La polizia fu sottoposta a una gragnuola di pietre (ma furono sequestrate anche bombe a mano), vennero devastati e saccheggiati alcuni forni. In questa atmosfera da carestia manzoniana dovette intervenire, per riportare la calma, l'esercito. Enrico Berlinguer fu additato come il maggior responsabile e istigatore della rivolta. Si voleva perfino che avesse progettato d'uccidere il prefetto buttandolo dalla finestra. Intervenne, in soccorso di Enrico, il padre, che aveva buone conoscenze e influenze dovunque: e che lo fece liberare, dopo tre mesi di galera.

Sempre per interessamento del padre, che voleva fargli cambiar aria, Enrico Berlinguer si trasferì a Roma; e lì si radicò, con qualche breve parentesi. A Roma conobbe la futura moglie, Letizia Laurenti: il matrimonio fu celebrato nel 1957. Tutta la parabola berlingueriana, da quel momento in poi, può essere riassunta in una definizione: togliattiano di ferro. Di Togliatti gli mancavano sia le esperienze preziose e atroci all'Hotel Lux di Mosca, sia la finezza culturale, sia il cinismo e la doppiezza. Ma per quanto glielo consentivano il temperamento e la naturale onestà, cercava di conformarsi al modello e all'esempio del Migliore: e di essere, lui stesso, il migliore dei discepoli.

Chi lo frequentò a quei tempi ha di Enrico Berlinguer

il ricordo d'un giovanottino esile, cortese, asciutto, la fronte sormontata da una selva di capelli, l'abbigliamento trasandato. Una sorta di monaco laico, che mangiava poco e distrattamente, che fumava due pacchetti di sigarette al giorno e che discorreva soltanto di politica, studiava accanitamente i sacri testi, e si dedicava con zelo al lavoro di organizzazione: una branca del Partito che era stata affidata a Pietro Secchia, colui che avrebbe voluto la lotta armata, e che per questo entrò a un certo punto in rotta di collisione con il possibilista Togliatti. Per i suoi meriti indubbi Berlinguer si guadagnò la designazione a segretario della Federazione giovanile comunista italiana, FGCI. Ammesso, grazie alla carica, nell'Olimpo dei «grandi» che tracciavano la rotta del PCI, fece del suo partito dei giovani una copia conforme del partito dei vecchi; con una straordinaria capacità di lavoro capillare e di propaganda incessante. Le sue parole d'ordine erano quelle risapute, che Mosca coniava e Togliatti riecheggiava. Aborriva il piano Marshall, aborriva il Patto Atlantico («come ieri l'Europa ha rischiato il dominio di Hitler, così oggi rischia che si instauri il dominio degli Stati Uniti»), era contro il capitalismo, ossia contro l'economia di mercato («si tengano pure i democristiani la loro simpatia per l'America dei *trusts*, dei miliardari, dei dieci milioni di disoccupati»).

Dal 1950 al 1953 fu anche presidente della Federazione mondiale della gioventù democratica che, dicevano con orgoglio i comunisti, poteva contare su 72 milioni di affiliati in 74 Paesi del mondo. Ogni manifestazione della Federazione mondiale era, per volontà del grande Stalin, ispirata alla pace. «Qui a Berlino si leverà plaudente» disse Berlinguer a una folla di giovani fatti affluire nella Germania Est, e disciplinatamente disposti ad acclamarlo, compresi quelli che non capivano una parola del suo discorso «la voce di una gioventù di razze, di concezioni politiche e religiose diverse, come avvertimento ai fautori di guerra.» Tutte quelle diversità, solo Berlinguer poteva scorgerle, nella massa ideologicamente omogenea. In un resoconto giornalistico fu stampato che Berlinguer s'era scagliato, a Berlino, contro le «minacce di Scelba e degli altri reazionari del governo di Roma». Egli protestò. Una sua frase era stata travisata. Comunque gli fu tolto, per tre anni, il passaporto.

«La Russia sovietica è carne della nostra carne e sangue del nostro sangue» scrisse il Berlinguer di allora; che seppe della morte di Stalin mentre era in corso a Ferrara (4-8 marzo 1953) un Congresso della FGCI. Dalla platea si inneggiava al Komsomol dei giovani Sovietici quando fu dato il ferale annuncio. Il Congresso fu sospeso in segno di lutto e Berlinguer stilò, d'impeto, perché fosse inviato a Mosca, questo telegramma: «A nome tutta gioventù italiana, ispirandoci insegnamento immortale grande scomparso, assumiamo solenne impegno di dare tutte le nostre energie per tenere sempre alta la bandiera di Stalin». Un articolo dello stesso Berlinguer ebbe per titolo: *Abbiamo perduto il nostro più Grande Amico.*

Non a tutti piaceva, tuttavia, la gestione di Berlinguer. Gli si imputava d'aver troppo pensato all'aspetto ricreativo della FGCI, i campi sportivi e le sale da biliardino, a scapito dei veri problemi dei giovani. Nel 1956 egli fu dimesso dalla organizzazione giovanile: era lo stesso anno del ventesimo Congresso del PCUS, con quel rapporto segreto di Kruscev che si abbatté sull'universo comunista come una bomba atomica. Poi, quasi non bastasse, venne la rivolta ungherese, duramente repressa proprio da quel Kruscev che aveva denunciato le atrocità staliniane.

Berlinguer pareva ammutolito. Le sue stelle polari ideologiche erano oscurate da nere nuvole di tempesta: si limitò a diagnosticare, con un eufemismo reticente fino al
grottesco, che «alcune incertezze si manifestano nelle
nostre file».

Semisilurato – non faceva più parte della direzione, ma
era rimasto nel Comitato centrale –, divenne responsabile
della scuola di partito alle Frattocchie, dove era stato
mandato, con compiti direttivi, anche Alessandro Natta.
La scuola (Istituto di studi comunisti, secondo la terminologia ufficiale) era stata strutturata da Edoardo
d'Onofrio, capo dell'Ufficio quadri del PCI, con criteri
schiettamente staliniani. Ogni «compagno» mandato a
quell'università di partito doveva rivelare tutto sulla sua
vita privata, sottoporsi a interrogatori e contestazioni degli altri allievi, fare autocritica. La storia dell'URSS, che
aveva un posto privilegiato nelle materie d'insegnamento,
era stata a lungo appresa attraverso un testo di Stalin, del
quale è facile immaginare la completezza, l'esattezza e
l'obiettività. Era una scuola screditata.

Berlinguer ne uscì presto, con una grossa promozione.
Era il 1960 e Togliatti lo pose, a trentotto anni, alla testa
dell'organizzazione: un posto che era stato di dirigenti
della statura di Secchia e di Amendola ma che sembrava
fatto su misura per uno come lui, che aveva dedizione e
fedeltà da vendere: e che sapeva con docilità e acume
adattarsi alle situazioni nuove. Rinunciò ai vecchi slogan
stalinisti, travolti dalla storia, ma difese a oltranza tutto il
difendibile. Fanfani aveva osato cianciare d'una crisi del
comunismo, e Berlinguer lo rimbeccò con asprezza. «Sono critiche incredibili, nel momento in cui siamo riusciti
ad autocriticarci con una franchezza e un coraggio che
mai nella storia ha mostrato di avere un grande movimen-

to. Quando mai le autorità della Chiesa hanno avuto il coraggio di denunciare le torture agli eretici, i roghi, gli autodafé, l'Inquisizione?» Irriducibile, e togliattianamente capzioso, il sorgente astro del comunismo italiano glissava sul fatto, non trascurabile, che l'autocritica era stata imposta da avvenimenti esterni, dalle denunce di Kruscev, e che era stata subita e decisa con travaglio e riluttanza: limitandosi, oltretutto, alle «deviazioni» staliniane, senza neppure un barlume d'intuizione dell'immane catastrofe che sul comunismo, non sulle sue «deviazioni», si sarebbe abbattuta a distanza di non moltissimi anni.

Lo sganciamento di Berlinguer dai vincoli d'una ortodossia di partito spesso burocratica venne con la morte di Togliatti, che era stato il suo maestro e – sia pure con doveroso rispetto delle distanze – il suo alto protettore. Il Berlinguer che andò a Mosca, nell'ottobre del 1964, per chiedere ai Sovietici qualche delucidazione sul subitaneo allontanamento di Kruscev (guidava una delegazione della quale facevano parte Paolo Bufalini ed Emilio Sereni) era insieme più indipendente e più coraggioso che in passato. La sua fiducia nel modello sovietico s'andava sgretolando, e i contatti con i bonzi di Mosca non contribuivano a restituirgliela. A colloquio con Suslov, Podgorni, Ponomariov, che si sforzavano di spiegare come qualmente la cacciata di Kruscev fosse stata un evento normale, provocato dai meccanismi d'una democrazia impeccabile, Berlinguer disse freddo: «Non capite che con questi metodi compromettete il vostro prestigio?». I tre Italiani furono quindi ricevuti da Brežnev, conciliante, che tuttavia pretese e ottenne una garanzia: nel comunicato conclusivo sarebbe mancato ogni accenno a dissensi tra i due partiti. Berlinguer dovette accontentarsi d'una frasetta inserita, dopo il ritorno in Italia, in un chilometrico documento del PCI: «Si è constatata [per la sostituzione di Kruscev, N.d.A.] l'esistenza di punti di vista diversi tra il PCUS e il PCI».

Berlinguer cominciava a capire che per i comunisti italiani s'annunciava, nonostante i successi elettorali, un'epoca di solitudine e di decisioni tormentate. Certo non immaginava, nel suo fideismo di vescovo della religione rossa, l'epilogo disastroso del «rinnovamento». Ma il modello sovietico era palesemente ingessato nella restaurazione breszneviana, e quello cinese – che egli ebbe modo di toccare con mano in una sosta a Pechino durante un viaggio «ufficiale» in Vietnam a fine 1966 – era invece tarantolato dalla Rivoluzione culturale, che stava prendendo l'avvio. A Pechino Berlinguer, e i suoi assistenti Carlo Galluzzi e Antonello Trombadori, furono praticamente sequestrati nel loro albergo. Quando tentarono d'uscire indossando incautamente i colbacchi che s'erano portati da Mosca – era pieno inverno – furono circondati da gruppi minacciosi di cinesi. Il culto di Mao imperversava, per tutto conforto gli Italiani avevano ricevuto copie della «Peking Review» con foto del Grande Timoniere nuotante nello Yangtze. Berlinguer era, a dispetto di qualche sua effervescenza, un uomo sensato e pacato. Non si lasciò incantare: e tradusse il suo disagio in una formula ideologica: «C'è aria di trotzkismo». C'era anche aria d'intolleranza violenta e di caccia alle streghe. La Cina da cui alcuni intellettuali italiani tornavano ammirati, biascicando frasi d'entusiasmo, apparve a Berlinguer scostante. «Cercavamo di far passare il tempo» ha ricordato Trombadori «guardando la televisione, che trasmetteva unicamente film edificanti sul lavoro e la lotta del popolo, e diapositive di pensieri di Mao. Eravamo frastornati dal rumore che arrivava dalla strada, dove le guardie rosse gridavano i loro slogan in continuazione. Una mattina Enrico mi disse d'aver avuto la sensazione che durante la notte uno di questi scalmanati fosse entrato nella sua stanza, a frugare tra i suoi documenti.» Per la verità la televisione sovietica non era molto meglio di quella cinese, anche se meno demenziale.

Il Vietnam, impegnatò nella guerra contro gli Stati Uniti, affascinò invece Berlinguer che una volta di più s'illuse. Azzeccò il pronostico affermando che «gli Stati Uniti non hanno nessuna possibilità, né in breve né in lungo tempo, di piegare la resistenza del popolo vietnamita». Ma gli parve d'intravedere ad Hanoi una «terza via» del socialismo reale, che sarebbe stata bocciata dalla storia.

Da allora fino all'investitura come vicesegretario, si tenne in equilibrio – ancorato a Longo così come prima era stato ancorato a Togliatti – in un PCI non più monolitico, pur se riluttante a mettere in piazza i suoi litigi. Orfani di Togliatti, i dirigenti cercavano di imporre le loro personali propensioni: Giorgio Amendola e Mario Alicata, a destra, contro Ingrao, a sinistra.

L'ascesa alla vicepresidenza di Berlinguer avvenne, lo si è già accennato, in un'atmosfera di generale consenso. Non che, per questo, i fermenti si fossero tutti placati. Non appena insediato nel suo ufficetto accanto a quello di Longo, Berlinguer si trovò alle prese con un'eresia che in altri momenti e in altri luoghi sarebbe stata bollata come trotzkista e adeguatamente repressa, ma che il «centralismo democratico» non poteva comunque consentire. Un gruppo di comunisti dell'ala sinistra, che avevano dissentito dallo stalinismo più per le sue caratteristiche conservatrici che per quelle dispotiche, e che guardavano alla Cina maoista come a un nuovo, praticabile modello, annunciò il proposito di pubblicare una sua rivista, «il Manifesto». Guidavano il gruppo Luigi Pintor, Valentino Parlato, Aldo Natoli, Rossana Rossanda, ne facevano parte Massimo Caprara, segretario di Togliatti per un ventennio, e il mondan-rivoluzionario Lucio Magri. Annunciando a Berlinguer l'iniziativa, la Rossanda spiegò che «non avevamo intenzioni frazioniste, volevamo fare soprattutto ricerca teorica». Ma quando la rivista uscì, fu chiaro che andava ben al di là, per contenuti, intenzioni e intonazione, della ricerca teorica. Le sue prese di posizione sull'intervento sovietico in Cecoslovacchia superarono di molto la cauta presa di distanza del PCI. Corse voce che nel determinare Longo e Berlinguer a inscenare, contro «il Manifesto», un processo interno, avessero contribuito le pressioni di Mosca che era costretta a tollerare, nei rapporti con gli altri Partiti comunisti, critiche e ripulse espresse nel chiuso di incontri non pubblici, da delegati e delegazioni ufficiali: ma che non accettava di vederle messe in piazza, nero su bianco. L'inchiesta fu istruita da Alessandro Natta, e si concluse con la radiazione degli eretici.

È sintomatico della mentalità di Berlinguer, e della dirigenza comunista d'allora, che sul «Manifesto», ribelle alla disciplina di partito, si siano presto abbattuti i fulmini d'una sanzione grave, mentre nei riguardi della contestazione studentesca – tanto trasgressiva, scomposta, «avventuristica» quanto il PCI voleva essere serio e ragionevole – fosse adottato un atteggiamento di simpatia, e in più occasioni di aperto appoggio.

Nel suo discorso al Congresso da cui era uscito vicesegretario, Berlinguer s'era rifugiato, per non compromettersi, nella genericità. Le nuove lotte operaie e studentesche, aveva detto, meritavano particolare attenzione perché colmavano «lo squilibrio storico apertosi, dopo la prima guerra mondiale, con la sconfitta dei movimenti operai nei Paesi capitalistici». Aveva ammesso che «stanno emergendo realtà democratiche e anche realtà rivoluzionarie che vanno oltre il Partito comunista».

Il PCI non si comprometteva. Ma a lungo fu al fianco del Movimento studentesco, e dei facinorosi, ogni volta che si sviluppasse una polemica sull'azione della polizia. In questo l'influenza di Longo, malato e pressoché inoperante, ma ancora in grado di dare qualche consiglio, fu con tutta probabilità più determinante di quella di Berlinguer. Longo sentì odor di polvere e dovette illudersi, ha scritto Chiara Valentini, che stesse nascendo «una saldatura nelle piazze e nelle università fra i valori della Resistenza e quelli dell'antifascismo, tra il bagaglio ideologico del vecchio partito del Nord e la nuova ondata giovanile». Berlinguer non avvertiva questo richiamo della foresta partigiana. Tuttavia diagnosticò che «da noi il Maggio francese può durare dieci anni, si può dare scacco al capitalismo e all'imperialismo».

A disagio, sotto sotto, nei rari contatti con gli studenti contestatori, Berlinguer lo era anche nei suoi contatti con gli operai. Non era uno di loro. E tuttavia si sbracciò, durante l'autunno caldo, in proclami di stampo vetero-populista additanti al proletariato l'avvenire luminoso che il comunismo avrebbe realizzato. «Ma non hanno dunque ancora capito i padroni, il governo, che le imponenti lotte in cui gli operai sono protagonisti ormai da mesi e mesi significano che proprio il sistema va trasformato, che un nuovo sistema ci vuole, e che quello attuale si può, si deve cambiare?» Sì, bisognava trasformare il sistema. E sarebbe stato trasformato. Ma non quello in cui viveva Berlinguer. L'altro.

La riunificazione socialista tenne meno di tre anni. Deliberata il 30 ottobre 1966, finì il 4 luglio 1969. Alla frattura tra il troncone socialista e il troncone socialdemocratico avevano contribuito grandemente le elezioni politiche del 1968, una bocciatura – che non avrebbe avuto esami di riparazione – per il nuovo partito nel quale il vecchio Nenni aveva riposto tante speranze. La sconfitta alimentò le recriminazioni, favorì i personalismi, incattivì la disputa tra le correnti, insomma riportò il socialismo alle sue peggiori abitudini.

Nenni non s'era dato per vinto. Voleva continuare la battaglia con lo stesso esercito, illudendosi di salvaguardarne la compattezza. Un'impresa, questa, che non poteva riuscire a lui, presidente del Partito, e ancor meno poteva riuscire al segretario Ferri, di matrice socialista ma già bollato, dalla sinistra, come socialdemocratico.

Con alleanze e manovre tanto faticose quanto, in prospettiva, vane, Nenni aveva racimolato una maggioranza del 52 per cento, minata irreparabilmente da un peccato originale: aveva la sua componente più numerosa nei socialdemocratici, che pure tra l'elettorato non andavano al di là d'un terzo dei consensi socialisti. Nenni quindi poteva contare sulla metà del Partito, e per di più su una metà che era in prevalenza socialdemocratica. Francesco De Martino andava alla deriva verso sinistra, associandosi a Mancini e ai lombardiani, i due vicesegretari – il demartiniano Bertoldi e il socialdemocratico Cariglia – non erano d'accordo su nulla. Con le sue prese di posizione dirompenti – s'era tra l'altro pronunciato per il disarmo della polizia – Bertoldi provocava l'ala moderata del Partito. Da questa situazione Ferri si vide costretto alle dimissioni.

Il 4 luglio 1969, durante una ennesima riunione del Comitato centrale, Nenni presentò un documento che venne affondato da 67 no contro 52 sì: mentre un ordine del giorno De Martino-Mancini-Viglianesi-Giolitti raccolse 58 voti a favore, 16 contrari, 11 astensioni, 36 assenti (i socialdemocratici avevano abbandonato, dopo la sconfitta di Nenni, l'aula dell'Eur in cui si teneva la seduta). Saragat, che qualcuno invocava come mediatore, rifiutò sdegnoso: «Prima hanno emarginato Giuseppe Saragat, adesso hanno emarginato Pietro Nenni. Basta!».

Rinacque subito il Partito socialdemocratico, che provvisoriamente si chiamò Partito socialista unitario (PSU), e che ebbe Mauro Ferri come segretario. Il PSI designò De Martino alla segreteria, con un vice nella persona di Giacomo Mancini.

Dalla frattura socialista derivarono ineluttabilmente le dimissioni del primo governo Rumor. Le consultazioni di Saragat furono laboriose soprattutto per la difficoltà di trovare una formula che consentisse ai socialisti separati, e l'un contro l'altro armati, di convivere nella stessa *équipe* governativa. Ci si provò Rumor, e al primo tentativo fallì, poi fu la volta di Fanfani, che ripassò la mano. Si arrivò così il 5 agosto a un Rumor bis: un monocolore democristiano con Moro agli Esteri, Restivo all'Interno, Colombo al Tesoro, Forlani ai rapporti con l'ONU, Donat Cattin al Lavoro. La maggior novità del Ministero, in cui avevano trovato rappresentanza tutte le correnti democristiane, era il ritorno di Moro nella prestigiosa poltrona della Farnesina.

Sulle nomine Nenni espresse, nel suo diario, un apprezzamento pungente. «Come previsto e atteso, Moro va agli Esteri. Come previsto e non atteso Donat Cattin va al Lavoro. Una volta ribellione e stravaganza costavano: adesso sono premiati!»

CAPITOLO SESTO

PIAZZA FONTANA E DINTORNI

Il 12 dicembre 1969 segnò uno spartiacque nella vita italiana degli ultimi quattro decenni. Per tanti aspetti si può parlare d'un *prima* di piazza Fontana e d'un *dopo* piazza Fontana. La strage della Banca dell'Agricoltura, con i suoi sedici morti e i suoi molti feriti, non fu la più atroce tra quelle che insanguinarono il Paese. Ma fu – perché diede l'avvio a questi gesti di cieca ferocia, e perché le indagini ebbero un andamento zigzagante, e grossolanamente cortraddittorio – una sorta di freccia avvelenata nel corpo della società italiana. Dei tossici che entrarono in circolo il Paese non riuscì più a liberarsi. Essi attizzarono tutte le polemiche, consentirono tutte le recriminazioni, alimentarono la mala pianta del terrorismo.

I morti di piazza Fontana furono inizialmente imputati agli anarchici: ma quando questa pista fu abbandonata, e imboccata l'altra dell'attentato fascista, si volle che quegli stessi morti avallassero le teorie della «strategia della tensione», ossia d'un disegno razionale, perseguito dall'estrema destra per creare instabilità e paura nelle istituzioni e nei cittadini; e della «strage di Stato», ordita da settori del mondo politico, dai servizi segreti, da consorterie criminal-economiche per creare un'atmosfera di panico, rendere necessarie misure d'emergenza, e con ciò garantire il potere ai reazionari nemici del popolo. A piazza

Fontana ci si appellò a proposito e a sproposito: gli anniversari dell'eccidio divennero l'occasione per rituali esecrazioni antifasciste. Per molto tempo piazza Fontana fu anche il macigno che copriva ogni tentativo di indicare l'esistenza d'un terrorismo «rosso», e la sua crescente pericolosità.

Vi furono errori o leggerezze della polizia che giustificarono le diffidenze di chi chiedeva soltanto di conoscere la verità, e di conoscerla per bocca delle autorità legittime: ma vi fu anche, soprattutto da un certo momento in poi, una forsennata volontà di strumentalizzazione. Piazza Fontana resta, giudiziariamente, un enigma. Più di vent'anni non sono bastati per arrivare al fondo di quel pozzo tenebroso: ed è inutile sperare di arrivarci mai. Ma dal punto di vista politico, polemico e propagandistico, piazza Fontana è andata gradualmente assumendo una connotazione precisa anche se indiziaria, per non dire arbitraria: la si etichettò senza l'ombra di una prova come una strage fascista, che il potere complice volle gabellare per strage di sinistra. E questo vale, sulla scia di piazza Fontana, anche per le successive e irrisolte stragi.

Una per la verità è stata risolta, quella di Peteano, e l'abbiamo accennato. Per un'altra – la strage del rapido 904 Napoli-Milano del 23 dicembre 1984, in cui persero la vita sedici persone, come nella Banca dell'Agricoltura – si è avuto, nel marzo 1991, un colpevole: il deputato missino Massimo Abbatangelo, condannato all'ergastolo dalla Corte d'Assise di Firenze per la parte avuta in un complotto criminale che coinvolgeva, secondo l'accusa, mafia, camorra ed estremismo di destra (questa tesi era stata demolita dalla Cassazione, per quanto concerneva i presunti correi di Abbatangelo, con il che la vicenda giudiziaria del 904 è diventata un nonsenso: ragione per cui non ci sentiamo di accreditare come verità consolidata il riconoscimento della responsabilità di Abbatangelo).

Non sono mancate, dunque, le conferme alla tesi che lo stragismo sia stato opera di schegge impazzite della destra sanguinaria, mentre l'altrettanto sanguinaria sinistra avrebbe agito preferibilmente impugnando la P 38 e colpendo bersagli mirati, scelti nella sterminata schiera di coloro che i «giustizieri» consideravano «nemici del popolo». Di queste ipotesi e di queste probabilità si fece tuttavia un dogma, la lapide in memoria dei morti nella strage della stazione di Bologna qualificherà la strage stessa come fascista, tutti i misteri italiani colorati di golpismo – Gladio, piano Solo, P2 – saranno polemicamente, e spesso pretestuosamente, collegati alle stragi.

Nella Banca dell'Agricoltura di Milano l'ordigno, posto sotto un tavolo attorno al quale si assiepavano i clienti per compilare i loro moduli, deflagrò alle 16.37 di venerdì 12 dicembre 1969. Era un fine settimana, e benché l'orario di chiusura fosse passato da più di mezz'ora, le operazioni continuavano, ad esaurimento. Si poté supporre, sulla base di questi elementi, che l'attentatore o gli attentatori si fossero proposti un gesto dimostrativo, regolando il *timer* della bomba su un'ora in cui presumibilmente il salone della banca sarebbe stato vuoto; e che dunque la carneficina non fosse stata voluta. Ma questo processo alle intenzioni è ormai futile: sia perché la carneficina ci fu, sia perché restano ignoti il nome o i nomi di chi la volle.

Quello stesso pomeriggio tre bombe scoppiarono nel sottopassaggio della Banca Nazionale del Lavoro di via

San Basilio a Roma, e due sull'Altare della Patria. Vi furono alcuni feriti. Lo Stato era attaccato nella capitale ufficiale e in quella che si vantava d'essere la capitale morale, e che era comunque la capitale economica e produttiva. Uno degli autori di questo libro, Cervi, prospettò in una cronaca sul «Corriere della Sera» tre possibili matrici della strage di Milano: o gli anarchici, o i terroristi altoatesini – ancora attivi in quegli anni – o estremisti di destra. L'altro autore – Montanelli – escluse gli anarchici: «Li esclusi» disse poi «per varie ragioni: prima di tutto, forse, per una specie di istinto, di intuizione, poi perché conosco gli anarchici. L'anarchico assume sempre la responsabilità del suo gesto. Quindi quell'infame attentato non era evidentemente di marca anarchica o anche se era di marca anarchica veniva da qualcuno che usurpava la qualifica di anarchico».

Proprio negli ambienti anarchici la polizia compì invece i primi accertamenti ed eseguì i primi «fermi». A Milano furono portati in Questura ottantaquattro militanti anarchici e della sinistra, due della destra: tra gli ottantaquattro Giuseppe Pinelli, un frenatore delle ferrovie che lavorava nella stazione di Porta Garibaldi, e che era un anarchico convinto: ma della specie di cui s'è scritto prima, un galantuomo, un idealista sicuramente incapace di spargere sangue, e ancor più di spargerlo a quel modo.

Negli uffici della questura Pinelli fu interrogato a lungo, senza brutalità. Luigi Calabresi, il commissario che guidava l'inchiesta, conosceva Pinelli: che poté, mentre era trattenuto, comunicare con la moglie. Proprio a lei, Licia Pinelli, telefonò alle nove e mezza della sera di lunedì – dunque tre giorni dopo la strage – un collaboratore di Calabresi: chiedeva che fosse portato in questura il libretto ferroviario del marito, dove ne erano annotati i viaggi. Alle undici di sera si presentò infatti un brigadiere per avere il libretto. Poco dopo Licia Pinelli seppe che il marito era morto, caduto dal quarto piano della questura. Nel momento in cui era precipitato nel cortile del palazzo di via Fatebenefratelli erano presenti nella stanza dell'interrogatorio un ufficiale dei carabinieri e quattro sottufficiali di polizia. Calabresi non vi si trovava.

Fu detto che Calabresi e gli altri avevano fatto credere a Pinelli che i suoi compagni di fede si fossero confessati autori dell'attentato, e che il ferroviere, disperato, s'era buttato dalla finestra. Fu insinuato che il suicidio fosse derivato dalle violenze e intimidazioni cui Pinelli era stato sottoposto. Fu prospettata l'ipotesi d'una caduta accidentale, per malore o altro. Ma nessuna di queste tesi, anche le più avverse alla polizia, soddisfaceva le sinistre, per le quali una sola ricostruzione dei fatti era logica e provata: Pinelli era stato buttato dalla finestra. Un assassinio: mai avallato dalla magistratura, che si limitò a indagare su un possibile omicidio colposo, derivante da negligenza. Nell'ottobre 1975 il giudice Gerardo D'Ambrosio, il cui intervento nell'istruttoria era stato chiesto a gran voce da chi temeva che la verità fosse inquinata, prosciolse tutti i poliziotti imputati – Calabresi era già morto da tre anni – «perché il fatto non sussiste». Ma la scena che il settimanale del PCI «Vie Nuove» descrisse «l'uomo [Pinelli, N.d.A.] si accasciò sulla sedia... l'ultimo colpo vibratogli alla nuca col taglio della mano era stato troppo forte»; questa scena del ferroviere abbattuto da un colpo troppo forte di *karaté* e poi buttato dalla finestra per cancellare ogni traccia della violenza mortale fu fissata nell'immaginario di sinistra, divenuto per molti verità.

La polizia aveva messo le mani, nella sua caccia ai dinamitardi, su Pietro Valpreda, ballerino di fila in una compagnia di avanspettacolo, conoscente di Pinelli, e come lui anarchico, ma in stile assai diverso. Valpreda non si limitava a teorizzare: era un fautore dell'azione. La motivazione della sentenza di secondo grado (1981) che a Catanzaro lo assolse, come quella di primo grado, per insufficienza di prove, ne illustrava duramente la personalità. Un estremista che aveva fondato il circolo anarchico XXII Marzo, staccandosi dal circolo Bakunin che gli pareva ancorato a metodi di lotta moderati e superati: da rimpiazzare con metodi basati sulla violenza. Il suo motto era «bombe sangue ed anarchia». Il sospettare che questo sbandato avesse potuto essere il «postino» della bomba non era del tutto campato in aria. E ancor meno lo sembrò quando si fece vivo un tassista, Cornelio Rolandi, iscritto al PCI, che dichiarò d'aver portato in piazza Fontana, quel 12 dicembre, un passeggero che aveva con sé una borsa e che, come Valpreda, zoppicava. Il Rolandi riconobbe Valpreda come l'uomo in questione durante un «confronto all'americana»: viziato tuttavia dal fatto che al tassista fosse stata in precedenza mostrata una fotografia dell'indiziato. Per quella testimonianza il tassista – del quale poteva esser dubbio il riconoscimento, ma era certa la buona fede – fu perseguitato come mentitore e servo del potere dalla pubblicistica di sinistra. Gli ultimi mesi della sua vita furono amari e dolorosi.

L'alibi di Valpreda («sono andato a casa di mia zia Rachele Torri verso l'una del pomeriggio e ho dormito fino al giorno successivo anche perché avevo l'influenza») fu ritenuto fragile nonostante le conferme dei familiari. Su questi fondamenti che non erano privi di valore, ma che nemmeno erano di calcestruzzo, Valpreda fu, come vuole un vecchio vizio dell'opinione pubblica e della pubblicistica italiana, indicato come sicuro colpevole. L'indiziato divenne il «mostro». Dal che trassero argomenti, più tardi, coloro che vedevano nella sua incriminazione un infame disegno mirante a depistare l'indagine.

Il comportamento degli inquirenti e di larga parte della stampa obbediva in realtà a un copione arcinoto del quale molti innocenti – o molti non provati colpevoli – sono rimasti vittime. Pietro Nenni, reso saggio dall'età, scriveva il 13 gennaio 1970: «Oggi i giornali pubblicano le deposizioni degli imputati: Valpreda e i giovani del Circolo "22 Marzo". C'è poco che vada al di là degli indizi, anche i più seri tutti contestabili. Gli imputati si dichiarano innocenti e forniscono alibi più o meno consistenti. Si rischia un processo indiziario con "colpevolisti" e "innocentisti" aggrappati a sospetti più che a prove. Speriamo di no. Il Paese ha bisogno di certezze, non di ipotesi».

Invece il Paese ebbe, dopo l'«ipotesi» anarchica, l'«ipotesi» neofascista a furor di popolo spacciata per certezza. Un'inchiesta parallela a quella milanese portò alla ribalta due «nostalgici» padovani: Franco Freda, un procuratore legale d'origine avellinese che aveva militato nella gioventù missina, ma che l'aveva trovata troppo legalitaria per i suoi gusti d'ammiratore di Himmler e d'editore dell'hitleriano *Mein Kampf*; e Giovanni Ventura, trevigiano, insegnante di ginnastica, libraio amico di Freda. Mentre uno dei riflettori dell'inchiesta rimaneva puntato, a luci sempre più appannate, sugli anarchici, l'altro illuminava la «pista nera». Che dai covi d'un neofascismo – anzi neonazismo – torvo e carico di rancori, perché non godeva nella società le simpatie e le protezioni concesse alla sinistra, raggiunse anche personaggi legati ai servizi segreti: in particolare Guido Giannettini che era considerato un esperto di problemi militari, che era uno specialista delle tecniche di controguerriglia, che dirigeva agenzie di stampa. Il SID – questa al tempo la sigla dei servizi segreti italiani – si serviva di Giannettini, e lo retribuiva. Si adoperò anche, secondo il sostituto procuratore di Padova Pietro Calogero – lo stesso che in epoca successiva incriminerà Toni Negri – per ostacolare la giustizia. «Accadde» scrisse Calogero «che organi collocati ai vertici o comunque all'interno degli apparati di sicurezza dello Stato cominciarono ad un certo punto a lavorare non a favore dell'indagine, ma contro di essa, non per collaborare con i giudici, ma per intralciare e depistare il loro lavoro.»

Questo guazzabuglio criminal-politico-giudiziario generò una serie di processi tanto imponenti quanto inconcludenti. Nel febbraio del 1972 il sipario si aprì su un primo processo che vedeva alla sbarra Valpreda e un altro fondatore del circolo XXII Marzo, Mario Merlino. La Corte d'Assise della capitale dichiarò la sua incompetenza territoriale, e il fascicolo fu trasferito, anziché a Milano, a Catanzaro per motivi di ordine pubblico. Il 18 marzo il secondo atto, a Catanzaro, fu interrotto per l'entrata in scena di altri protagonisti, Freda e Ventura. Nel 1975, sempre a Catanzaro, terzo atto, con anarchici e neonazisti affiancati. Ma lo si dovette sospendere per l'ingresso in scena di Giannettini. Quarto atto nel 1977, sempre a Catanzaro. Questa volta si arrivò alla sentenza: che fu d'ergastolo per Freda, Ventura e Giannettini, d'assoluzione – insufficienza di prove, come s'è accennato – per Valpreda e Merlino, cui furono inflitti 4 anni e 6 mesi per associazione sovversiva e altri reati minori.

Quinto atto – Catanzaro nei primi mesi del 1981 – con

il processo di appello. Assoluzione per insufficienza di prove per tutti dall'imputazione di strage, 15 anni a Freda e Ventura per associazione sovversiva e altro, confermati i 4 anni e 6 mesi a Valpreda e Merlino. La sentenza di secondo grado non piacque alla Cassazione che – sesto atto dell'ottobre 1982 – ordinò la ripetizione del giudizio alle Assise d'appello di Bari. Il settimo atto (estate 1985) fu, a Bari, una replica del quinto: tutti prosciolti dall'accusa più grave, con formula dubitativa.

Nel febbraio del 1989 il drammone ebbe il suo ottavo atto, finale. Era stato portato in giudizio, come eventuale responsabile della strage, Stefano Delle Chiaie, un neofascista tracotante e irriducibile, alla macchia per diciassette anni, arrestato in Venezuela ed estradato in Italia. Delle Chiaie aveva avuto rapporti con Merlino, Freda, Ventura. Nel 1970 s'era dato alla macchia per evitare d'essere interrogato. Però quando Sergio Zavoli lo intervistò, durante l'inchiesta televisiva *La notte della Repubblica*, chiedendogli se riteneva fosse possibile l'accertamento della verità sulle stragi, rispose: «Spero di sì anche perché noi siamo, e parlo a nome mio e dei miei camerati di avanguardia, i primi interessati a ottenere che luce sia fatta. Non ci bastano le assoluzioni nelle aule giudiziarie. Vogliamo che venga sepolto il sospetto su di noi». Anche per Delle Chiaie la giustizia dovette ammettere di non avere elementi sufficienti alla condanna, e questo seppellì definitivamente, vent'anni dopo, dal punto di vista giudiziario, la strage di piazza Fontana.

Ma il tormentato procedimento penale col suo epilogo senza epilogo innescò una spirale di avvenimenti, tutti tragici, che della strage, e delle passioni innescate dalla strage, furono la conseguenza. Nel primo anniversario di piazza Fontana – 12 dicembre 1970 – il Movimento studentesco e gli anarchici avevano organizzato a Milano una manifestazione in memoria delle vittime, che era anche una manifestazione contro il governo e contro la polizia. Quest'ultima si era opposta all'idea che il Movimento studentesco dovesse «presidiare» la piazza (ad evitare, secondo Capanna, che vi si radunassero i «fascisti»): ma non aveva né il polso né il prestigio necessari per porre seriamente un divieto.

È inutile indugiare sulle opposte versioni. Sta di fatto che le forze dell'ordine si scontrarono, in via Larga, con i più violenti tra i partecipanti al corteo, e che furono sparati candelotti lacrimogeni. I ricordi di Mario Capanna, di parte quali sono, aiutano a capire che non ci fu una caccia all'uomo da parte di carabinieri e agenti, ma una accanita guerriglia urbana. «Fitto lancio di lacrimogeni e uno stuolo caotico di carabinieri inseguitori. I nostri cordoni si aprono e si richiudono subito dopo il passaggio degli anarchici. I carabinieri si arrestano un attimo, come sorpresi, ma subito ricompongono le file e ci si buttano addosso di corsa, mentre dai lati ci sparano contro un'infinità di lacrimogeni. Quando sono a dieci metri, scattiamo noi in avanti. Seguono tafferugli brevi e molto aspri: al termine i carabinieri scappano disordinatamente.» Mentre la mischia era in corso cadde a terra, morto, lo studente in legge Saverio Saltarelli, ventitreenne. «L'ha ucciso un attacco cardiaco» disse il questore Ferruccio Allitto Bonanno. Questa dichiarazione travisava i fatti. Saltarelli era stato colpito in pieno petto da un candelotto esploso ad altezza d'uomo, che gli aveva spaccato il cuore. «Gli studenti del Movimento studentesco» ha osservato Pietro Giorgianni nel suo *Milano – Vent'anni in cronaca* «ebbero buon gioco nel dimostrare che la polizia non si comportava correttamente. "Ci uccidono e sono bugiardi" fu il nuovo slogan contro le forze dell'ordine.» Gli stessi che avevano descritto come un incidente al quale i facinorosi erano estranei la morte di Annarumma, ora presentavano la fine di Saltarelli come un atto premeditato, il frutto d'una deliberata volontà d'uccidere.

La situazione dell'ordine pubblico si stava degradando rapidamente, tra crescenti richieste di disarmo della polizia e crescente aggressività degli estremisti, i quali sembravano cercare lo scontro con le forze dell'ordine. Il governo avrebbe dovuto essere in costante allarme, e forse lo era, ma non lo lasciava troppo capire né ai cittadini, né ai turbolenti. Alla polizia era imputato nello stesso tempo d'essere inerte e d'essere repressiva: il che l'induceva, solo che ne avesse l'opportunità, a lasciar fare per evitare che un qualsiasi fortuito cadavere diventasse l'occasione di polemiche, attacchi, tumulti.

Anche se i segnali che gli venivano da Roma suggerivano la passività piuttosto che il ricorso a misure più energiche, il prefetto di Milano Libero Mazza, posto nell'occhio del ciclone, decise di mettere nero su bianco le sue preoccupazioni e i suoi consigli. Per la verità aveva in precedenza tentato di chiarire le sue idee a voce. Ma il colloquio con il ministro dell'Interno Restivo era stato «arido e sgradevole, tanto che i due s'erano congedati senza neppure stringersi la mano». Allora Mazza buttò giù un rapporto di quattro cartelle dattilografate, nel quale, prendendo lo spunto dai disordini del 12 dicembre, presagiva «eventi gravi e deprecabili» per il rafforzarsi e proliferare di formazioni estremiste extraparlamentari di destra e di sinistra. Gli appartenenti a questi gruppi, il cui numero ascendeva secondo lui a circa ventimila, coglievano ogni occasione per «turbare profondamente la vita della città, compiere atti vandalici con gravi danni a proprietà pubbliche e private, limitare la libertà dei cittadini, usare loro violenza, vilipendere e dileggiare i pubblici poteri centrali e locali con ingiurie volgari ed accuse cervellotiche». I gruppi extraparlamentari erano muniti, avvertiva Mazza, di armi improprie, e disponevano di una notevole organizzazione. Inoltre stampa e opinione pubblica offrivano loro indebite coperture. «Anche un comportamento di cauta e prudente fermezza non è sopportato e viene qualificato dalla dilagante demagogia come repressione, provocazione e sopraffazione poliziesca, attentato alle libertà costituzionali, fascismo, mentre i fermati per reati commessi durante le manifestazioni sediziose vengono scarcerati e le denunce rimangono accantonate in attesa della immancabile amnistia.» Restò accantonato anche il rapporto Mazza, che a Restivo dovette dare, per la sua sola esistenza, un grosso fastidio. Che divenne sconcerto quando, il 16 aprile 1971, quelle paginette furono sfilate dal fascicolo in cui giacevano e passate, per iniziativa d'un alto esponente della DC, a un quotidiano romano.

Il furore che ne seguì attestò quanto il colpo alle tesi di sinistra – in sostanza il rapporto legittimava l'esecrata teoria degli opposti estremismi – fosse stato risentito. «L'Unità» bollò il documento come «uno pseudo rapporto nel quale si farneticava di fantomatiche organizzazioni paramilitari di sinistra». Nella sua qualità di parlamentare socialista Eugenio Scalfari dichiarò: «Il prefetto o è uno sciocco, che non capisce quanto accade, o un fazioso che non vuole capire. Milano merita un prefetto della Repubblica, non un portavoce della cosiddetta maggioranza silenziosa che poi non è altro che una querula minoranza». Il sindaco Aldo Aniasi, che amava porsi in testa a cortei per il disarmo della polizia, deplorò le tesi di Mazza, a suo avviso inutilmente allarmistiche e politicamente pericolose: e lamentò inoltre che del documento non gli fosse stata data visione prima dell'invio a Restivo. Il quale del resto solidarizzò pubblicamente, a mezza bocca, con Mazza, ma confidò a un parlamentare amico d'essere stato «costretto» a farlo, per dovere di carica.

In questo coro avverso o reticente, fece onorevolmente spicco la presa di posizione di Carlo Casalegno che sulla «Stampa» ebbe il coraggio di scrivere «a caldo» (la data è del 20 aprile 1971) un articolo dal titolo *W il prefetto*. Scriveva Casalegno (giustamente citato nel libro di Michele Brambilla *L'eskimo in redazione*): «Vedere nelle pagine di un'ormai vecchia relazione confidenziale una manovra reazionaria è costruire un falso propagandistico. Si rimprovera al prefetto di rivelarsi sollecito dell'ordine pubblico, cioè di far bene il suo mestiere... Il rapporto riassume dati che ogni lettore di giornali già conosce, e che ogni abitante del centro di Milano può confermare... Altri deplorano l'allusiva indicazione a una prevalenza numerica dell'estrema sinistra. Ma è un dato che risponde a verità...». Nei cortei tuttavia si gridava «Mazza, ti impiccheremo in piazza». E Casalegno sarà assassinato da terroristi di sinistra.

Libero Mazza lasciò volontariamente e dignitosamente la carica, e Milano fu più che mai martoriata dai cortei del sabato, dalle intimidazioni, dagli espropri proletari, dallo spadroneggiare dei katanghesi in eskimo alla Statale e dei neofascisti in loden a San Babila. Ancora il sabato 11 marzo 1972 fu tumultuoso, con le forze dell'ordine impegnate a domare il solito pomeriggio di guerriglia scatenato dagli extraparlamentari di sinistra.

Quattro giorni dopo quelle ore di tumulti, il 15 marzo 1972, Luigi Stringhetti, affittuario della Cascina nuova, in comune di Segrate, nei dintorni di Milano, rinvenne sotto un traliccio dell'alta tensione il corpo dilaniato di un uomo sui trentacinque-quarant'anni. A scoprirlo era stato anzi il cagnolino bastardo dell'agricoltore, di nome Twist. Accorsero i carabinieri, poi la questura inviò, ad affiancarli e a tentare di sapere cosa avessero accertato, un giovane commissario, Luigi Calabresi: lo stesso funzionario cui l'estrema sinistra attribuiva la responsabilità della morte di Giuseppe Pinelli.

I documenti (falsi) trovati addosso al morto erano intestati a Vincenzo Maggioni nato a Novi Ligure il 19 giugno 1926 e residente a Milano in via Savona 12. Ma non occorse molto perché si accertasse che non d'un qualsiasi Maggioni si trattava, ma di Giangiacomo Feltrinelli, per gli amici Giangi: miliardario, editore di successo, durante alcuni anni iscritto al PCI, poi militante e finanziatore della sinistra eversiva, aspirante guerrigliero. Agli inquirenti il caso apparve chiaro. Smanioso di agire, oltre che di scrivere e di pubblicare testi incendiari, Feltrinelli s'era inerpicato su quel sostegno dei fili ad alta tensione, eretto nel mezzo d'un campo di grano – di cui Feltrinelli, per colmo di ironia, era proprietario – per collocarvi delle cariche, ed era stato straziato, mentre maneggiava il pericoloso materiale, da uno scoppio causato da inesperienza o da un difetto di funzionamento.

Ma la spiegazione era troppo semplice per gli ambienti che attribuivano tutti i nefasti dell'Italia di allora a una strategia della tensione orchestrata nel Palazzo, donde venivano gli ordini per le «stragi di Stato». A caldo, il Movi-

mento studentesco tenne all'Università Statale una conferenza stampa, e l'avvocato Marco Janni lesse questa dichiarazione: «Non si conoscono ancora tutti gli aspetti
materiali della morte di Feltrinelli, ma noi siamo convinti
che sia stato assassinato». All'avvocato Janni non occor-
revano molte prove per pronunciare la sentenza. Quello
stesso giorno 15 marzo un gruppo di intellettuali diramò
un comunicato per sostenere, più prolissamente e più pe-
rentoriamente, la stessa tesi: «Giangiacomo Feltrinelli è
stato assassinato. Dalle bombe del 25 aprile 1969 si è tentato di accusare l'editore milanese di essere il finanziatore
e l'ispiratore di diversi attentati attribuiti agli anarchici. Il
potere politico, il governo, il capitalismo italiano avevano
bisogno di un mandante... La criminale provocazione, il
mostruoso assassinio, sono la risposta della reazione internazionale allo smascheramento della strage di Stato,
nel momento in cui si dimostra che il processo Valpreda è
stato costruito illegalmente e dalle indagini della magistratura di Treviso emergono precise responsabilità della
destra. Così si capisce perché sei o sette candelotti possono esplodere in mano a Feltrinelli lasciandone integro il
volto per il sicuro riconoscimento».

Il documento recava le firme di Luca Boneschi, Camilla Cederna, Marco Janni, Francesco Fenghi, Giampiero
Brega, Michelangelo Notarianni, Anna Maria Rodari,
Claudio Risé, Giulio Maccacaro, Vladimiro Scatturin,
Marco Fini, Marco Signorino, Sandro Canestrini, Maria
Adele Teodori, Carlo Rossella, Giampiero Borella. A Roma il comunicato fu diffuso con le firme di Eugenio Scalfari, Paolo Portoghesi ed altri, ma essi smentirono
l'adesione. Le due tesi contrapposte, quella dei carabinieri e della polizia e quella del gruppo di intellettuali,
furono dal «Corriere della Sera» presentate in parallelo,

come avessero eguale attendibilità: così sembrando all'allora direttore del quotidiano, Piero Ottone, molto distaccato e imparziale, oltre che molto britannico. Dalla tribuna del Palalido, dove il PCI a congresso aveva designato Berlinguer come segretario, furono inviate all'«Unità» queste direttive: «Sull'uomo che è stato trovato morto a Milano il meno che si possa dire è che le spiegazioni che vengono date non sono credibili, pesante è il sospetto d'una messinscena».

Poiché la fine di Feltrinelli aveva dato l'avvio a una raggiera di indagini sui suoi eventuali complici, il «bollettino di controinformazione democratica», curato da giornalisti che si professavano apostoli «della libertà di stampa e della lotta contro la repressione» affermò: «La triste fine di Feltrinelli è servita a far scattare un meccanismo repressivo già messo a punto in tutti i congegni dalle forze di polizia e dai servizi speciali che mai, prima d'ora, erano scesi in campo con forze tanto massicce». Giampaolo Pansa, sulla «Stampa», si chiese se Feltrinelli fosse andato da solo, a morire su quel prato, o se ce lo avessero mandato: e parlò di «storia paurosa, piena di ombre anche più nere di quelle della strage di dicembre». Régis Debray fece arrivare da Parigi il suo *J'accuse!*: «È stato vittima del fascismo rinascente che ci minaccia tutti. Ma quali che siano le responsabilità dei gruppi fascisti o di misteriosi individui, per me non c'è dubbio che dietro l'assassinio di Feltrinelli c'è la CIA, la quale è molto potente in Europa. Il nemico imperialista non perdona».

Essendo stata ventilata l'incriminazione, per diffusione di notizie false e tendenziose, di chi aveva sottoscritto il manifesto degli intellettuali, Camilla Cederna aggirò, sull'«Espresso», il punto centrale – assassinio o no? – e accumulò ombre: «Ciò che stupisce di più è che fin dal primo momento l'inchiesta è stata condotta da polizia, carabinieri, agenti dei servizi segreti... Ancor più sorprendente appare che a dirigere le indagini sia il solito staff dell'Ufficio politico della questura di Milano, Allegra e Calabresi in testa con tutti i loro soci dietro, cioè quelli su cui pende tutt'ora un'inchiesta per l'omicidio di Pinelli... E, attenti alle combinazioni, è proprio Calabresi il primo (insieme al maggiore dei carabinieri Pietro Rossi) a riconoscere nel morto di Segrate l'uomo da sempre sospettato». La versione più ovvia veniva così ridicolizzata o sepolta sotto una valanga d'insinuazioni, voci, sottintesi. La polizia era, per definizione, inattendibile. Eppure chi avesse avuto voglia di capire si sarebbe reso conto di molte cose leggendo con attenzione un passaggio della commemorazione che «Potere operaio», giornale dell'omonimo movimento, dedicò a «Giangi»: «Feltrinelli da vivo era un compagno dei GAP, Gruppi di azione partigiana, una organizzazione politico-militare che da tempo si è posto il compito di aprire in Italia la lotta armata come unica via per liberare il nostro Paese dallo sfruttamento e dall'ingiustizia... È probabilmente vero che questo compagno ha commesso, per generosità, errori fatali di imprudenza, cadendo così in una imboscata nemica la cui meccanica è tutt'oggi oscura». Gli intellettuali che s'erano subito pronunciati per l'assassinio non trasalirono alla lettura di questa prosa rivelatrice. Trasalì invece «l'Unità», bollando «queste affermazioni di estrema gravità che dimostrano il ruolo di plateale provocazione che questo gruppo si è assunto con scopi torbidi». Il cimitero Monumentale di Milano fu posto in stato d'assedio dalle forze dell'ordine quando, il 28 marzo, vennero celebrati i funerali di «Giangi». Una folla d'alcune centinaia di persone accorse per onorare il dinamitardo maldestro. Molti i ragazzi delle scuole medie superiori che squittivano con rabbia: «Feltrinelli è stato assassinato», «Compagno Feltrinelli sarai vendicato».

Sul traliccio di Segrate s'era chiusa una vita breve la cui intensità era stata in larga misura resa possibile dall'immenso patrimonio che i Feltrinelli possedevano, e che aveva avuto le sue prime basi un centinaio d'anni prima, a Desenzano del Garda, dove gli eredi del capostipite Faustino – tra i quali spiccava la figura di Giacomo Feltrinelli, dotato d'un fiuto infallibile per gli affari – ampliarono la ditta di commercio legnami ingrandendola presto fino a farla diventare un'azienda di rilevanza internazionale. Per soddisfare la richiesta di legname furono acquistate sterminate tenute in Carinzia e Jugoslavia. Alla vigilia della prima guerra mondiale quei boschi fornivano all'Italia ma anche ad altri Paesi ventimila carri merci di legname l'anno. A Milano, dove i Feltrinelli si erano trasferiti, la famiglia era considerata una delle più ricche della città, forse la più ricca. Nel 1913 il patrimonio familiare passò ai figli del fratello Angelo e del nipote Giovanni, due dei quali, Carlo e Giuseppe, rivelarono talenti di manager, e gestirono, ulteriormente ingrandendola ed allargando la parte rappresentata dalla finanza, l'attività ereditata. Nel volgere di pochi anni Carlo Feltrinelli era presidente della Edison, *magna pars* del Credito Italiano, proprietario della Banca Unione (che originariamente si chiamava Banca Feltrinelli), azionista importante del Lloyd Triestino, delle Generali, della Montecatini, della Bastogi. Aveva inoltre acquistato innumerevoli stabili, e vaste proprietà in Argentina.

Ma nei primi anni Trenta, in pieno regime fascista, la sua fortuna declinò progressivamente, finché nel 1935 Mussolini pretese che abbandonasse tutte le poltrone di cui era detentore, e che ne facevano una sorta di padrino della finanza. Feltrinelli morì poco dopo per un'emoragia cerebrale.

«Giangi» che, nato nel 1926, non aveva ancora dieci anni, si ritrovò nella lussuosa casa di via Andegari con la madre Giannalisa Gianzana e la sorella Antonella. La giovane vedova non aveva vocazione né per un ruolo casalingo, né per la solitudine. È stata definita una «mamma di ghiaccio», e così descritta, con femminile cattiveria, da Carla Stampa: «La mondanità e il lusso come simbolo del potere, i capelli dal taglio spregiudicato, il monocolo ostentato con spavalderia; una donna bella, altera, autoritaria, inaccessibile; l'ape regina che raccoglie intorno a sé ammirazione e diffonde timore; la padrona che tiranneggia i sudditi, siano essi i mariti, i figli, i servi, gli amici e i collaboratori». Nel 1940 Giannalisa si risposò con il giornalista Luigi Barzini jr. «Giangi» aveva quattordici anni e seguiva i corsi scolastici con pessimo o nullo profitto. Il patrigno, che era uomo di eccellente cultura e di vasto uso di mondo, si sforzò di cavare qualcosa dal ragazzo, inutilmente: «Tentai di occuparmi come potevo della sua educazione,» confessò poi «di guidarne, a un certo punto, gli studi... Forse sono un pessimo pedagogo, forse non avevo neppure la stoffa del patrigno, forse Giangiacomo era uno scolaro disattento, ribelle e ostile, o forse non c'era modo di intenderci, essendo lui e io profondamente dissimili, fatto sta che non credo d'avergli insegnato nulla di durevole».

Il rampollo che imparava poco o nulla – ma aveva, lo si vedrà, un'istintiva vocazione per i colpacci editoriali e finanziari – voleva fare molto, e subito. Veniva colto da furibonde e per lo più brevi infatuazioni. Durante la fase iniziale della seconda guerra mondiale tappezzava la casa di manifesti inneggianti alla vittoria immancabile dell'Asse. Poi si convertì all'antifascismo: dall'Argentario, dove aveva vissuto, in una sontuosa villa, i mesi dopo l'armistizio dell'8 settembre 1943 (in un'altra anch'essa sontuosa villa, quella sul Garda, s'erano insediati gli uffici dell'ultimo, sparuto Mussolini), partì per arruolarsi volontario, nella divisione Legnano del Corpo italiano di liberazione, che combatteva a fianco della V Armata americana. Tornato a Milano, militò dapprima nel Partito socialista, dal quale trasmigrò nel PCI. In cellula voleva parlare solo di rivoluzione. I suoi entusiasmi – ha ricordato chi lo frequentò allora – erano sempre per i demagoghi. Quando uno di loro lo colpiva particolarmente, ne faceva il centro della sua attenzione: ma, così come era nata, questa simpatia si dileguava. Era smanioso d'avere contatti con gli intellettuali (alcuni dei quali erano a loro volta smaniosi di familiarizzare con un miliardario in apparenza così generoso), ma nello stesso tempo era diffidente. Come tutti gli ultraricchi, temeva che lo adulassero per ingannarlo, e nello stesso tempo amava essere adulato. Non leggeva libri, li sfogliava. Però aveva delle idee, o almeno sapeva accettarle. Nel 1950 fondò la Biblioteca Feltrinelli per la storia del movimento operaio, nel 1955 diede avvio alle pubblicazioni della sua casa editrice. Il decollo avvenne con un'autobiografia di Nehru che sapeva di omaggio politico, più che di scelta editoriale. Era un padrone che si sarebbe trovato a suo completo agio nelle ferriere. Pagava poco e trattava con villania i dipendenti. Assumeva e licenziava capricciosamente, il suo cameratismo dei momenti buoni era una maschera. Un suo impiegato in Vespa vide un giorno, a Milano, che gli si affiancava la lussuosa auto di Feltrinelli, il quale dal finestrino lo apostrofò con ironia stizzosa: «Si trattano bene i miei dipendenti!».

Quest'editore ignorante – ma ignoranti erano stati anche Mondadori e Rizzoli – incappò in due colpi di fortuna che solo tali non possono essere definiti: *Il dottor Živago* e *Il Gattopardo*. Del secondo non mette conto di parlare, in questo sommario ritratto. Vale la pena invece di ricostruire l'«affare Živago»: perché rivelò molte cose su Feltrinelli e sul Partito comunista: e perché fu tra le maggiori cause dello «strappo» tra «Giangi» e il PCI. Nel 1956 Sergio D'Angelo, che in URSS lavorava per Radio Mosca, ma si occupava anche di acquisizioni di nuove opere alla casa editrice Feltrinelli, seppe che era imminente la pubblicazione d'un romanzo di Boris Pasternak. Visitò lo scrittore nella sua dacia di Peredelkino, nei dintorni di Mosca, e lo convinse a dargli una copia del libro che, assicuravano le autorità letterarie sovietiche, sarebbe stato pubblicato nell'URSS dall'editrice Goslitizdat. Pasternak era insieme lusingato e preoccupato, avendo avuto sentore delle perplessità che il suo romanzo aveva suscitato tra i censori sovietici. Da Mosca arrivò qualche tempo dopo a Feltrinelli la richiesta di rinviare fino al settembre 1957 l'uscita del *Dottor Živago*, e Feltrinelli acconsentì. Nel frattempo i Sovietici moltiplicavano le pressioni per ottenere che Pasternak tagliasse o modificasse intere parti del libro: pressioni che coinvolgevano la compagna dello scrittore, Olga Ivinskaia, i cui due figli erano stati ospitati e allevati nella casa di Pasternak mentre lei era rinchiusa in un campo di concentramento.

Agli «avvertimenti» nei riguardi di Pasternak e di Olga furono abbinati quelli nei riguardi di Feltrinelli: cui veniva ricordato, per indurlo a cedere, l'impegno di si-

nistra. Pasternak fu costretto a firmare un telegramma
in cui, dichiarandosi insoddisfatto del romanzo, chiedeva la restituzione del dattiloscritto (ma attraverso amici
francesi aveva fatto arrivare a Milano questo messaggio:
«La ringrazio del libro che pubblicherà e la prego di
non accettare nulla di ciò che verrà fatto per impedir-
glielo. Non tenga neppure conto di messaggi da me firmati se non saranno, come questo, scritti in francese»).
Alexei Surkov, ufficialmente poeta, in realtà abietto lac-
chè del regime, si scomodò a venire a Roma, e a tenervi
una conferenza stampa per condannare la pubblicazione di un'opera «contro la volontà dell'autore». Con
questo, il *Dottor Živago* era un bestseller prima ancora
d'essere dato alle stampe. Feltrinelli, di natura ribelle,
ed affarista, si sentì sollecitato alla trasgressione, e fiutò
la valanga di quattrini che gli sarebbe piombata addosso. Il *Dottor Živago*, che Feltrinelli aveva in esclusiva
per tutto il mondo, vendette sette milioni di copie, e
valse al suo autore il Nobel: ma gli valse anche
l'espulsione dall'Unione degli scrittori sovietici, la minaccia di non poter più rientrare in Patria se si fosse re-
cato a Stoccolma per ricevere il premio, persecuzioni
sottili e perfide, accuse d'avere scritto «il libello di un
Giuda peggiore di un porco». Quanto alla povera Olga
Ivinskaia, cui lo scrittore – morto il 30 maggio 1960 –
aveva lasciato in eredità i suoi diritti, fu condannata a
sette anni di lavori forzati per presunti traffici di valuta
– consistenti nella richiesta del denaro che le spettava –
e la figlia Ira a tre anni.

Se era stato sconcio il comportamento degli scrittori
sovietici – almeno di quelli graditi al Principe –, non lo fu
meno quello dei comunisti italiani, che sulla vicenda pub-
blicarono addirittura un libercolo, lamentando che «in

Italia una parte della stampa ed alcuni circoli hanno tentato di sviluppare una vera e propria campagna antisovietica». Per difendere la censura moscovita il PCI non mobilitò un funzionario di terz'ordine. Venne fatto appello a Mario Alicata che, fingendo d'ignorare in quali condizioni Pasternak avesse inviato il famoso telegramma a Feltrinelli, e a quali angherie fosse stato poi sottoposto (facilmente verificabili), scrisse: «Calpestando la volontà di Boris Pasternak, e in spregio a tutte le norme giuridiche e morali che regolano i rapporti tra un editore e un autore, la traduzione del libro apparve ugualmente... Nessun rimprovero (sic!) fu di ciò mosso in Unione Sovietica a Boris Pasternak. Egli continuò – come aveva potuto tranquillamente continuare durante tutta la sua vita – a lavorare, a pubblicare poesie e traduzioni, conservando nella società sovietica il posto che io non gl'invidio ma che egli si era liberamente scelto quarant'anni prima: il posto d'un solitario e d'un isolato». Purtroppo la brutta storia ha avuto solo due personaggi positivi, le vittime Pasternak e Olga. Feltrinelli, cui nessuno potrà mai negare la furbizia e la tenacia con cui realizzò il suo grande colpo, fu meschino fino alla spietatezza verso Olga Ivinskaia. Con gesuitici, fumosi pretesti, e per di più scrivendo in chiaro informazioni delle quali i Sovietici si servirono per imbastire le loro incriminazioni, cercò in ogni modo d'evitare il pagamento dei diritti d'autore: che erano miliardi d'allora, di cui il già miliardario voleva servirsi per esserlo ancora di più e per foraggiare le sue mattane guerrigliere; ma che non era disposto a versare alla vedova (ché tale era, anche se mancava un certificato matrimoniale). Valerio Riva, che di Feltrinelli fu collaboratore, ha raccontato d'una telefonata allucinante tra Olga e «Giangi»: dalla quale risultava che la donna insisteva per avere i suoi soldi, e l'editore avanzava una obiezione dopo l'altra, sempre più impaziente e nervoso. Finché era sbottato dicendo press'a poco: ma è possibile che tu m'infastidisca per un po' di vile denaro, tu che hai la fortuna di vivere in una società socialista mentre io sono qui a soffrire sotto il giogo capitalista?

Mentre la Feltrinelli entrava nell'Olimpo delle maggiori case editrici, le sue librerie furono adibite anche ad empori di gadget «rivoluzionari» come lo spray per «dipingere di giallo il tuo poliziotto»: e i suoi cataloghi s'affollavano di manuali sulla guerriglia, con istruzioni per fabbricare bottiglie Molotov e affrontare scontri di strada con le forze dell'ordine. Feltrinelli sognava l'azione. Era ossessionato dall'idea che in Italia fosse imminente un *golpe*. Era stato contestatore furioso degli USA per il Vietnam, frequentava Fidel Castro (del quale sperava d'avere in esclusiva le memorie), adorava Che Guevara. Quando in Bolivia fu catturato Régis Debray, volò laggiù con velleitari propositi di sottrarlo alla prigionia. In prigione finì invece anche lui, sia pure per quarantotto ore soltanto – essere miliardario riesce molto utile in determinate circostanze –, insieme alla moglie del momento, Sibilla Melega. (Feltrinelli ebbe quattro tormentati matrimoni, due dei quali annullati giudiziariamente per sua «manifesta impotenza», non si sa quanto autentica e quanto strumentale: tanto più che da una delle quattro ha avuto un figlio. Qualcuno ha voluto comunque associare le turbe sessuali e il difficile rapporto con la madre di ghiaccio ai conati guerriglieri di «Giangi».) Una pistola di Feltrinelli fu usata per uccidere nel 1971, in un ufficio del consolato boliviano di Amburgo, il capo della polizia segreta di La Paz Roberto Quintanilla, uno degli uccisori del Che.

«Giangi» pubblicava, uno dopo l'altro, volumetti ipotizzanti un'Italia che fosse, finalmente, come il Vietnam, e si teneva in contatto con altri esagitati, smaniosi anch'essi di sparare. Gli operai delle sue fabbriche non lo prendevano sul serio. «Giangiacomo, fai l'eroe qui, non in Bolivia. Nella tua fabbrica è in atto la serrata.» Un giudice l'aveva convocato per testimoniare su certi attentati e aveva ordinato di togliergli il passaporto, ma lui era ormai in Carinzia, nelle sue terre, a meditare piani futuri. S'era tagliati i baffi già ostentati – insieme a un colbacco e a una pelliccia di persiano – in una fotografia su «Vogue». Ormai era dedito a tempo pieno alle sue farneticazioni, nelle quali (lo scrisse su un mensile da lui diretto, «Voce comunista») ipotizzava un «esercito internazionale del proletariato» con «avanguardie strategiche rivoluzionarie» (Asia, Africa, Sud America), il «grosso delle forze dell'esercito rivoluzionario» (Vietnam, Corea del Nord), la «prima riserva strategica rivoluzionaria» (Cina), e «il grosso della riserva strategica rivoluzionaria, la gloriosa armata rossa dell'URSS e gli eserciti del Patto di Varsavia». Vaneggiava di «fuochi guerriglieri in Sardegna», costituì i GAP (Gruppi di azione partigiana) che in Liguria appiccarono un incendio alla sede di Genova del Partito socialista, e un altro, sempre a Genova, al consolato USA. Infine, a coronamento di questa esistenza spericolata, il traliccio di Segrate.

Un nastro trovato in un covo delle BR a Robbiano di Mediglia – e quindi fonte non sospetta di mistificazioni reazionarie – così descrisse la fine del miliardario guerrigliero, che era accompagnato, la notte fatale, da due «collaboratori» e che si faceva in quei tempi chiamare Osvaldo: «Osvaldo era una persona che faceva di tutto per dimostrare agli altri di essere più proletario di loro o alme-

no quanto loro. Sembra che non si lavasse per intere settimane, ma loro dicono addirittura mesi, questo per an-
nerire le mani, renderle callose, per ridurre il suo volto e
le sue mani stesse al livello degli operai che lavorano nelle
fabbriche... Osvaldo sta seduto a cavalcioni mentre pre-
para la carica. È in quel momento che il primo [dei complici, N.d.A.], quello a mezz'aria sul traliccio, sente uno
scoppio fortissimo, uno scoppio secco, viene investito
dall'esplosione ma si aggrappa fortemente con il braccio
al pilastro... Cade per terra o almeno si cala per terra,
guarda verso l'alto ma non vede nulla, guarda verso il basso e vede Osvaldo a terra, rantolante, la sua impressione
immediata è che abbia perso entrambe le gambe».

Finché venne il giorno in cui gli assertori dell'assassinio furono sistemati, una volta per tutte, dai brigatisti rossi. Bisognò attendere il 1979, quando fu celebrato a Milano, tra febbraio e marzo, un processo per terrorismo. Prima che i giudici entrassero in camera di consiglio per la
sentenza gli imputati lessero un «comunicato numero
quattro» firmato, tra gli altri, da Renato Curcio, Giorgio
Semeria, Augusto Viel. «Osvaldo [sempre il nome di copertura, N.d.A.] non è una vittima» diceva il comunicato
«ma un rivoluzionario caduto combattendo. Egli era impegnato in un'operazione di sabotaggio di tralicci dell'alta tensione che doveva provocare un *black-out* in una vasta zona di Milano al fine di garantire una migliore operatività a nuclei impegnati nell'attacco a diversi obiettivi.
Fu un errore tecnico da lui stesso commesso, e cioè la
scelta e utilizzo di orologi di bassa affidabilità trasformati
in *timers*.»

La maggioranza di coloro che avevano infamato gli organi di polizia non batté ciglio, dopo questa definitiva ri-
velazione. I più onesti – citati da Michele Brambilla nel

suo *L'eskimo in redazione* – fecero autocritica. Così Walter Tobagi, così Giorgio Bocca. «L'Espresso» ammise, con un ritardo di sette anni, che «a poche ore di distanza dalla morte di Feltrinelli l'*intellighenzia* democratico-progressista e l'intera sinistra iniziarono un'operazione di rimozione radicale dei fatti, ritardando la nostra presa di coscienza della realtà». Parole che non valgono solo per Feltrinelli. Valgono per gli anni di follia e di piombo, nel loro insieme.

CAPITOLO SETTIMO

CUOR DI LEONE

Torniamo dall'Italia di piombo, all'Italia di gomma, o di gelatina. Quella della politica parlamentare e governativa, delle manovre, acrobazie e contorsioni con cui nel Palazzo romano si tentava di dribblare la tragedia del Paese, parlandone molto ma agendo come se ben altri e più seri problemi – ad esempio i dosaggi delle correnti democristiane o i rapporti tra i socialisti ridivisi – incalzassero.

Proprio in casa DC s'erano avute, poco dopo la formazione del primo governo Rumor, novità che per gli esperti della cucina politica erano importanti. Il Partito dello scudo crociato aveva tenuto a San Ginesio nelle Marche (29 settembre 1969) un Consiglio nazionale al cui ordine del giorno era una valutazione sulla crisi di governo, e sulla sua soluzione. Vi avvenne invece un rimescolamento delle correnti, o delle loro alleanze. Parte dei dorotei, parte della sinistra di Base, i fanfaniani e i tavianei strinsero un accordo, per effetto del quale il gruppo Rumor-Piccoli si staccò dal gruppo Colombo-Andreotti. Non varrebbe la pena di indugiare su questi ondeggiamenti, se da essi non fosse derivato il cambio del segretario del Partito. Flaminio Piccoli cedette il posto ad Arnaldo Forlani, un quarantaquattrenne che scalava rapidamente – e più solidamente dell'alpino Piccoli – le mulattiere del potere.

Bell'uomo, cauto, cordiale, apparentemente disarmato

di fronte alle polemiche, il pesarese Forlani dava la sensazione, probabilmente errata, di non avere ambizioni: e di accettare le cariche per spirito di servizio. Simile in questo a Zaccagnini, che nel posto di segretario gli succederà, ma con diverso piglio: più mondano, senza alcuna pretesa di francescana umiltà e rassegnazione. Piuttosto con una certa pigrizia. Piccoli era di un'attività instancabile, voleva fortissimamente le cose dando l'impressione di non sapere bene quali cose volesse, e producendo spesso confusione. Parlava prima di pensare, e lo si capiva dalle sue contraddizioni e improvvisazioni. In questi peccati Forlani non poteva incorrere perché, costretto anche lui, come qualsiasi politico, a esternare sovente, si atteneva con scrupolo al repertorio delle ovvietà benintenzionate. Affermava, con una certa civetteria, che se non fosse diventato un politico avrebbe avuto un avvenire come mezz'ala in una squadra di calcio. Fanfaniano, non si era mai interamente identificato, né per ideologia e tantomeno per stile, nel Maestro. Divenuto segretario, non usò il campanello per chiamare i suoi collaboratori, cosa che – ha ricordato Antonio Spinosa – Fanfani faceva perfino con Rumor, quando questi era il suo vice. Forse era una leggenda che fosse allergico al lavoro. O forse, come quel personaggio di Jerome K. Jerome, era tanto affascinato dal lavoro che gli piaceva stare per ore a guardare quello altrui. In realtà, diceva chi lo conosceva bene, Forlani godeva fama di sfaticato soprattutto perché non ostentava la sua attività, né si atteggiava, come i politici fanno sovente, a martire del partito e del Paese.

Il tandem Forlani-Rumor, con cui la DC affrontò i giorni drammatici del dopo-piazza Fontana, sembrava di peso piuttosto leggero, date le circostanze. Ma la storia è zeppa di Facta che ne sono protagonisti in momenti memorabili, alcuni – non Facta – senza troppo demeritare. Da più parti, nell'ambito dei possibili alleati DC, e nella stessa DC, veniva chiesto un ritorno al centrosinistra. La situazione era tale che il partito di maggioranza relativa si sentiva impaurito dall'assunzione d'una totale responsabilità. Non solo per le ripercussioni della strage di Milano, ma per le agitazioni sindacali che sconvolgevano l'Italia. CGIL, CISL e UIL erano riuscite a ottenere aumenti consistenti, attorno al 25-30 per cento, alla conclusione dei contratti di lavoro «aperti». Ma il sindacato non s'accontentava di questi successi. Rivendicava un ruolo d'interlocutore del governo per fissare le direttive della politica nazionale, al di là e al di sopra del parlamento e degli altri organismi istituzionali. Mentre nelle fabbriche dilagavano il disordine e l'intimidazione, le Confederazioni aprivano quattro vertenze che esulavano dai compiti sindacali: la casa, la sanità, i trasporti, il fisco. Non è che la richiesta di riforme in questi settori fosse fuor di luogo. Aveva tutte le possibili giustificazioni. Ma il sindacato pretendeva servizi efficienti con dipendenti autorizzati all'assenteismo e alla negligenza, per non dire all'anarchia. E questo era insensato. Per imporre le sue condizioni il sindacato procedette a suon di scioperi generali che non risolvevano nulla ma suscitavano allarme negli ambienti economici. La crescita economica, che era stata buona tra il '66 e il '69, si andò spegnendo, e l'inflazione s'impennò.

A metà dicembre, subito dopo piazza Fontana, i segretari democristiano, socialista, socialdemocratico e repubblicano abbozzarono una ripresa della coalizione. La strada verso il terzo governo Rumor era spianata: si sperava anzi che quella prevista non fosse, una volta tanto, una crisi «al buio», ma una crisi a soluzione certa e predeterminata. Invece, quando Rumor rassegnò le dimissioni il 7 febbraio 1970, risultò che i giuochi erano assai meno fatti di quanto si supponesse. Forlani tentò di fissarne le regole con un documento che fu qualificato «preambolo».

Alla DC i preamboli piacciono, come tutto ciò che è interlocutorio, attendista, non operativo. Infatti battezzò allo stesso modo un altro documento, in una analoga situazione di crisi, all'inizio degli anni Ottanta. Il preambolo forlaniano mirava, in sostanza, a istituzionalizzare la collaborazione tra i quattro partiti del centrosinistra (i liberali erano per il momento esclusi dalla coalizione) affermando che «l'esigenza di un più profondo e vasto collegamento tra la realtà del Paese e la volontà di guidarne, in una linea di sviluppo e con efficacia, i fenomeni di trasformazione... costituiscono la più autentica ragione politica della collaborazione fra DC, PRI, PSI e PSU [quest'ultima, ricordiamo, era allora la sigla dei socialdemocratici, N.d.A.]. Attraverso questo incontro di governo si intende mettere in movimento e far crescere il rapporto tra politica e società civile, aprendo un dialogo fiducioso e costruttivo con le forze sindacali, culturali, produttive cui spettano responsabilità crescenti in una moderna società pluralistica». Era questo, proseguiva il «preambolo», un disegno politico che doveva trovare attuazione anche nelle amministrazioni locali, impegnandovi solidamente, «ovunque sia possibile, le forze che avrebbero collaborato nel parlamento e nel governo». Un documento sensato ma, letto nella luce della situazione italiana, e dei suoi successivi sviluppi, piuttosto flebile, ricco di buone intenzioni, ma animato da fiduciose attese che, almeno nel successivo decennio, sarebbero state smentite dai fatti: non sul piano degli accordi politici ma su quello, più importante, della vita e della società civile.

Con questo viatico Saragat si dedicò alle consultazioni che ebbero il consueto andamento a singhiozzo. La DC aveva indicato cinque nomi, per la Presidenza del Consiglio: Rumor, Moro, Fanfani, Taviani, Colombo. Rumor ci provò e rinunciò, poi Moro ebbe un preincarico che sfociò in una rinuncia, preincarico anche per Fanfani che si ritirò (19 marzo 1970), infine la mano passò a Rumor che questa volta fece centro. A fine marzo fu varato il suo terzo governo con diciassette Ministri democristiani, sei socialisti, tre socialdemocratici, un repubblicano. De Martino fu vicepresidente del Consiglio, agli Esteri e agli Interni rimasero Moro e Restivo, il repubblicano Reale ebbe la Giustizia, Piccoli le Partecipazioni statali. Liberatasi, per l'ingresso di De Martino nel governo, la segreteria socialista, vi si insediò Mancini con tre vice: Mosca, Craxi e Codignola.

Nella trattativa per la formazione del Ministero si era inserita – complicandone il corso e ritardandone la soluzione – una questione di portata storica: l'introduzione del divorzio nella legislazione italiana. Era approdata in parlamento – ed aveva avuto il voto favorevole della Camera il 28 novembre 1969 – la legge che portava il nome del socialista Loris Fortuna e del liberale Antonio Baslini. La sua intestazione era, pudicamente, quella di «disciplina dei casi di scioglimento del matrimonio». Alcune sue norme prevedevano, per il divorzio, casi estremi e in qualche forma accettabili anche dagli ambienti cattolici. La caducità degli effetti civili del matrimonio – non di quelli religiosi, beninteso – poteva essere invocata quando uno dei due coniugi fosse stato condannato all'ergastolo o a un pena superiore a quindici anni, o per incesto e delitti sessuali nell'ambito familiare, o per incitamento della moglie o della prole alla prostituzione, o per maltrattamenti del coniuge o dei figli. Di gran lunga più rilevante era un'altra disposizione in forza della quale allo scioglimento si poteva dar luogo quando fosse stata pronunciata la separazione tra i coniugi, e la separazione stessa si fosse protratta ininterrottamente per almeno cinque anni.

La contesa sul divorzio durava da un secolo. Chi lo invocava faceva presente che la Sacra Rota aveva in effetti monopolizzato il diritto di sciogliere i matrimoni, e del monopolio si era servita con disinvoltura, soprattutto quando la causa coinvolgesse personaggi famosi. Molte coppie «illegali», che pure avevano tutte le caratteristiche della solidità e dell'onestà, erano costrette a una condizione sociale di disagio in nome d'un vincolo sacramentale che secondo la maggioranza del Paese – e lo si vide nel *referendum* del 1974 – non poteva e non doveva ostacolare il diritto alla rispettabilità formale, oltre che a quella sostanziale. Il divorzio era un istituto vigente nella quasi totalità dei Paesi democratici e sviluppati, e non v'era ragione, secondo i suoi fautori, perché l'Italia non dovesse adottarlo.

Questi argomenti urtavano, oltre che contro le convinzioni di tanti credenti, anche contro un ostacolo che era non solo religioso, ma politico: di politica interna e, in senso lato, di politica internazionale. Il Vaticano si era mosso, e si era mosso massicciamente. Paolo VI, che pure viene ricordato come il più «laico» tra gli ultimi Papi, non poteva tacere di fronte all'offensiva divorzista. Parlò, chiaramente, in un discorso, corredato da una nota dura dell'«Osservatore Romano»: e imboccò le vie diplomatiche con una nota al governo italiano in cui si chiedeva che il passaggio della legge al Senato fosse sospeso in attesa che le due parti – l'Italia e la Santa Sede – esaminassero congiuntamente il *vulnus* che la legge arrecava al Concordato, e in particolare al suo articolo 34.

Questo tema polemico piombò in casa democristiana proprio mentre cominciavano i negoziati per il terzo governo Rumor, e oppose la DC ai suoi potenziali alleati. In effetti solo due partiti, la DC e il MSI, erano antidivorzisti. Il segretario missino Giorgio Almirante si associò alla posizione democristiana benché avesse una situazione familiare anomala e fosse personalmente interessato all'approvazione del divorzio, cui fece ricorso, infatti, non appena poté: spiegando che le sue intime convinzioni erano state in contrasto con le posizioni del suo Partito e che, appunto per disciplina di partito, le aveva nell'occasione rinnegate. È da notare che la Costituzione italiana non prevede l'indissolubilità del matrimonio. Essa era enunciata nel progetto iniziale («la Repubblica riconosce i diritti della famiglia come società naturale fondata sul matrimonio indissolubile»), ma poi per pochi voti, 194 contro 191, il termine «indissolubile» era stato cassato.

La DC era in un dilemma spinoso. Non osava ribellarsi al Papa, e voleva raggiungere l'accordo con socialisti, socialdemocratici e repubblicani. Una proposta democristiana perché il passaggio della Fortuna-Baslini al Senato fosse sospeso, e nel frattempo venissero presi contatti con la Santa Sede, fu respinta dai tre potenziali partner. La legge andò avanti, ed ebbe il suggello finale il primo dicembre del 1970. Tuttavia la DC, avendo ottenuto che fosse risvegliato dal sonno in cui giaceva l'istituto del *referendum* abrogativo, e fidando – a torto – in questa prova d'appello, rinunciò a fare del divorzio un *casus belli*.

I partiti erano del resto già alle prese con una scadenza elettorale che sarebbe stata in ogni caso interessante: ma che, in un Paese avvelenato da un'infinità di fermenti e problemi, era attesa come una sentenza. Il 7 giugno 1970 si doveva votare per le elezioni regionali – le prime – in quindici regioni a statuto ordinario, in ottantotto province per il rinnovo dei consigli provinciali, infine in 6632 comuni. La più significativa indicazione del voto fu che i socialisti uniti perdevano e divisi vincevano. Nel 1968 non erano nemmeno arrivati, insieme, al 15 per cento, questa volta superarono il 18: circa l'11 per il PSI e il 7 per il PSU. Nulla di sostanzialmente nuovo per la DC, e nemmeno per il PCI: o piuttosto la novità, per i comunisti, stava nel fatto che, dopo costanti progressi nelle ultime consultazioni, avessero avuto una battuta d'arresto. Migliorò – da poco più del 4 a poco più del 5 per cento – il MSI: un'avanzata, quella della destra nostalgica, che si sarebbe accentuata successivamente, attestando l'insofferenza di larghi strati della popolazione per i cedimenti, le ambiguità, le rassegnazioni della DC di fronte all'ondata protestataria e ribellistica: e per l'incapacità del PLI di farsi, di quella insofferenza, convincente interprete.

Questa spinta a destra divenne velleitarismo golpista in taluni ambienti del reducismo «repubblichino»; e *jacquerie* campanilistica nella rivolta di Reggio Calabria. Ma questi furono i fenomeni parossistici e degenerativi, quando non le strumentalizzazioni, d'uno stato d'animo che era largamente diffuso. Il governo non governava, ma procedeva esitante venendo a patti quotidianamente con i sindacati, chiudendo gli occhi di fronte all'eversione di sinistra, lasciandosi condizionare dal terrorismo ideologico dell'opposizione. Gli unici gesti di forza erano insieme gesti di debolezza: come quello che Rumor compì il 6 luglio 1970, presentando a Saragat le sue dimissioni. Il pretesto alla decisione – un pretesto più che serio – era stato offerto dalla proclamazione, per il 7 luglio, di un ennesimo sciopero generale, questa volta motivato da contrasti sugli sgravi fiscali. Rumor aveva invitato le Confederazioni a revocare l'iniziativa, le Confederazioni avevano risposto picche. Desistettero dallo sciopero solo quando, con le dimissioni del governo, mancò loro l'interlocutore. Perché il paradosso del sistema instaurato dai sindacati stava nel fatto che il loro interlocutore non era il padronato, era il governo, e non era il padronato che doveva negoziare, era il governo che doveva essere schiavo e farsi paladino d'una politica decisa in sedi non istituzionali. Per di più Rumor avvertiva la scarsa coesione della sua maggioranza, dove i socialisti flirtavano con chi promuoveva lo sciopero generale e con chi aveva fomentato altre agitazioni, in particolare quelle scolastiche.

Rumor disse chiaro e tondo che non intendeva succedere a se stesso. Questa volta il primo nome indicato dalla DC – e non per ragioni alfabetiche – fu quello di Andreotti, presidente del Gruppo parlamentare della Camera. Con una certa sfrontatezza Andreotti disse: «Ho potuto vedere come in parlamento il contatto politico vivo tra diverse forze, fra tutte le forze, ciascuna nel proprio ambito e con la propria fisionomia, sia produttivo di un lavoro efficace ed ordinato». Questa menzogna propiziatoria non gli bastò. Ci fu chi ricordò il suo abbraccio al maresciallo Graziani, ad Arcinazzo, nel lontano 1952, mentre la sua piattaforma programmatica fu malamente liquidata dai socialdemocratici. Toccò poi a Emilio Colombo di tentare: e riuscì, anche perché si era ormai ai primi di agosto, la calura si faceva insopportabile, e le ferie incalzavano. La struttura quadripartita del governo restò immutata, e molti Ministri furono confermati.

Colombo si adoperò per contentare tutti: ossia per promettere ai sindacati le riforme che chiedevano, agli imprenditori le garanzie che invocavano, ai cittadini la sicurezza e la stabilità economica delle quali lamentavano la carenza. Naturalmente non riuscì ad altro che a mettere qualche pannicello caldo su gambe di legno. Ci voleva ben altro che un Presidente del Consiglio volonteroso ma transitorio e una coalizione indecisa a tutto per guarire i mali d'Italia.

Intanto già dal luglio, mentre ancora durava la crisi di governo, a Reggio Calabria rumoreggiava la rivolta. A darle esca era stata la scelta di Catanzaro come capoluogo regionale: scelta derivante dal fatto che la legge stabiliva un collegamento tra la sede della Regione e la sede della Corte d'Appello. Reggio si era sollevata contro questa che considerava un'umiliazione. Delle sommosse s'era fatto istigatore, dando ad esse un'impronta neofascista, «Ciccio» Franco, studente in legge mai arrivato alla laurea, sindacalista della CISNAL, militante a fasi alterne del MSI dal quale era stato espulso cinque volte, altrettante essendovi riammesso. Tribuno volgare ma efficace, nella peggiore tradizione dei capipopolo alla Masaniello o alla Ciceruacchio, Franco era stato il condottiero vociante d'una azione di guerriglia cittadina con barricate, e spargimento di sangue (il 18 settembre erano rimasti uccisi un cittadino e un brigadiere di Pubblica sicurezza. Il 4 febbraio del 1971 a Catanzaro una bomba lanciata sulla folla dopo un corteo antifascista uccise una persona, e altre quattordici ne ferì). La parola d'ordine nostalgica con cui Ciccio Franco concludeva i suoi roventi comizi era «boia chi molla!». Per placare lo scontento l'Assemblea regionale elaborò un progetto che distribuiva favori a tutti, la sede della Giunta regionale a Catanzaro, la sede dell'Assemblea a Reggio, a Cosenza l'università calabrese, a Gioia Tauro un centro siderurgico. Ciccio Franco, per qualche mese arrestato, e a distanza di tempo condannato per la parte avuta nei disordini, fu eletto senatore nelle liste del MSI, con quarantasettemila voti di preferenza, nelle elezioni politiche anticipate del 1972. Ma non solo Reggio Calabria s'infuriava per dispute regionali. All'Aquila (27 febbraio 1971) furono assaltate e devastate, in una guerriglia durata un paio di giorni, le sedi dei partiti e le abitazioni di esponenti politici: tutto perché sette assessorati regionali erano stati assegnati a Pescara. Si diffondeva nel Paese la convinzione che ciascuno dovesse farsi giustizia da sé, che ogni obiettivo fosse alla portata di chi era più aggressivo e più violento, e che i moti di piazza d'un proletariato borbonico fossero la migliore risposta all'inerzia declamatoria di Roma.

Più patetico che allarmante fu il cosiddetto colpo di Stato del principe Junio Valerio Borghese, medaglia d'oro della Marina, già comandante della Decima Mas di Salò, capo d'un Fronte nazionale che enunciava propositi d'estremismo patriottico, ma poteva contare, per realizzarli, solo su sparute schiere di giovanissimi e creduli fanatici o di anziani non rassegnati. La notte dal 7 all'8 dicembre 1970 un gruppo di ex paracadutisti guidati dal futuro deputato missino Sandro Saccucci e un reparto appartenente alla Guardia forestale erano penetrati nel Viminale. Questa presa di possesso, attuata con forze raccogliticce e quasi ridicole, non voleva, questo è sicuro, essere definitiva, né preludere a una conquista del potere. Si trattava d'un atto dimostrativo (pare che fosse in programma anche l'occupazione della RAI, per la diffusione d'un proclama). L'episodio, di cui quasi nessuno si accorse, fu taciuto fino a quando non lo rivelò, nel marzo successivo, «Paese Sera». Borghese fuggì all'estero, alcuni suoi collaboratori furono arrestati. Nenni commentò: «Tutto ciò sembra più stupido che tragico, sempre che non risultino complicità nell'Arma, nella Polizia, nell'Esercito. Ma anche ridotto alle proporzioni di una stupida bravata, siamo pur sempre davanti a un sintomo inquietante. La crisi dello Stato e dell'autorità deve essere terribilmente seria perché quattro cialtroni immaginino di potersi impadronire del potere».

I moti di Reggio Calabria degradarono ulteriormente l'atmosfera del Paese non solo perché misero allo scoperto la debolezza del governo, ma perché alimentarono l'ossessionante coro antifascista, rafforzarono la pretesa che le uniche insidie per la Repubblica venissero da destra, resero ancor più blasfema la tesi degli opposti estremismi. Senonché, paradossalmente, quanto più s'inveiva contro il MSI, tanto più gli si dava forza elettorale. Tanto che, nelle amministrative parziali del 13-14 giugno 1971 (dovevano tra l'altro essere rinnovati i Consigli comunali di grandi città come Roma, Genova, Bari, Foggia e il Consiglio regionale siciliano), vi fu un'impennata straordinaria del partito di Almirante. Che ebbe addirittura il 16 per cento dei voti in Sicilia e a Roma, togliendone sia alla DC – fortemente penalizzata – sia ai liberali. Erano voti «in libera uscita», secondo l'espressione che Andreotti ha sempre usato in circostanze come questa: disponibili per una prossima tornata. Ma sottolineavano il malessere profondo degli Italiani moderati che cercavano disperatamente uno scudo di protezione dalla furibonda offensiva demagogica di sinistra, e che – almeno una parte di loro – sbagliavano nello sceglierlo. Come del resto era accaduto con l'Uomo Qualunque, come accadrà un ventennio più tardi con le Leghe.

Molti e gravi motivi, lo si è visto, avrebbero consigliato che l'elezione presidenziale del dicembre 1971 fosse lineare, e che il nuovo Capo dello Stato venisse espresso da una maggioranza larga e risoluta. L'Italia benpensante era tormentata da angosce cui faceva riscontro la tracotante euforia dei mestatori, la fredda e insieme stralunata risolutezza dei rivoluzionari pronti a trasformarsi in terroristi, lo snobistico compiacimento dei tanti Philippe Egalité salottieri e sotto sotto vili. Per questo Paese inquieto, la designazione del nuovo Presidente avrebbe potuto e dovuto essere un'iniezione di ottimismo. Fu invece – come l'elezione di Saragat sette anni prima – una tragicommedia prolissa e, per la sua ripetitività, noiosa. La Democrazia cristiana riuscì nell'ardua impresa di bruciare, un'ennesima volta, il suo candidato ufficiale, e di doversi assoggettare alle più umilianti contorsioni prima di consegnare i suoi voti a un candidato subìto di malavoglia.

Dopo il «laico» Saragat, la DC riteneva d'avere il diritto di mandare un suo uomo al Quirinale. Questa richiesta non era apertamente contestata da nessuno, nemmeno all'opposizione. Si discuteva non della fede democristiana, ma delle credenziali personali e politiche che il designato doveva possedere. Amintore Fanfani, Presidente del Senato, non troppo vecchio – aveva sessantaquattro anni – e sorprendentemente vitale, s'illudeva d'avere, questa volta, la nomina in tasca. Saragat, che forse ci avrebbe fatto un pensierino se qualcuno avesse insistito perché si ripresentasse, s'era deciso ad annunciare il suo ritiro definitivo. Aldo Moro, Ministro degli Esteri, viaggiava instancabilmente e affettava il massimo disinteresse per il Quirinale. Gli altri nomi (Leone, Rumor, perfino Taviani) restavano sullo sfondo. Fanfani, che i maligni definivano – era già avvenuto per il cancelliere austriaco Dollfuss – «il Minimetternich», era in eccellenti rapporti con l'ambasciatore sovietico a Roma, Nikita Ryjov, che nelle sue informazioni al Cremlino l'aveva, a quanto si afferma, pronosticato Presidente: e qualcuno ne deduceva che anche i comunisti potessero avere per lui un occhio di riguardo (per la verità Berlinguer, non ancora segretario a pieno titolo ma già padrone di Botteghe Oscure, manteneva, secondo il suo temperamento, una riservatezza assoluta, e alcuni notabili del PCI avevano attaccato Fanfani). L'adesione degli alleati laici e anche dei socialisti era data per scontata, una volta che la DC si fosse mostrata compatta.

Ma il problema stava proprio nella DC. I precedenti avrebbero dovuto sconsigliare Fanfani dal chiedere al segretario Forlani e agli organismi direttivi del Partito una immediata investitura. Nel 1948 De Gasperi voleva Sforza, ed era riuscito Einaudi. Nel 1955 proprio lui, Fanfani, postosi alla guida della DC dopo la morte di De Gasperi, voleva Merzagora, ma dall'urna uscì Giovanni Gronchi. Solo nel 1962, con Segni, il candidato del segretario – che era in quel momento Moro – vinse la battaglia. Ma nel dicembre del 1964 – dopo che Segni, colpito da *ictus* cerebrale qualche mese prima, s'era dimesso – si tornò all'antico. Fanfani fronteggiò con la sua spavalda tenacia il candidato ufficiale della DC, che era Giovanni Leone, e il rimescolamento di carte che ne seguì diede a Saragat la Presidenza.

Ed ecco Fanfani di nuovo protagonista, con la sua caratteristica avventatezza. Non più come guastatore, ma come uomo d'ordine, faceva appello a sua volta (raro esempio di ingenuità e di smemoratezza) alla disciplina dei parlamentari democristiani. Alcune decine dei quali si dimostrarono subito renitenti alla leva. Al termine della prima votazione, avvenuta il 9 dicembre, risultò che Francesco De Martino (candidato «di bandiera» dei socialisti) aveva avuto 397 voti (quelli delle sinistre), che Fanfani ne aveva avuti 384, e poi, via via, Malagodi (i liberali) 49, Saragat (i socialdemocratici) 45, il missino De Marsanich 42, bianche 57. Era dato per scontato che l'esito – trattandosi della prima di tre votazioni in cui era richiesto il *quorum* dei due terzi – sarebbe stato inconcludente. Ma gli esperti, messisi febbrilmente all'opera, sentenziarono che trentasei parlamentari DC avevano disertato. Si vociferò inoltre che una delle schede nulle recasse il distico insultante «nano maledetto / non sarai mai eletto».

Le cose non andarono meglio per il «motorino del secolo» quando, alla quarta votazione, si passò alla maggioranza semplice, cosicché 505 voti bastavano per l'elezione. De Martino era salito a quota 411, Fanfani era disceso a 377, pressoché invariati gli altri. Si procedette senza avvisaglie di uscita dall'*impasse*, finché Fanfani fece sapere a Forlani che avrebbe insistito nella gara solo se gli fosse stato garantito l'appoggio solidale dei partiti che sostenevano il governo. La garanzia non venne: venne invece la decisione democristiana di non decidere: ossia di passare all'astensione dalla settima votazione – 13 dicembre – in poi, nell'attesa di una improbabile «decantazione»; ossia di una nuova serie di conciliaboli e mercanteggiamenti. All'undicesimo scrutinio la DC si rifece viva, Fanfani toccò i 393 voti, ma in sostanza nulla era cambiato: cosicché il gregge democristiano riprese le sue sfilate assenteiste davanti all'urna, imitato dapprima da liberali, repubblicani e missini, quindi anche dai socialdemocratici dopo che Saragat li aveva invitati, con una lettera, a non insistere neppure a titolo dimostrativo sul suo nome.

Venerdì 17 dicembre – giorno infausto – Fanfani sondò Moro, nella sede DC di piazza del Gesù. Secondo Vittorio Gorresio, cronista divertito di questo goffo minuetto, il candidato della DC aveva preso la conversazione alla larga, rallegrandosi con Moro per il successo ottenuto durante certe discussioni a Bruxelles, in sede CEE. Moro ringraziò cortesemente, aggiungendo tuttavia con un sospiro: «Purtroppo abbiamo ancora un problema aperto, molto grave». Fanfani volle sapere quale fosse, sperando che si arrivasse ai suoi travagli, ma Moro spiegò che si trattava della pesca del merluzzo nelle acque norvegesi: e si profuse in una circostanziata spiegazione del contenzioso anglo-norvegese per la pesca di quel pesce teleosteo dell'ordine anacantini famiglia galidi. Il tema del Quirinale non fu nemmeno sfiorato.

Il 18 dicembre si ebbe una novità di rilievo: il PSI presentò la candidatura – che poteva essere sostanziale, non di bandiera – di Pietro Nenni, annunciando nel contempo che sarebbe stato disponibile a votare un democristiano «progressista», il che parve un invito alla DC perché avanzasse il nome di Aldo Moro. Il 21 dicembre la DC si rassegnò – con intima esultanza di un non trascurabile numero di parlamentari dello scudo crociato – a buttare a mare Fanfani.

Era un cambio di cavallo o, come un deputato socialista malignamente insinuò, un cambio di poney: battuta particolarmente azzeccata ove si pensi che il vincitore fu Leone: uno dei pochi interlocutori che Fanfani poteva fissare negli occhi senza alzare la testa, o quasi. I grandi elettori della DC scelsero appunto quel giorno 21 il loro uomo: fu un voto segreto, ma si asserì che Moro fosse rimasto soccombente per una manciata di schede. Il nuovo designato volle tuttavia che i partiti alleati promettessero solennemente di convergere sul suo nome: e i tre partiti «laici» s'impegnarono. Una nota del PRI spiegò che Leone era accettabile «per i suoi precedenti, per la sua estraneità alle lotte di parte e di corrente, per la sua lealtà verso la Costituzione». Replicarono stizzite le sinistre imputando a Leone d'essere stato regolarmente iscritto al Partito nazionale fascista, e d'avere optato per la monarchia nel 1946.

La mattina della vigilia di Natale Leone fu eletto con 518 voti, Nenni ne raccolse 418. Mentre Pertini faceva lo spoglio delle schede, avendo al fianco un accigliato Fanfani, ci fu *suspense* fino a quando il nome di Leone risuonò per la cinquecentesima volta. Allora dalle schiere DC si levò un applauso, e l'irascibile Pertini, che possedeva imprevedibili riserve d'umorismo tagliente, disse: «Dato che ancora non ho proclamato eletto nessuno, devo supporre, onorevoli colleghi, che il vostro applauso sia diretto ai vostri due copresidenti. Ve ne ringrazio anche a nome del presidente Fanfani, ma vi invito a consentirmi di proseguire nello scrutinio». Le cifre di quest'ultima votazione furono passate al microscopio, con intenti polemici, da socialisti e comunisti: i quali sostennero che a Leone (benché in teoria la coalizione DC, PLI, PRI, PSDI, fosse in grado di eleggerlo autonomamente) fossero serviti i voti missini, essendogliene mancato un buon numero di democristiani, una sessantina. Dello stesso avviso era, ovviamente, Almirante: secondo il quale l'apporto missino era stato esplicitamente invocato, sia in favore di Fanfani, sia in favore di Leone.

Ascese così al colle più ambito tra i sette di Roma un bonario professore napoletano di diritto; noto per la lucidità dei suoi trattati di procedura penale, per l'efficacia delle sue arringhe – anche se l'eloquio era irrimediabilmente caratterizzato, come accade ai napoletani anche del miglior livello culturale, da inflessioni dialettali –, per le sue capacità mediatorie: eccezionali anche in un partito che della mediazione e del compromesso ha fatto la sua ragione di vita. Saragat, vedovo, era stato al Quirinale un inquilino difficile. Aveva un alto e in gran parte fondato concetto della sua intelligenza, e un concetto modesto dell'intelligenza altrui. Per questo aveva largamente usato e magari abusato – senza la levità improvvisatrice e la simpatia di cui avrebbe dato prova Pertini – della sua facoltà di «esternazione»: pur rimanendo ben lontano dalla intemperante e polemica loquacità dell'ultimo Cossiga. S'era comportato da politico coerente e da galantuomo. Era, come spesso gli orgogliosi, un solitario: non influenzato dai suoi familiari (la figlia Giuseppina, il figlio Giovanni) anche quando ne era attorniato.

Con Leone entrò al Quirinale «la famiglia». Era, a prima vista, una bella famiglia. Intanto perché bella era la moglie del Presidente, Vittoria, di vent'anni più giovane di lui, sessantatreenne allorché fu eletto Presidente. Nella casa del padre di Vittoria, era capitato a fine 1945, per una festicciola, Giovanni Leone: amico di un fratello della ragazza, Luigi Michitto, già sottotenente nei ruoli della magistratura militare. Proprio durante il servizio militare (si fa per dire) Luigi aveva conosciuto Giovanni Leone, che portava, come professore ordinario, i gradi di tenente colonnello. Il trentasettenne professorino «vivace vivido e arruffato come certi piccoli animali, i tassi per esempio» fu colpito dalla bruna signorina di provincia: pochi mesi dopo, il 15 luglio 1946, si unirono in matrimonio. Lui era già deputato alla Costituente, e votato ad alti destini politici. Il matrimonio ebbe, assicurano tutti coloro che conobbero la coppia, una buona riuscita. Non mancarono i dolori: la morte a cinque anni d'un figlioletto, Giulio, colpito dalla difterite, la poliomielite del primogenito Mauro, semiparalizzato per anni. Ma Mauro guarì quasi perfettamente, i fratelli Paolo e Giancarlo crescevano bene: in onore dei figli Leone battezzò una sua villa di Roccaraso «I tre monelli». Che qualche monelleria cominciarono davvero a permettersela, non appena il padre fu insediato al Quirinale. Mauro, morso dall'ambizione, forse a rivalsa d'una infanzia infelice, voleva avere tutto e subito, cattedre, poltrone, privilegi, e il padre lo accontentava nei limiti delle sue possibilità, che non erano sempre i limiti della decenza. In tono minore, i minori facevano anch'essi del loro meglio, o del loro peggio. Ma la famiglia si estendeva ad agnati, cognati, affini consanguinei, amici, domestici e così i viaggi presidenziali diventarono talvolta una pittoresca Piedigrotta.

Non mette conto di insistere ulteriormente sull'argomento, né su altre malignità da ballatoio. Ma è certo che questo tono vernacolo, modesto e molesto, distinse fin dall'inizio una Presidenza che tutti pensavano sarebbe stata indulgente e irrilevante, secondo il temperamento del suo protagonista. E che ebbe invece, come sappiamo, un finale traumatico: troppo diverso, nella sua drammaticità, dall'uomo che la DC aveva scelto, e che – essendo il coraggio merce rara in quei ranghi – non si sbracciò per difendere. Lo specialista dei compromessi, finì per compromettersi. A differenza di Andreotti che, nei momenti critici, compromette gli altri.

CAPITOLO OTTAVO

LA PROPAGANDA ARMATA

Se piazza Fontana aveva aperto il capitolo delle stragi, l'assassinio del commissario Luigi Calabresi aprì, il 17 maggio 1972, il capitolo delle «esecuzioni» decise ed eseguite dai gruppi armati dell'estrema sinistra. Mai crimine fu più voluto, più annunciato, più auspicato. Calabresi, lo si è già visto, era stato sottoposto a un linciaggio morale e politico di inaudita violenza, che aveva assunto le caratteristiche dell'istigazione a farlo fuori. Era diventato «il Commissario finestra» e «il Commissario cavalcioni» – ossia il responsabile della morte di Pinelli – e il suo *curriculum* poliziesco veniva infiorettato di particolari suggestivi, anche se completamente inventati. Era un agente della CIA che l'aveva addestrato negli Stati Uniti – non vi aveva mai messo piede –, era stato «l'uomo di fiducia del generale Edwin A. Walker, uomo di Barry Goldwater». Pur sconsigliato dalla moglie, Calabresi aveva chiesto ai suoi superiori, ottenendone l'assenso dopo molte esitazioni, di poter querelare per diffamazione «Lotta continua», che conduceva contro di lui una forsennata campagna: e il processo al foglio calunniatore s'era presto trasformato in un processo al calunniato.

«È chiaro a tutti» scriveva tracotante «Lotta continua», irridendo alla querela «che sarà Luigi Calabresi a dover rispondere pubblicamente del suo delitto contro il proletariato. E il proletariato ha già emesso la sua sentenza: Calabresi è responsabile dell'assassinio di Pinelli e Calabresi dovrà pagarla cara... È per questo che nessuno, e tantomeno Calabresi, può credere che quanto diciamo siano facili e velleitarie minacce. Siamo riusciti a trascinarlo in Tribunale, e questo è certamente il pericolo minore per lui, ed è solo l'inizio. Il terreno, la sede, gli strumenti della giustizia borghese, infatti, sono giustamente del tutto estranei alle nostre esperienze... Il proletariato emetterà il suo verdetto, lo comunicherà e ancora là, nelle piazze e nelle strade, lo renderà esecutivo... Sappiamo che l'eliminazione di un poliziotto non libererà gli sfruttati: ma è questo, sicuramente, un momento e una tappa fondamentale dell'assalto del proletariato contro lo Stato assassino.»

A molti intellettuali – e anche ai giornalisti «democratici» – parve che il Procuratore della Repubblica di Torino avesse dato prova di temeraria arroganza denunciando gli estensori di queste prose assetate di sangue. Cinquanta esponenti «del mondo dell'arte, della cultura e dello spettacolo» sottoscrissero nell'ottobre del 1971 un proclama in cui orgogliosamente asserivano: «Quando i cittadini da lei [Procuratore della Repubblica di Torino, N.d.A.] imputati affermano che in questa società l'esercito è strumento del capitalismo, mezzo di repressione delle lotte di classe, noi lo affermiamo con loro. Quando essi dicono "se è vero che i padroni sono dei ladri è giusto andarci a riprendere quello che hanno rubato" lo diciamo con loro. Quando essi gridano "lotta di classe armiamo le masse" lo gridiamo con loro. Quando essi si impegnano a "combattere un giorno con le armi in pugno contro lo Stato fino alla liberazione dai padroni e dallo sfruttamento" ci impegniamo con loro».

Tra i sottoscrittori erano Umberto Eco, Paolo Portoghesi, Lucio Colletti, Tinto Brass, Paolo Mieli, Cesare Zavattini, Giovanni Raboni, Giulio Carlo Argan, Domenico Porzio, Giuseppe Samonà, Salvatore Samperi, Natalia Ginzburg. Ancora più folto – circa ottocento nomi – fu l'elenco di chi firmò un documento dell'«Espresso» in cui – lo ha ricordato Michele Brambilla nel suo *L'eskimo in redazione* – Calabresi era definito «un commissario torturatore» e «il responsabile della fine di Pinelli». Niente può dare il senso della irresistibilità di quel tornado di follia meglio della presenza, tra i firmatari, di personalità d'indiscutibile livello culturale e morale. Da Norberto Bobbio a Fellini, a Mario Soldati, da Carlo Levi a Paolo Spriano, da Alberto Moravia a Primo Levi, a Lalla Romano, a Giorgio Bocca, a Eugenio Scalfari, a Barbato, a Gorresio, a Carlo Ripa di Meana, nessuno della *intellighenzia* di sinistra aveva voluto mancare all'appello. Quando, a distanza di quasi vent'anni, l'«Europeo» interpellò alcuni dei firmatari chiedendo se non rinnegassero quella loro adesione, ne ottenne risposte evasive o altezzose. Samperi disse che «ognuno ha il diritto di sostenere che bisogna prendere le armi, senza che questo significhi prenderle», Argan si chiuse nella torre d'avorio «non ricordo nulla, firmai il documento ma non vorrei tornarci sopra», la Ginzburg si stupì «non so cosa si vuole da me, non ho niente da dichiarare». Il più patetico fu il povero Domenico Porzio: «Eravamo giovani e scatenati», ma Saverio Vertone osservò, in un commento, che all'epoca Porzio doveva avere almeno quarantacinque anni. E non era precisamente un impetuoso monellaccio. Non è il caso d'infierire più che tanto su chi s'è intruppato nel coro conformista, pensando che una firma in più non costasse niente, e procurasse un facile diploma di progressismo.

Era difficile, allora, resistere a queste tentazioni. S'era desta la peggiore Italia, quella che, se crede d'aver capito da che parte tira il vento, cerca addirittura di precederlo. Giovanni Raboni spiegò che l'assunzione in proprio delle farneticazioni di «Lotta continua» era una nobile e disinteressata autodenuncia, fatta in nome dei princìpi di libertà, senza che questo comportasse una adesione ideologica e tanto meno operativa. Come sono frequenti le autodenunce se lo Stato «repressore e assassino» è quello dei Rumor e dei Colombo. La loro Italia – diversamente dalla Germania di Hitler e dall'URSS di Stalin dove nessuno si autodenunciava – pullulava di uomini coraggiosi che non esitavano ad offrirsi al martirio.

Il 17 maggio 1972 il martirio toccò invece a Luigi Calabresi, abbattuto a colpi di pistola all'uscita della sua casa di via Cherubini, a Milano. Nell'epicedio «Lotta continua» non fu più contenuta di quanto fosse stata nell'istigazione. «Calabresi» scrisse «era un assassino, e ogni discorso sulla spirale di violenza, da qualunque parte provenga, è un discorso ignobile e vigliacco, utile solo a sostenere la violenza criminale di chi vive sfruttando e opprimendo... Non possiamo... accettare un giudizio opportunista che fa di ogni azione diretta il risultato della provocazione e dell'infiltrazione del nemico di classe. L'uccisione di Calabresi è un atto in cui gli sfruttati riconoscono la propria volontà di giustizia.»

Coloro che avevano additato Calabresi alla P 38 tirarono un gran sospiro di sollievo quando, nel settembre successivo, il magistrato che guidava le indagini, Libero Riccardelli, incriminò come possibile autore del delitto il «bombarolo» di destra Gianni Nardi: un individuo noto alla polizia, e sicuramente pericoloso, che però non aveva avuto nulla a che fare con Calabresi. Virtuosi commenti furono dedicati alla svolta delle indagini, per ribadire che solo le piste nere erano valide: e per rinfacciare al sostituto procuratore Guido Viola le frasi pronunciate a caldo, dopo l'assassinio: «A questo punto siamo arrivati» aveva detto Viola «con certe campagne di stampa. Non è giusto che l'opinione pubblica venga indirizzata in un certo modo. Esistono delle responsabilità morali. Si fa presto a dire che Pinelli è stato buttato giù e che Feltrinelli è stato assassinato, senza conoscere gli atti: bisogna dimostrarlo. Come si creano gli innocenti così si creano i colpevoli». Non se lo fosse mai permesso. «L'Unità» gli diede una bacchettata sulle dita affermando che la stampa «ha tutto il diritto di criticare funzionari di polizia e magistrati». Contro Calabresi era stato dunque esercitato, secondo «l'Unità», un diritto di legittima critica. Per il quotidiano comunista piazza Fontana, Feltrinelli, i moti di Reggio Calabria, Calabresi, insomma ogni violenza sanguinaria erano riconducibili a un'identica mano, facevano parte di un'identica strategia, erano collegati da un comune obiettivo: colpire le masse dei lavoratori spianando il terreno per un'involuzione autoritaria.

Ma la pista nera sfumò, e il cadavere di Calabresi restò, ingombrante quanto quello di Pinelli, sulla scena milanese, e italiana. Era morto un servitore dello Stato, e la decenza avrebbe imposto di onorarlo. Ma era morto anche il «Commissario finestra», e la prudenza consigliava d'ignorarlo. La DC milanese propose, nel novembre del 1972, che la memoria di Calabresi fosse onorata con una medaglia, «doveroso riconoscimento al sacrificio... dopo la triste catena di violenza degli estremisti di destra e di sinistra». Era quanto bastava per provocare un digrignar di denti nelle file di sinistra. «La polemica» ha scritto Michele Brambilla «fu così feroce che, per la prima volta nella storia, si arrivò al 6 dicembre, cioè alla vigilia delle tradizionali benemerenze di Sant'Ambrogio [patrono di Milano, N.d.A.], senza che l'amministrazione municipale avesse varato la delibera. Questa la dichiarazione ufficiale del sindaco Aniasi al Consiglio Comunale: "Poiché le benemerenze civiche hanno il significato di esempi unanimemente riconosciuti come modello di virtù ambrosiana, è evidente che non si intende, né sarebbe possibile premiare tutti coloro che sono benemeriti ma solo, fra questi, segnalare pubblicamente coloro nei quali la città intera si riconosce e sui quali esiste un unanime consenso".»

La maledizione di piazza Fontana non finì con l'esecuzione di Calabresi. Un anno dopo, durante lo scoprimento nella questura di Milano d'un busto del commissario (erano presenti il ministro dell'Interno Rumor, il prefetto Libero Mazza e il sindaco Aniasi) un esaltato sanguinario, Gianfranco Bertoli, lanciò una bomba che lasciò sul terreno quattro morti, e ferì altre quarantacinque persone. «Morirete tutti come Calabresi e ora uccidetemi come Pinelli» aveva urlato l'attentatore, che risultò essere anarchico – o almeno si professava tale – e che aveva torbidi precedenti. Un mistero, da aggiungere a quello della Banca dell'Agricoltura, da aggiungere a quello Calabresi. Nessun raggio di luce in queste tenebre, fino al 1988.

A fine luglio di quell'anno i carabinieri arrestarono Adriano Sofri, Giorgio Pietrostefani, Ovidio Bompressi, un tempo militanti di Lotta continua. Un loro compagno, Leonardo Marino, era da giorni nelle mani della giustizia: aveva volontariamente confessato d'aver partecipato all'agguato contro il commissario, indicando in Sofri e Pietrostefani i mandanti dell'azione, in Bompressi l'esecutore materiale, in se stesso l'autista del *commando*. Dei quattro, il solo Marino era rimasto un poveraccio, un venditore di frittelle. Sofri navigava nei cieli della politica e dell'intellettualità, Pietrostefani era dirigente di una azienda di Stato – di quello Stato che voleva abbattere –, Bompressi era impiegato in una libreria. Marino, che accusando s'era anche autoaccusato, fu dagli altri imputati e dai loro avvocati tacciato di mitomania. Nessuno riuscì a spiegare, tuttavia, perché mai a tanta distanza di tempo, e non braccato, avesse segnato, con la confessione, la sua rovina. Gemma Capra, la vedova di Calabresi, ha avanzato una sua interpretazione della psicologia di Leonardo Marino, e l'ha esposta nel libro dedicato alla memoria del marito: «Ho sempre pensato che l'assassino di Gigi, dovunque fosse, qualsiasi cosa facesse, avrebbe avuto dei rimorsi tremendi... Sì, per il mio tipo di cultura cristiana, per la mia formazione religiosa e umana, l'assassino di Gigi non avrebbe potuto quietare. Mai. E le parole dette da Marino corrispondevano esattamente all'idea che dell'assassino di Gigi mi ero fatta».

La Corte d'Assise di primo grado non credette a Sofri, che aveva protestato la sua totale innocenza riconoscendo nel contempo la turpitudine della campagna scatenata contro il commissario. «Quegli articoli che scrivemmo erano obiettivamente orribili. Purtroppo il gusto inerte del linciaggio si era impadronito di noi.» Sofri, Pietrostefani e Bompressi furono condannati a ventidue anni di carcere, Marino a undici: sentenza confermata in appello. In attesa dell'esito che avrà il ricorso in Cassazione nessuno dei quattro è stato – dopo la breve detenzione iniziale – tenuto in prigione. La sinistra, che per le stragi attribuite all'estrema destra accoglie come una sciagura ogni assoluzione, e invoca la punizione dei colpevoli, anche a costo d'inventarli, per il delitto Calabresi ha accolto come una sciagura le condanne, e invocato l'assoluzione dei condannati, poco importandole se il mistero resterà tale.

Il delitto Calabresi, per le sue motivazioni e per la mancanza d'una rivendicazione ideologica, rimane un episodio anomalo, se non isolato, nel contesto terroristico. Derivò dalla stessa feroce logica brigatista che costellò di morti l'Italia, senza tuttavia obbedire, come la più parte degli altri ammazzamenti, a una strategia generale. Nel 1972 la pratica della P 38 non era ancora sistematica: l'eversione sanguinaria di sinistra si atteneva piuttosto al metodo della «propaganda armata», ossia ad atti di violenza e di intimidazione che suonassero come un preannuncio della fine cui la borghesia sfruttatrice era destinata.

A voler schematizzare, si possono ridurre a tre i focolai originari del terrorismo di sinistra: l'Università di Trento, la fabbrica Sit-Siemens (e poi la Pirelli) a Milano, la dissidenza comunista di Reggio Emilia. Del ruolo che ebbe l'Università di Trento s'è già accennato, nel capitolo sulla contestazione. Renato Curcio fu la personificazione di quel fenomeno che è stato definito cattocomunismo, e che affondava le sue radici, ha scritto Giorgio Bocca, nel «modo totalizzante proprio dei cattolici e dei comunisti di porsi di fronte alla vita e alla società» perché «è cattolico e comunista il bisogno di risposte totali e definitive, il rifiuto del dubbio, la sostituzione del dovere ragionato con la fede, il bisogno di Chiesa, di autorità, di dogma giustificato dal solidarismo sociale e l'attesa dell'immancabile paradiso, in cielo e in terra».

Renato Curcio aveva una storia personale molto curiosa: nella quale i dilettanti di psicologia e di psicanalisi si sono ingegnati a trovare le cause profonde della sua ribellione. Era figlio di Renato Zampa, fratello del regista Luigi, e di una domestica. Lo Zampa non aveva mai fatto mancare aiuti alla donna e a Renato, ma con distacco. «Questo padre sempre lontano,» il ritratto di famiglia è di Liano Fanti in *S'avanza uno strano soldato* «automobili lussuose, grandi alberghi, moglie americana ricchissima, e questa madre invece donna di fatica... Renato Curcio non riesce a parlare con Renato Zampa perché gli è estraneo, non lo conosce... Quando il padre insiste perché si avvii agli studi cominciando dalla scuola media egli si ribella, esprime il proprio odio e la propria protesta non studiando e facendosi bocciare per ben due anni... Dietro interessamento del padre, Renato Curcio finisce, a un certo punto, al Grand Hotel Cavalieri di Milano, a fare il *lift*. Fra i clienti dell'albergo c'è anche suo padre.» Se Curcio ha queste radici contorte, Margherita Cagol è di estrazione borghese: e di questa sua estrazione perbenista le rimarrà dentro qualcosa, fino alla morte. Così, quando Curcio si convince a sposarla, manda alla madre una lettera esultante: «Ce l'ho fatta».

Quello di fabbrica fu un terrorismo che discendeva dall'esasperazione delle lotte sindacali, dalla conflittualità permanente, da un rifiuto totale dell'economia di mercato cui solo con la violenza e la rivoluzione avrebbe potuto essere sostituita una società – e un'organizzazione del lavoro – giusta. Anche a costo di spargere molto sangue. In quest'ottica i dirigenti di fabbrica diventavano biechi boiardi della reazione, i «capi» e «capetti» infami aguzzini, crudeli pretoriani del potere, i buoni operai schiavi bisognosi d'uno Spartaco che ne risvegliasse gli istinti di rivolta. I capi del partito armato usciti dalla Sit-Siemens si chiamavano Mario Moretti, un perito industriale, Corrado Alunni, romano di nascita, che lascerà le Brigate rosse per fondare un'altra organizzazione «combattente», Alfredo Buonavita, operaio.

Infine Reggio Emilia: fucina d'un terrorismo i cui esponenti discendevano direttamente e inequivocabilmente dal Partito comunista, e in particolare dalla sua Federazione giovanile. Erano studenti e operai che avevano cercato nel PCI l'esercito della Rivoluzione, e vi avevano invece trovato un partito sempre più integrato nella società capitalistica e che avevano bene a mente i ricordi – tramandati in famiglia – della Resistenza, nonché degli eccidi di fascisti e di collaborazionisti – o presunti tali – che nel cosiddetto «triangolo della morte» avvennero, quando la rivoluzione sembrava a portata di mano: eccidi che non erano stati, per questi militanti dell'estremismo, un segno di barbarie, ma obbligate e sanguinose tappe sul cammino della grande catarsi. Avevano una nostalgia cocente per quella che è stata recentemente battezzata la «Gladio rossa», ossia un esercito clandestino pronto ad assoggettare l'Italia al dominio comunista. Non è un caso che, tra tanti pentiti, Reggio Emilia non ne abbia dati: l'«intellettuale» Franceschini, studente in ingegneria (non volle prendere la laurea per ragioni di principio), sarà irriducibile come l'operaio Gallinari, o come Roberto Ognibene.

Il passaggio alla guerriglia fu sanzionato, nel novembre del '69, da una riunione di militanti del Collettivo politico metropolitano milanese nell'albergo Stella Maris di Chiavari. Coloro di cui abbiamo appena citato i nomi erano tutti presenti, e approvarono un documento affermante che «non è con le armi della critica e della chiarificazione che si intacca la corazza del potere capitalistico». Tutto però rimase per il momento sul terreno della teoria. Lo rimase anche quando nell'agosto del 1970, a Pecorile

presso Reggio Emilia, si radunò un centinaio di giovani
estremisti. Qualche settimana dopo, in via Moretto da
Brescia, a Milano furono fatte esplodere due taniche di
benzina nei box per auto di Giuseppe Leoni, direttore
del personale alla Sit-Siemens. Gli ideologi della lotta armata erano passati all'azione, sia pure in sordina. Più attivi del tronco erano in quella fase i rami del terrorismo, i
GAP di Feltrinelli, i sequestratori a Genova (5 ottobre
1970) di Sergio Gadolla, figlio d'un ricco industriale, gli
uccisori sempre a Genova – gruppo XXII Ottobre – del
portavalori Alessandro Floris, che aveva reagito ad una
«rapina proletaria». Mario Rossi, che era stato «carcerie-
re» di Gadolla, sparò e uccise il Floris. L'accusa contro gli
assassini del gruppo XXII Ottobre fu sostenuta da un severo e giovane magistrato, cui era stato affibbiato il so-
prannome di «dottor Manette»: Mario Sossi.

Se queste erano iniziative disperse e frammentarie, la
posa di otto bombe incendiarie sotto altrettanti autotreni
su una pista di Lainate dello stabilimento Pirelli recava la
firma delle Brigate rosse. Tre autotreni furono distrutti,
gli altri rimasero indenni per il mancato funzionamento
degli ordigni. Le BR furono definite, nella cronaca del
«Corriere della Sera», «fantomatica organizzazione extraparlamentare». «L'Unità» attribuì l'attentato a gente che
«pur mascherandosi dietro anonimi volantini con fraseo-
logia rivoluzionaria agisce per conto di chi, come lo stesso Pirelli, è interessato a far apparire agli occhi dell'opinione pubblica la responsabile lotta dei lavoratori per il
rinnovo del contratto come una serie di atti teppistici».
Col che veniva enunciata, o ribadita, la teoria della «provocazione» di destra mascherata da attentato di sinistra:
teoria della quale tutta la sinistra legale si sarebbe fatto
scudo per anni. Ma la replica delle Brigate rosse era stata

dura. «A Lainate è stato colpito lo stesso padrone che ci sfrutta in fabbrica e ci rende la vita insopportabile. Provocatore è Leopoldo Pirelli, il quale illudendosi di stroncare il movimento di lotta che colpisce con sempre maggior forza il suo potere ha dato fuoco ai magazzini di Bicocca e Settimo Torinese.»

Seguì una serie di sequestri «politici» sempre motivati con lucidi e insieme deliranti proclami. Il 3 marzo 1972 un dirigente della Sit-Siemens, Idalgo Macchiarini, fu «rapito» a Milano da un *commando*, portato in un «covo», fotografato (questo della fotografia o delle fotografie è un rituale che si ripeterà puntualmente), interrogato, liberato. Il 12 febbraio 1973 toccò al sindacalista della CISNAL Bruno Labate, preso a Torino. Fu rapato a zero e incatenato in mutande al cancello n. 1 della FIAT Mirafiori. Venne quindi la volta di Michele Mincuzzi, dirigente dell'Alfa, e di Ettore Amerio, capo del personale della FIAT Auto. Questi, sequestrato in pieno centro di Torino la mattina del 10 dicembre 1973, fu tenuto in prigionia otto giorni e interrogato personalmente da Curcio. Gli si addebitava l'azione «controrivoluzionaria» in atto alla FIAT, dove lo «spionaggio» di fabbrica controllava, secondo i brigatisti, assunzioni, licenziamenti, comportamenti.

Il 18 aprile 1974 il colpo più ambizioso, chiamato in gergo «operazione Girasole»: ossia il sequestro del giudice Mario Sossi. Le reazioni umane e politiche che contrassegnarono la sua prigionia – con lunghi interrogatori – in una villetta vicino a Tortona prefigurarono gli sviluppi del sequestro Moro, tranne che per l'epilogo: con la famiglia del rapito che voleva trattare, con Sossi che maturava un crescente risentimento verso il governo e i superiori, con il procuratore generale di Genova Coco che si opponeva risolutamente a ogni cedimento, con politici come Lelio Basso che affermavano «preferisco dei colpevoli in libertà piuttosto che uccidere un uomo». Le BR chiedevano, in cambio del rilascio di Sossi, la scarcerazione di alcuni loro compagni – tra essi Mario Rossi, l'assassino del fattorino Floris – che avrebbero dovuto avere un salvacondotto per Cuba o per la Corea del Nord o per l'Algeria. Sossi fu infine lasciato andare senza contropartita.

Possiamo chiudere qui con la «propaganda armata»: dopo la quale verranno i ferimenti e le uccisioni. Ma dobbiamo aggiungere che tra l'inverno del '71 e la primavera del '74 fu decisa la sorte del Partito armato: ossia fu ad esso concessa la possibilità di riorganizzarsi e sopravvivere. Sarebbe bastato poco per stroncare definitivamente la struttura terroristica che si stava formando. Le forze dell'ordine erano riuscite a infiltrare informatori quasi in ogni nucleo terroristico, e in una serie di perquisizioni e accertamenti individuarono diversi «covi» e accertarono l'identità di molti brigatisti, qualcuno ne catturarono come Giorgio Semeria. Gli arrestati furono imputati di «associazione per delinquere» o di «partecipazione a banda armata», ma poi il giudice istruttore Ciro De Vincenzo, aspramente criticato dal generale Dalla Chiesa ma riconosciuto immune da colpe dopo una inchiesta del Consiglio superiore della magistratura, li rilasciò. Fu un momento di sbando per la rete eversiva, abbandonata da una parte dei militanti. Giorgio Galli ha scritto: «Complessivamente il partito armato appare ancora debole, controllabile, non pericoloso in questa fase della sua riorganizzazione, nella quale la nuova sinistra è fortemente divisa fra Manifesto e Avanguardia operaia da un lato che vedono nella lotta armata la prosecuzione della "strategia della tensione" innescata dai "servizi" con piazza Fontana; e Potere operaio e Lotta continua dall'altro che in parte avallano la lotta armata, ma stanno a cavallo della legalità».

Esistevano le condizioni tecniche per il colpo di grazia al nascente terrorismo: mancavano invece le condizioni politiche. Tutta la sinistra «legale» si strappava le vesti non per l'apparire alla ribalta del Partito armato, ma per le già avvenute o possibili prevaricazioni della polizia contro inoffensivi e benintenzionati, anche se turbolenti, apostoli della rivoluzione. Non il Partito armato faceva paura, ma la Polizia armata; della quale infatti si chiedeva a gran voce, in cortei e manifestazioni, il disarmo. Tutti i firmatari di manifesti, tutti i politici timorosi di rimanere in retroguardia (e ve n'erano anche nello schieramento di governo, e nella DC) minimizzavano la minaccia delle «fantomatiche» Brigate rosse, ed enfatizzavano invece quella dei gruppi neofascisti o neonazisti. Questo schema obbligato tracciò una linea d'azione altrettanto obbligata per le forze dell'ordine e per la magistratura (all'interno della quale gli amici delle Brigate rosse erano, se non numerosi, certo capillarmente disseminati un po' dovunque e molto attivi). Dello schema obbligato era in qualche modo prigioniero anche il governo che non osava – guai se l'avesse fatto – dire, eppure gli risultava, che i brigatisti non erano provocatori ma militanti di un operaismo estremista e violento, e che l'eversione di sinistra era assai più pericolosa di quella di destra. Così il momento magico fu lasciato passare senza che fosse sferrata l'offensiva finale contro i vari brigatismi. I capi brigatisti, ben noti, decisero un passaggio totale e permanente alla clandestinità, «condizione indispensabile per la sopravvivenza di una organizzazione politico-militare offensiva che operi all'interno delle metropoli imperialiste... Operare a partire dalla clandestinità consente un vantaggio tattico decisivo sul nemico di classe che vive invece esposto nei suoi uomini e nelle sue installazioni».

Tra queste storie di occasioni mancate, di infiltrati, di spavalderie e di negligenze merita un posto a parte quella di Renato Curcio e di Margherita Cagol. Nella primavera del 1974 Renato Curcio fu messo in contatto con un personaggio singolare, che piacque al rivoluzionario. Si chiamava Silvano Girotto, detto anche padre Leone o frate Mitra. Come ogni spia che si rispetti Girotto ha avuto una pubblicistica ostile. Così lo ha descritto Giorgio Bocca: «Ha la biografia dell'agente provocatore: studente, ladro, rapinatore, legionario in Algeria, disertore, frate francescano, guerrigliero in Bolivia, resistente in Cile: sempre salvo mentre chi gli sta attorno viene arrestato, sempre fornito di salvacondotti».

Girotto chiese a fine luglio d'essere affiliato alle BR, ma Curcio dovette rimandare l'iniziazione al settembre: «prima è impossibile, molti compagni sono lontani o in ferie». Fu fissato un appuntamento a Torino per l'8 settembre – data fatidica – ma Curcio e Franceschini, che viaggiavano insieme in auto, furono intercettati dai carabinieri e catturati. Margherita Cagol diramò allora tramite l'ANSA un comunicato in cui addebitava l'imboscata a «Silvano Girotto, più noto come padre Leone, il quale sfruttando la fama di rivoluzionario costruita ad arte in America Latina presta l'infame opera di provocazione al soldo dei servizi antiguerriglia dell'imperialismo».

L'imperialismo era forse rapace, ma non capace. Infatti mandò Curcio nel carcere di Casale Monferrato, dove godeva d'una insensata libertà di movimenti. La moglie con altri militanti delle Brigate rosse ne preparava intanto l'evasione preannunciata addirittura con un telegramma – «pacco arriva domani», e domani era il 18 febbraio 1975 – che non suscitò alcun sospetto nel candido direttore. Infatti Margherita arrivò con un pacco di cartaccia all'interno della quale era un mitra: che Curcio puntò contro le guardie.

Con la loro formazione allo sbando, i loro compagni individuati o braccati, Curcio, Margherita e altri si rifugiarono in una cascina del Monferrato: lì, bisognosi com'erano di soldi, prepararono il sequestro del famoso produttore di spumanti Vittorio Vallarino Gancia, a Canelli. Riuscirono a trascinarlo nel loro «covo», dove tuttavia piombarono i carabinieri. Nello scontro a fuoco che ne seguì Margherita Cagol fu colpita mortalmente. Perse la vita anche l'appuntato Giovanni D'Alfonso, mentre il tenente Umberto Rocca ebbe una gamba spappolata. Era il 5 giugno 1975.

Curcio, che nella cascina Spiotta – così si chiamava questa del Monferrato – non c'era al momento dello scontro a fuoco, si rintanò a Milano in un appartamento di via Carlo Maderno, dove fu riagguantato – e questa volta definitivamente – nel gennaio del 1976. Quando subì il primo processo – ha accumulato condanne per una settantina d'anni di reclusione – sfidò i giudici: «La sentenza che voi emetterete non avrà valore e non inficia, anzi sprona, la volontà e la forza del partito combattente. Nel piccolo punto in cui cercate di colpire la guerra di classe – che è ciò che qui noi rappresentiamo – si svela tutta la vostra reale debolezza. Vorreste liquidarla, mentre invece ottenete l'effetto di allargarla a macchia d'olio». Parlava come se, pur in cella, fosse ancora il capo delle Brigate rosse. Che invece lo consideravano un superato, un romantico, l'agitatore velleitario che a Trento scriveva sui muri: «Il terrore viene in soccorso della ragione quando questa non basta più», «Guai alla penna senza fucile, guai al fucile senza penna» (che era un involontario e inconsapevole richeggiamento del fascista «Libro e moschetto»), «Non vogliamo mangiare alla vostra mensa, vogliamo rovesciarla». Erano altri, ormai, i Generali del terrorismo, più freddi e più crudeli. Alle Brigate rosse succedevano le nuove Brigate rosse.

CAPITOLO NONO

SÌ AL DIVORZIO

L'elezione del nuovo Presidente della Repubblica nella persona di Giovanni Leone comportava le dimissioni formali del governo Colombo. Ma da formali le dimissioni divennero sostanziali, perché l'andamento travagliato della lotta per il Quirinale aveva lasciato acredini tra i partiti della maggioranza, e all'interno della stessa DC. Per di più pesava sulla situazione politica l'ombra del *referendum* per il divorzio, previsto per la primavera successiva (1972).

La prospettiva di quel ricorso alle urne terrorizzava le sinistre che, avendo assistito alla rapida raccolta di un milione e trecentomila firme, per iniziativa del comitato abrogazionista presieduto dal professor Gabrio Lombardi, temeva una disfatta: e si batteva per il rinvio. Il segretario socialista Mancini aveva anzi subordinato il proseguimento della collaborazione con la DC proprio alla fissazione d'una data più lontana per il *referendum*. L'unico modo sicuro per evitarlo erano le elezioni parlamentari anticipate: e ci si arrivò con una manovra ben congegnata e presentata all'opinione pubblica in modo mistificatorio. È da ricordare che il PRI aveva abbandonato, già nel marzo del 1971, la coalizione di centrosinistra, pur rimanendo nella maggioranza parlamentare.

Il Capo dello Stato, messo di fronte alla prima crisi del

suo settennato, scelse dal mazzo democristiano una carta che, per Palazzo Chigi, era inedita, ma che sarebbe diventata straedita. La carta Andreotti. Questi fu posto alla testa d'un governo *kamikaze*, un monocolore democristiano che, varato il 17 febbraio 1972, aveva Moro agli Esteri, Rumor agli Interni, Colombo al Tesoro, il ripescato Pella alle Finanze. Era scontato che questo Ministero non avrebbe avuto la fiducia del parlamento; ed era altrettanto scontato che Leone, constatata l'impossibilità di trovare, date le circostanze, una maggioranza, avrebbe decretato la fine prematura della legislatura, indetto le elezioni per il nuovo parlamento, e così rinviato il *referendum* sul divorzio. Fu questo, nella storia del dopoguerra, il primo caso di elezioni parlamentari anticipate. Per la verità s'era avuto un precedente nel '53, ma riguardava solo il Senato, la cui durata era al tempo diversa da quella della Camera. L'appello alle urne non modificò se non marginalmente gli equilibri: lasciando i partiti con i loro dilemmi. Ma almeno il *referendum* sul divorzio era stato allontanato, e infatti venne celebrato solo il 12 e 13 maggio 1974. Per il momento la DC restò ferma (quasi il 39 per cento); il PCI avanzò di pochissimo (dal 26,9 al 27,2) e non compensò, con i suoi magri acquisti, il declino del PSIUP che non era riuscito a mandare alla Camera neppure un deputato e che presto si scioglierà; i due Partiti socialisti non furono brillanti, sotto il 10 per cento il PSI, al 5,1 il PSDI; in calo netto i liberali, scesi al 3,9 per cento, in progresso (dal 2 al 2,9) i repubblicani, in impetuosa ascesa i missini (8,7 per cento). Questo risultato, e le condizioni del Paese, imponevano alla DC l'esigenza di rassicurare i moderati, parte dei quali aveva manifestato il suo allarme e la sua protesta scegliendo la destra: non quella costituzionale e ragionevole dei liberali – che del resto rifiutavano la qualifica di destra – ma quella nostalgica di fascismo o di monarchia che contrapponeva la sua risolutezza nel denunciare il degrado dell'ordine pubblico, il marasma sociale, il collasso economico all'ottimismo di maniera dei partiti di governo.

Andreotti fu ritenuto l'uomo idoneo ad assolvere questo compito (il recupero dei moderati), servendosi d'una coalizione *ad hoc.* L'Andreotti II (26 giugno 1972) ebbe, con quello della DC, l'appoggio «interno» – cioè con partecipazione al governo – di socialdemocratici e liberali, e quello «esterno» – cioè senza partecipazione al governo – dei repubblicani. Tanassi del PSDI fu vicepresidente del Consiglio, Malagodi resse il Ministero del Tesoro, agli Interni rimase Rumor. Se non un governo balneare, questo Andreotti II era di certo un governo d'attesa: attesa per il Congresso socialista del novembre 1972 (che riporterà De Martino alla segreteria); attesa per il Congresso democristiano (6-10 giugno 1973); infine attesa per la pronosticata resurrezione del centrosinistra, e l'altrettanto pronosticata cacciata del PLI dalle stanze dei bottoni.

Anche questo Ministero voleva contentare tutti, e finì per non contentare nessuno. Varò la legge Valpreda, grazie alla quale l'anarchico poté essere scarcerato, dopo una detenzione preventiva di lunghezza senza dubbio eccessiva. Adottò inoltre un provvedimento economico di grande portata e di significato allarmante: ossia l'uscita della lira, a causa delle sue precarie condizioni di salute, dal «serpente» monetario europeo. Misura dolorosa ma, a giudizio dei tecnici, indispensabile. Non indispensabile, e rovinosa, fu l'altra misura deliberata da Andreotti con il consenso di Malagodi, che pure in fatto d'economia e d'amministrazione era ferratissimo: una legge per il pensionamento anticipato dei superburocrati che creò, a favore di questi ultimi, una situazione d'indecoroso privilegio, scompaginò i ranghi della dirigenza amministrativa, e non ovviò alla proliferazione di gradi dirigenziali nella macchina dello Stato. Un disastro.

Ad Andreotti era venuto a mancare, a un certo momento, l'apporto parlamentare repubblicano. Ugo La Malfa, sacerdote dell'austerità, non accettava il dispendio di denaro e lo sforzo industriale e tecnico richiesto dall'introduzione della televisione a colori: e quando il ministro delle Poste Giovanni Gioia, fanfaniano, dichiarò che l'introduzione del colore sarebbe avvenuta a breve scadenza, richiamò le sue truppe, passando all'opposizione.

Al Congresso della DC arrivò un Andreotti che sapeva di dover essere sacrificato, e un Forlani che sapeva di dover essere scaricato. Fu firmato tra le correnti un «patto» (detto di Palazzo Giustiniani perché se ne era fatto promotore Fanfani, Presidente del Senato) in cui si affermava la volontà di garantire la democrazia e di «salvaguardare la pace religiosa del popolo italiano». Il patto fu firmato da tutti coloro che nella DC contavano: Moro, Andreotti, Forlani, De Mita, Donat Cattin, Piccoli, Taviani, Emilio Colombo, Vittorino Colombo, Gui, Morlino, Sullo, Fanfani. Per definire l'atteggiamento della DC Aldo Moro fece ricorso, in un intervento, a tutte le sottigliezze bizantine della sua dialettica. «La riaffermata impossibilità di un'alternativa, sia di avvicinamento sia di avvicendamento [col PCI, N.d.A.], induce a definire il sistema politico italiano una democrazia difficile, un sistema senza pendolarità e perciò carico di tutte le tensioni che altrove l'effettivo succedersi al potere, l'una dopo l'altra, delle forze politiche attenua favorendo, nel continuo assestamento, fecondi equilibri. Non noi, con la nostra volontà, ma la storia stessa delle cose, e i movimenti reali dello spirito umano, potranno forse, in tempi imprevedibili, modificare questa situazione. La peculiarità della situazione italiana impone alla DC di essere alternativa a se stessa.»

Andreotti si ritirò in buon ordine, a Congresso finito, e Rumor mise in piedi il suo quarto governo, un centrosinistra (7 luglio 1973) con Ugo La Malfa al Tesoro, Antonio Giolitti al Bilancio, Zagari alla Giustizia, Taviani agli Interni. Ma più del ritorno di Rumor a Palazzo Chigi, fece scalpore il ritorno di Fanfani a piazza del Gesù, come segretario DC. L'azione del partito ne avrebbe avuto un impulso violento e, quando se ne considerino i risultati, dissennato.

A breve distanza dall'ennesimo – e altri ne verranno – ritorno di Fanfani, e dalla riedizione del centrosinistra, Berlinguer fece alla DC la sua famosa proposta di fidanzamento politico: e la chiamò «compromesso storico». Il messaggio galante del segretario comunista veniva dopo una serie di attacchi ai governi Andreotti, «governi di centro-destra che» aveva detto e ridetto Berlinguer «bisogna sconfiggere e far cadere al più presto». Andreotti era in quel momento l'avversario da battere. «Somiglia un po' alla volpe,» aveva sentenziato con una certa ingenuità Berlinguer «egli cerca infatti di sottrarsi con la fuga allo scontro diretto sui problemi reali del Paese... irride alle grandi questioni nazionali e va seminando qualunquismo. Ma è una cosa che non può durare a lungo [sic!]: come tante volpi, anche le più furbe, egli finirà nella tagliola.» Che abbaglio, povero Berlinguer.

Con Rumor al posto di Andreotti le cose andavano tuttavia meglio, per il segretario comunista che si diede allora ad elaborare, in una serie di tre articoli per «Rinascita», la sua formula per trarre l'Italia dai guai in cui si trovava. La prese alla lontana, come esigeva la ritualità del

PCI, rifacendosi anche a quanto stava succedendo all'estero, e a quanto in particolare era successo in Cile dove, l'11 settembre di quell'anno, i militari avevano preso il potere con un *golpe* sanguinoso contro il presidente Salvador Allende. Tutta la sinistra, ignorando o sottovalutando gli specifici elementi che avevano portato all'intervento delle Forze Armate cilene (il caos economico, la faziosità degli estremisti comunisti e socialisti, la pretesa d'una minoranza di fare la rivoluzione alla Fidel Castro e in risposta una presa di potere feroce dei militari) aveva visto negli avvenimenti di Santiago un preannuncio di quanto, complici i soliti USA, sarebbe potuto accadere in Italia. A Berlinguer parve tuttavia che la tragedia cilena fosse significativa soprattutto perché derivava dalla mancata intesa tra le sinistre e la DC. Scrisse dunque che «sarebbe del tutto illusorio pensare che, anche se i partiti e le forze di sinistra riuscissero a raggiungere il 51 per cento dei voti, questo fatto garantirebbe la sopravvivenza o l'opera di un governo che fosse l'espressione di tale 51 per cento... Per aprire finalmente alla nazione una via sicura di sviluppo economico, di rinnovamento sociale e di progresso democratico» concludeva Berlinguer «è necessario che la componente comunista e quella socialista si incontrino con quella cattolica, di cui è perno la DC, dando vita a un nuovo grande compromesso storico».

Di «compromesso» aveva già parlato Togliatti, anche lui in un editoriale su «Rinascita», nel lontano 1946, volendo così indicare l'accordo realizzato, dopo il 25 aprile 1945, tra gli uomini della Resistenza di varie provenienze ed esperienze. L'aggettivo «storico» era tuttavia una trovata soltanto berlingueriana: che aveva suscitato contrarietà nella sinistra di Ingrao, e indispettito il vecchio e malconcio Longo, affezionato al sogno dell'alternativa di sinistra. Favorevoli invece, e si capisce perché, i Chiaromonte e i Napolitano, insomma quella che veniva definita la «nuova destra» del Partito.

C'erano mugugni anche nella base. Tra gli operai dell'ANIC di Ravenna, l'8 novembre 1973, il segretario comunista fu investito da una raffica di domande, riferite da Chiara Valentini nella sua biografia di Berlinguer. «Perché dobbiamo rinunciare a costruire un blocco sociale basato sulle lotte di questi anni, un blocco che ci porti al governo? Mettendoci d'accordo con questa Democrazia cristiana di imbroglioni non affievoliremo lo spirito comunista, l'attaccamento dei compagni al nostro partito?» Berlinguer rispose punto per punto, con la sua pazienza pedagogica. Sulla DC disse cose che il popolo della falce e martello troppo spesso dimenticava: «È assurdo pensare che in Italia un partito che ha il 38 per cento dei voti sia composto solo di capitalisti, di grandi proprietari terrieri, di finanzieri. Questi naturalmente ci sono e pesano, eccome, nella DC: ma sappiamo anche quanti operai, quanti contadini, quante donne, quanti artigiani, quanti piccoli commercianti, quanti piccoli industriali vi sono nella DC e votano nella DC. Badate che io non dico che la DC è buona o cattiva. Ma la storia della DC è molto varia. Sta a noi avere una politica che impedisca che la DC vada sulla via reazionaria, e faccia invece prevalere la sua parte migliore».

Il seme era stato gettato. Prima che desse i suoi frutti – buoni o cattivi che fossero, per rieccheggiare la frase di Berlinguer sulla DC – si doveva tuttavia superare un macigno che sbarrava ormai la strada politica italiana: il *referendum* sul divorzio, 12-13 maggio 1974. *Referendum* che Berlinguer affrontò con grandi esitazioni sia perché gli piaceva poco la frattura tra l'Italia cattolica e l'Italia laica

– proprio l'opposto del compromesso storico – sia perché era sicuro che l'Italia laica sarebbe rimasta soccombente. Intervistato, se la cavò citando Gramsci, col suo
ottimismo della volontà e pessimismo della ragione. A
Cervetti, in occasione d'un comizio a Milano, aveva con-
fidato: «È meglio che non dica quali sono le mie previsioni altrimenti scoraggio i compagni». E a Ugo Baduel, un
giornalista dell'«Unità»: «Arriveremo al massimo al 35
per cento».

Fanfani, ora alla guida della DC, era d'accordo, nel pronostico, con Berlinguer, ossia ottimista: un po' per temperamento, un po' perché faceva grande assegnamento
sul responso delle donne, anche quelle che normalmente
erano in favore della sinistra. Il Vaticano aveva covato in
un primo tempo il progetto d'un divorzio ammissibile per
i matrimoni civili e vietato per i matrimoni concordatari:
progetto che era piaciuto ad Andreotti, ma che aveva
grossi difetti, anche per la Chiesa. Si rischiava infatti, con
questa normativa, d'incrementare enormemente il numero dei matrimoni civili. Fanfani aveva preferito una battaglia campale, confortato in questo da tutta la DC, anche la
sinistra: benché per la verità sinistra e governo – Rumor
incluso – si tenessero piuttosto in disparte durante la rovente campagna. Lo schieramento del no – il no all'abrogazione – era composto, andava da Malagodi agli extraparlamentari di sinistra.

A complicare le cose, s'inserirono nella polemica preelettorale vicende ad essa estranee, ma di sicuro peso: come il sequestro, già accennato, del magistrato Mario Sossi, e una rivolta nelle carceri di Alessandria, dallo sfondo
vagamente politico, che preludeva, si disse, a una sorta di
insurrezione generale carceraria (l'operazione «Arancia
meccanica»). La polizia intervenne ad Alessandria per ri-

durre alla ragione i detenuti e liberare i loro ostaggi: due detenuti e cinque ostaggi morirono nello scontro. Si ritenne che questi fatti potessero rafforzare lo schieramento fanfaniano, che era antidivorzista, ma si presentava anche come sostenitore della legge e dell'ordine. I numeri per la verità davano soccombenti la DC e il MSI, gli unici due partiti su cui Fanfani – e Paolo VI – potessero contare. Si supponeva tuttavia che vi sarebbero state defezioni nel campo divorzista. Le defezioni ci furono, però nel campo opposto. La stampa fu quasi tutta divorzista.

Il risultato elettorale fu stupefacente: al fronte del no – ossia allo schieramento che voleva il mantenimento del divorzio – andò il 59,1 per cento dei voti. Per il sì si pronunciò una parte del Paese che corrispondeva numericamente all'elettorato democristiano, o di poco lo superava. Due milioni e mezzo di voti che – conteggiando i consensi attribuibili, sulla carta, alla DC e al MSI – avrebbero dovuto essere dalla parte del sì, s'erano spostati al no.

Per Fanfani, che nello scontro s'era impegnato a fondo, il colpo fu duro. Fu duro anche per la Chiesa, che aveva sospeso *a divinis* l'abate Dom Giovanni Franzoni, favorevole al no. Il segretario DC tentò di spiegare la sconfitta e di attenuarne la portata: lo fece a luglio, in un Consiglio nazionale nel quale sostenne che «la DC non promosse né incoraggiò la richiesta di *referendum*» e che «non possiamo concedere che l'essere riusciti a far convergere sulle tesi sostenute [dagli antidivorzisti, N.d.A.] ben tredici milioni di voti rappresenti una sconfitta».

La segreteria Fanfani sopravvisse al naufragio: ma il quadro politico non era più lo stesso, per molti motivi: il primo dei quali derivava dalla contrapposizione tra la DC e i suoi alleati nella battaglia per il divorzio. Combattuta per una questione di principio, e di coscienza, essa non aveva azzerato programmi né alterato equilibri politici. Ma qualche strascico l'aveva pur lasciato. Per di più si annunciava, per la primavera del '75, una tornata elettorale che, sebbene riguardasse le amministrazioni locali, interessava l'intero Paese: e, date le circostanze, assumeva straordinario significato. L'Italia era insomma, come sovente le accade, in clima insieme postelettorale e preelettorale: con tutte le tossine d'una consultazione i cui effetti non erano stati ancora smaltiti, e con tutti gli eccitanti d'una consultazione se non imminente, certo vicina. Per di più il terrorismo continuava a spargere sangue. Il 28 maggio (1974) a Brescia, in piazza della Loggia, era esplosa una bomba durante una manifestazione antifascista indetta per protestare contro veri o supposti rigurgiti di violenza neofascista. Otto i morti, centotré i feriti, mai definitivamente accertata l'identità degli attentatori.

Il 17 giugno due iscritti al MSI erano stati assassinati nella Federazione del Partito, a Padova. Una classica «esecuzione»: gli sventurati erano stati legati, stesi a terra, colpiti alla nuca. A cadaveri caldi si parlò – era d'obbligo – d'un regolamento di conti tra gruppi neofascisti: adducendo a prova di questa tesi il fatto che il crimine fosse avvenuto nella città di Freda. Un comunicato delle BR parve tagliar corto a queste ipotesi. «Un nucleo armato» diceva «ha occupato la sede del MSI a Padova. Due fascisti presenti, avendo violentemente reagito, sono stati giustiziati. Il MSI di Padova è quello da cui sono usciti gruppi e personaggi del terrorismo antiproletario che hanno diretto le trame nere dalla strage di piazza Fontana in poi... Le forze rivoluzionarie sono... legittimate a rispondere alla barbarie fascista con la giustizia armata del proletariato.»

Era tutto chiaro. Ma a quella chiarezza non ci si volle

rassegnare. «La Stampa» scrisse che «tracce troppo vistose conducono alle Brigate rosse» e aggiunse che alla tesi del questore di Padova, convinto che gli assassini appartenessero alle BR, si opponeva quella del procuratore della Repubblica Aldo Fais il quale «con un discorso più convincente ci aveva detto: "Sopra le Brigate rosse ci sono due o tre persone che orchestrano le bombe rosse e le bombe nere"». Con minore ipocrisia il giornale «Controinformazione», simpatizzante dell'eversione rossa, ammetteva che «l'opinione di sinistra è rimasta sconcertata: credere alla responsabilità delle BR voleva dire distruggere un'immagine cara, constatare che anche le BR potevano interrompere la loro tradizione cavalleresca... L'unica ipotesi che sembra accettabile è il riconoscimento di quello che noi riteniamo sia stato uno sbaglio». Sui due morti missini, nessuno, tranne pochi fedelissimi, pianse. Questo crudele spargimento di sangue appare tuttavia, anch'esso, isolato e anomalo rispetto alla strategia brigatista del momento.

Poi un'altra strage. Nella notte fra il 3 e il 4 agosto 1974 una bomba esplosa sul treno *Italicus* a San Benedetto Val di Sambro, presso Bologna, uccise dodici passeggeri, e alcune decine ne ferì. Anche per questa strage le vicende giudiziarie incerte, contraddittorie e poco convincenti non hanno portato ad alcun sicuro risultato, benché la sinistra abbia dato per certa la responsabilità degli eversori di destra: che era verosimile, o addirittura probabile. Ma che non venne dimostrata.

Fu dopo questi fatti che Andreotti ebbe una delle sue iniziative sorprendenti, e di solito miranti a chiari o dissimulati fini politici (si pensi alla vicenda Gladio, tanti anni dopo). Come Ministro della Difesa, silurò il generale Vito Miceli, capo del SID: ponendo così le premesse per la successiva incriminazione e l'arresto dello stesso Miceli, sospettato di complicità con gli affiliati alla Rosa dei venti (una delle tante trame di destra la cui consistenza e pericolosità di regola si dissolveva nel corso delle indagini). Si pretese che Andreotti avesse voluto, sacrificando Miceli – seppure con le migliori ragioni del mondo –, propiziarsi la sinistra, e in particolare l'opposizione comunista: apportando così un opportuno *lifting* alla sua immagine di esponente della destra DC.

Il quarto governo Rumor aveva intanto esaurito la sua funzione, che peraltro riesce difficile dire, retrospettivamente, quale in realtà fosse. I socialdemocratici avevano delle inquietudini, espresse da Tanassi; Fanfani, bastonato ma indomito, aveva cacciato dalla direzione DC Bodrato e Donat Cattin, e quindi lanciato una mezza sfida ai socialisti: i quali, per bocca del vicesegretario Craxi, avevano così sintetizzato il loro atteggiamento: «Diciamo no all'*ultimatum*, sì alle trattative».

Con Rumor dimissionario, Fanfani tentò di realizzare un governo tripartito (DC, PSDI, PRI con l'appoggio esterno del PSI) ma fallì. L'atto di morte del centrosinistra, che il segretario democristiano aveva sottoposto all'approvazione del suo Partito, non ebbe i consensi necessari. La maggioranza della DC non se la sentì di chiudere una pagina che era stata di portata storica nelle intenzioni anche se non memorabile nei risultati. Ma per reincollare i cocci del centrosinistra ci voleva qualcosa di più d'un Rumor: ci voleva un restauratore che piacesse ai socialisti e magari piacesse anche ai comunisti, disposti, parola di Berlinguer, a un'opposizione «di tipo diverso».

In realtà il centrosinistra non risorse: Moro dovette accontentarsi d'un bicolore DC-PRI appoggiato esternamente dai due Partiti socialisti, PSDI e PSI. Un governo per guadagnar tempo, con Gui agli Interni, Rumor agli Esteri, Forlani alla Difesa, Andreotti al Bilancio: e ancora i repubblicani Ugo La Malfa alla vicepresidenza, Visentini alle Finanze, Reale alla Giustizia, Bucalossi ai Lavori pubblici, Spadolini all'Ambiente spettacolo e beni culturali.

Mentre Fanfani faceva la faccia feroce al PCI («la svolta e il compromesso proposti dal PCI per ora non sono proposte di assetto definitivo della società italiana, sono l'avvio morbido della trasformazione del sistema... democratico italiano nel sistema totalitario in politica e di capitalismo di Stato in economia che il PCI non ha mai dichiarato di voler abbandonare»), Moro s'incontrava amichevolmente con Berlinguer: e al segretario comunista che considerava intollerabile il comportamento della polizia a Milano rispondeva, guardandolo con aria sconsolata: «Ma che cosa vuoi che si possa fare in un Paese dove il capo delle spie [Miceli, N.d.A.] finisce in prigione?». «Enrico» ha raccontato Alessandro Natta «fissò Moro in silenzio. "Ti rendi conto che se non ci fossimo noi comunisti non starebbe più in piedi niente?" e Moro di rimando: "Lo so bene anch'io".» Natta registrava con tanta soddisfazione, agli inizi del 1975, queste battute, senza neppur lontanamente supporre che il PCI, quello sì, non sarebbe stato più in piedi, e che il suo sfascio avrebbe indotto lui, Natta, ad abbandonare la vita politica.

Moro si arrendeva, a parole, alle rimostranze di Berlinguer, ma nei fatti assecondava, sia pure stancamente, le sollecitazioni «decisioniste» di Fanfani: che voleva rassicurare a ogni costo un'Italia alla deriva, sia per l'ordine pubblico, sia per l'economia. In marzo fu approvata la legge Reale – dal nome del Ministro della Giustizia – che ampliava un poco i poteri della polizia, e che la sinistra compatta tacciò d'autoritarismo e d'intenti torvamente liberticidi. Gli Italiani avevano paura della P 38 e cominciavano a risentire gli effetti devastanti dell'inflazione. I nodi dell'autunno caldo, insieme ad altri che s'erano formati molto lontano dall'Italia, venivano al pettine.

A questo punto, sull'Occidente sviluppato si abbatté con forza devastatrice, negli anni Settanta, la crisi petrolifera. Prima della sua deflagrazione un barile di greggio – ce ne sono circa sette in una tonnellata – costava alla produzione, in Arabia Saudita, 35 centesimi di dollaro: e veniva venduto a poco meno d'un dollaro e mezzo. Il prezzo era basso, e i profitti delle compagnie petrolifere immensi. Il primo segno di rivolta dei Paesi produttori lo si ebbe nel febbraio del 1971, quando a Teheran i cinque Paesi che nel 1960 avevano fondato l'OPEC – Venezuela, Iran, Arabia Saudita, Irak, Kuwait – e i Paesi associati firmarono un accordo con cui rivendicavano il diritto di determinare il prezzo di vendita del greggio alle compagnie internazionali. Il patto parve per qualche tempo solo teorico. Ma nel 1973 la guerra del Kippur – un altro scontro arabo-israeliano – sconvolse gli equilibri politici ed economici: i Paesi del Golfo ribadirono, e questa volta mantennero la parola, che avrebbero fissato unilateralmente il prezzo del petrolio.

Dall'ottobre del '73 al gennaio dell'anno successivo il costo di un barile salì da meno di 3 dollari a quasi 12 dollari. «Il quadruplicarsi dei prezzi del greggio» ha scritto Paolo Glisenti «nel volgere di sei mesi sequestrò poco più del quattro per cento del reddito prodotto dai Paesi consumatori, ma soprattutto invertì di colpo il senso di marcia di un enorme flusso di ricchezza che per decenni aveva seguito il corso del sole, da Oriente verso Occidente. Nel 1960 gli introiti dei Paesi produttori avevano sfiorato appena i due miliardi di dollari: tra l'inverno '73 e l'estate '74 ben 98 miliardi di dollari si trasferirono dagli importatori agli esportatori di greggio. Fu difficile perfino trovare moneta sufficiente per i pagamenti. Negli aeroporti del Golfo atterrarono decine di velivoli carichi di lingotti d'oro che non trovarono sistemazione nelle piccole casseforti delle banche locali e dovettero essere dirottati verso le piazze finanziarie europee e americane.»

Nel Texas si fece festa perché il petrolio americano, che aveva i costi d'estrazione più alti del mondo, ridiventava competitivo. Ma l'Europa piombò nel lutto, e l'Italia, dipendente dal petrolio per oltre il novanta per cento delle importazioni energetiche, si sentì perduta. Il governo decise che nelle domeniche invernali la circolazione automobilistica fosse completamente bloccata, per risparmiare benzina. I cittadini s'adattarono di buon grado al temporaneo divieto, che tuttavia era solo un palliativo.

Il colpo assestato all'Italia dalla crisi petrolifera s'era sommato a precedenti dissennatezze e imprevidenze nella gestione economica. Nel febbraio del 1972, quando la botta petrolifera era di là da venire, Andreotti e Malagodi s'erano dovuti rassegnare, l'abbiamo accennato, a far uscire la lira dal «serpente» monetario europeo, nella speranza di evitare, con questa mossa, l'emorragia delle riserve centrali, e di dar fiato alle esportazioni. Ma il declino produttivo, e il degrado della lira, erano implacabili, e l'inflazione avrebbe presto raggiunto il tasso del venti e più per cento annuo.

All'erosione del potere d'acquisto corrispondeva un diffuso disagio sociale, che si traduceva in conflitti di lavoro: che avevano motivazioni serie e ragionevoli, ma che venivano interpretati dalla sinistra, e dai sindacati, in chiave ideologica. La richiesta, da parte di Luciano Lama

– capo della CGIL –, d'un «nuovo modello di sviluppo» fu vista come una guerra al profitto. La CISL non era su posizioni più moderate della CGIL, anzi. I metalmeccanici dell'organizzazione, nei «temi» per un proprio Congresso nazionale del 1973 (la citazione è nella *Storia del sindacato* di Sergio Turone) respingevano la teoria imprenditoriale del dialogo «perché significherebbe riconoscere che gli interessi del grande capitale sono fondamentali per lo sviluppo economico italiano, il che comporta praticamente il sostegno e il rilancio proprio di quei settori che hanno dato una fisionomia negativa allo sviluppo degli anni Sessanta».

La «difesa dell'occupazione», che era difesa della sopravvivenza d'ogni azienda, anche se decotta e agonizzante, fu uno dei maggiori ostacoli alla creazione di nuovi posti di lavoro. Gli imprenditori preferivano rinunciare alle commesse piuttosto che espandere la loro attività con nuove assunzioni. Un carico parassitario immane gravava sulle aziende private, e ancor più sulle aziende di Stato. Si dovrà arrivare al 1979 perché Lama reciti un convinto *mea culpa*. «Dal 1969» dirà «il sindacato ha puntato le sue carte sulla rigidità della forza lavoro. Ci siamo resi però conto che il sistema economico non sopporta variabili indipendenti... Siamo convinti che imporre alle aziende quote di manodopera eccedente sia una politica suicida. L'economia italiana sta piegandosi sulle ginocchia anche a causa di questa politica suicida. Perciò, sebbene nessuno quanto noi si renda conto della difficoltà del problema, riteniamo che le aziende, quando sia accertato il loro stato di crisi, abbiano il diritto di licenziare.»

Lama parlava così alla vigilia del «riflusso», ossia del rinsavimento di molti, se non di tutti. Ma la riluttanza a imparare la lezione dei fatti ebbe per il Paese un costo esorbitante. Il *deficit* pubblico diventò voragine: esso rappresentava nel 1969 il 3,1 per cento del prodotto interno lordo (PIL), nel 1973 rappresentava il 7,1 per cento. Anche le imprese s'indebitavano, mentre gli investimenti – industriali e delle famiglie – erano in netto calo: un calo mascherato dagli investimenti pubblici, in imponente crescita e destinati proprio a quei settori – la siderurgia e la chimica – che andavano incontro a una recessione quasi catastrofica. In sostanza non erano, quelli pubblici, veri investimenti, ma sperperi di denaro voluti per ragioni demagogiche, clientelari, campanilistiche, e concessi da governi deboli, se non addirittura impauriti. Le importazioni sopravanzavano di molto le esportazioni, e la spesa pubblica si dilatava a un ritmo del 24 per cento l'anno. Il debito pubblico assumeva dimensioni immani (e le ha mantenute, progredendo anzi in questo processo d'elefantiasi perniciosa). Mentre ancora nel 1973 su cento lire di entrate pubbliche 7 erano destinate a pagare gli interessi del debito, nel 1980 – ossia a conclusione degli anni di follia – le lire destinate a pagare gli interessi saranno 16. L'Italia avrebbe avuto bisogno d'una guida salda e coerente: ed era invece affidata a governi di breve corso e di lieve peso.

CAPITOLO DECIMO

L'ORA DI CRAXI

Le amministrative del 15 giugno 1975 furono un disastro per la DC, un trionfo per il PCI, e un terremoto politico per l'Italia. I dati differiscono secondo che siano presi in esame quelli regionali o quelli provinciali. Sta di fatto che il partito di maggioranza relativa perse, nelle regioni ordinarie, due punti e mezzo in percentuale, scendendo a poco più del 35, il PCI guadagnò il sei e mezzo per cento, qualche progresso lo registrò anche il PSI. Ormai Berlinguer era, con il suo 33,45 per cento, a ridosso di Fanfani, e pronto al sorpasso. In una ampia relazione il segretario DC spiegò quali fossero, a suo parere, le cause dello smacco: il voto giovanile (per la prima volta erano andati alle urne i diciottenni) e poi «il confluire sul PCI della maggior parte dei voti di aderenti ai gruppi extraparlamentari, il confluire di elettori democristiani influenzati dal dissenso cattolico, il manifesto favore dei sindacati, la critica di alcuni settori imprenditoriali alla politica economica e sociale, il contributo spregiudicato di certi settori della stampa e dell'editoria alla critica corrosiva sulla situazione italiana». Infine «la presentazione perbenistica, interclassista e tranquillante della propria [del PCI, N.d.A.] proclamata nuova fisionomia».

L'irriducibile piccoletto era comunque risoluto a continuare la battaglia: ma le sue truppe disertarono presto. In un Consiglio nazionale DC del luglio 1975 una mozione fanfaniana fu messa brutalmente in minoranza (69 sì, 103 no, 8 astenuti). La poltrona di Fanfani era pronta per un nuovo occupante. Furono affacciati e scartati i nomi di Piccoli e di Rumor. Moro ne aveva in serbo (l'aveva da un decennio, ma non era mai riuscito a estrarlo dal suo cappello di grande manipolatore) un altro: quello di Benigno Zaccagnini, presidente del Partito.

Zac divenne segretario, i dorotei che gli erano contrari non osarono nemmeno loro dirgli no, e si limitarono a votare scheda bianca. Zaccagnini era presentato come «il beniamino dei giovani, il portabandiera del rinnovamento, un galantuomo». A questo proposito Italo Pietra ha citato, nella sua biografia di Moro, un'osservazione di Gramsci su un altro galantuomo, Vittorio Emanuele II: «Si dovrebbe pensare che in Italia la stragrande maggioranza fosse di briccioni, se l'esser galantuomo veniva elevato a titolo di distinzione».

Galantuomo, Zaccagnini lo era davvero. Nato a Faenza il 7 aprile del 1912, aveva studiato da medico, e si era specializzato in pediatria. Gli inizi della professione ne erano stati, per lui, anche la fine: perché gli impegni pubblici l'avevano presto assorbito. Nel breve periodo in cui l'aveva esercitata, s'era distinto per disinteresse e umanità. Curava gratuitamente i poveri, ed esitava a chiedere un compenso a chi povero non era.

Che cosa l'abbia indotto a immergersi attivamente nella vita d'un partito – nel caso specifico la Democrazia cristiana – è difficile da capire. Così leale e aperto – papa Giovanni XXIII gli disse un giorno con affetto «hai la faccia pulita come la tua anima» – sembrava l'uomo meno adatto a far strada in politica. Ma forse i furbi maneggioni che nella politica si crogiolano intuirono che uno come lui, se non ci fosse stato, bisognava inventarlo: perché sarebbe servito da alibi cristallino a manovre che tutto erano, fuorché cristalline. Era in apparenza vulnerabile e sprovveduto, fermo nelle sue convinzioni di cattolico militante e praticante. Aveva partecipato alla Resistenza. Entrato nella DC, fu deputato alla Costituente subito dopo la Liberazione. Quindi sottosegretario al Lavoro nel secondo governo Fanfani, Ministro del Lavoro nel secondo governo Segni, Ministro dei Lavori pubblici nel terzo governo Fanfani. Gli davano un Ministero dopo l'altro benché non avesse nessuna vocazione per il potere, e pochissima attitudine al comando e all'organizzazione: troppo modesto, troppo condiscendente, troppo cortese, troppo fiducioso. E per di più animato da uno spirito sociale che, pur non raggiungendo le esasperazioni mistiche e utopistiche d'un La Pira, fidava nella Provvidenza più che nei conti del dare e dell'avere.

Il nome Benigno gli si addiceva perfettamente, così come a Fanfani s'addiceva quello corrusco di Amintore. La sua intesa con Moro era perfetta, non soltanto perché avevano entrambi appartenuto alla FUCI, l'organizzazione degli universitari cattolici, ma perché, occupando lo stesso spazio politico, s'integravano. Nei dibattiti e nelle riunioni piombate in stupore soporifero dalle circonlocuzioni raffinate di Moro, Zaccagnini portava, con la sua faccia simpatica, un soffio di comunicativa cordiale. Erano entrambi convinti dell'ineluttabilità d'un accordo con il PCI: Moro per calcolo, sembrandogli che con un PCI agganciato al suo carro la DC potesse meglio conservare, sia pure in condominio, il potere; e anche per stanca e scettica rassegnazione ad una sconfitta secondo lui dilazionabile ma non evitabile. Zaccagnini per un ecumenismo sociale benintenzionato e disarmato che vedeva nella destra economica e nel golpismo fascistoide i più veri e più seri pericoli per la democrazia. Non aveva nemici, e non ne vedeva, se non nella reazione. Aveva consuetudine d'incontri con il comandante partigiano Arrigo Boldrini, comunista, ravennate come lui. L'anarchico Mazzavillani, di professione dentista e per *hobby* burattinaio, dispose che tutte le sue marionette andassero a un figlio di Zaccagnini. Un uomo che era possibile avversare, ma che era impossibile odiare: e dal quale era anche impossibile farsi odiare. La sorte non gli aveva risparmiato – prima che assumesse la guida della DC – grandi dolori familiari: aveva perso due figli ancora ragazzi. E non gli risparmiò anni dopo, con l'assassinio di Moro, un altro grande dolore, e un atroce dilemma.

Scegliendo Zaccagnini perché affiancasse, dalla segreteria DC, la sua opera di governo, Moro pensava d'aver varato il tandem perfetto, data la situazione e le prospettive del momento. La DC aveva una nuova immagine, e anche il PCI la stava avendo, con Berlinguer. Erano state poste, o così sembrava, le premesse perché la DC, se proprio doveva imboccare il viale del tramonto, lo facesse il meno dolorosamente possibile, e perché il PCI, se doveva vincere, fosse disposto a non stravincere. Non è che, con l'operazione Zaccagnini, Moro fosse diventato il padrone della DC: che può essere padrona, ma in casa sua ammette solo dei padrini. Le resistenze a una miglior intesa con i comunisti erano forti, e l'episcopato lasciava di tanto in tanto fioccare su Moro e su Zaccagnini, l'uno sensibile alla frustata politica, l'altro soggetto a scrupoli religiosi, i suoi ammonimenti. Che Moro ascoltava compunto, e Zaccagnini convinto e magari contrito, ma che poi lasciavano il tempo che trovavano. A Enzo Biagi Moro confessò: «Cerco di evitare il peggio». Il che si traduceva, in po-

litichese, nella «strategia dell'attenzione» verso il PCI. Il
quale PCI non lesinava a sua volta i segnali d'attenzione
per i partiti dell'«arco costituzionale». I comunisti italiani
e spagnoli dichiararono congiuntamente la loro fede eurocomunista e la loro fede nei princìpi della democrazia
parlamentare, e condannarono lo stalinismo del portoghese Alvaro Cunhal. Poi, nel novembre del 1975, Berlinguer e Marchais (segretario del Partito comunista francese) si professarono fautori del socialismo democratico,
nonché del diritto d'ogni partito comunista a perseguire
una sua propria via, senza alcun dovere d'obbedienza alle
encicliche della Chiesa Madre di Mosca.

Ma pur con tutti questi gesti distensivi, il PCI non ri-
nunciava a restare il punto di riferimento più importante
per chi voleva cambiare la società italiana nella direzione
indicata dall'autunno caldo e dalla contestazione. E così,
sulla legge Reale (quella, già accennata, che voleva am-
pliare i poteri della polizia ma che cadeva in un contesto
politico smanioso di garantismi progressisti) i comunisti
avevano votato contro. Il PCI chiedeva in ogni caso che si
dovesse fare i conti con la sua presenza e con la sua forza:
dimostrata nel proliferare delle giunte «rosse»: a Milano,
Torino, Napoli, Bologna, Firenze, Venezia, Roma.

I socialisti erano inquieti, per molte valide ragioni. Il
risultato positivo delle amministrative aveva rinsaldato in
De Martino la convinzione che gli sbandamenti a sinistra
fossero redditizi. Ma i progressi socialisti erano poca cosa
di fronte all'impetuosa avanzata comunista: e l'ipotesi del
compromesso storico era un incubo per i socialisti, che
sapevano quale rischio esso rappresentasse per il loro peso e per la loro identità. L'abbraccio DC-PCI avrebbe ridotto il PSI al ruolo d'un vassallo non indispensabile e a
molti – tra i democristiani e tra i comunisti – non gradito.

Per questo De Martino, che elaborava i suoi progetti a tavolino, ma non sapeva cogliere gli umori profondi del Paese, ritenne che fosse arrivata l'ora d'un colpo d'ariete contro il governo cui il PSI aveva dato il suo appoggio esterno. In un articolo di fine anno (1975) sull'«Avanti!» il segretario socialista annunciò il suo proposito di interrompere l'appoggio al governo Moro. Mantenne la parola, e il 7 gennaio 1976, con la defezione del PSI dalla maggioranza, Moro fu costretto alle dimissioni.

Dopo un mese e mezzo di inutili travagli per la ricostituzione d'un centrosinistra Moro, reincaricato, ripiegò su un monocolore democristiano, che ricalcava – tranne che per l'assenza dei repubblicani – il governo precedente, e che faceva registrare pochi cambiamenti di rilievo. Luigi Gui non volle esser più Ministro dell'Interno, perché l'affare Lockheed – del quale parleremo – lo aveva coinvolto: ed era suo proposito di non avere responsabilità pubbliche fino a quando ne uscisse scagionato (lo stesso affare Lockheed costò la segreteria socialdemocratica a Mario Tanassi: Saragat fu acclamato presidente e segretario insieme del PSDI). A sostituire Gui fu chiamato Francesco Cossiga.

Con quest'ectoplasma di governo la DC affrontò, a metà marzo, il suo Congresso: che fu agitato, in qualche fase tumultuoso, e dominato dalla questione comunista, ossia dalla questione dei rapporti tra DC e PCI. Zaccagnini insistette sul rinnovamento, disse che «non possiamo essere il polo moderato dello schieramento politico italiano, sottoposto alla volontà dei suoi protettori borghesi, e nemmeno il comitato d'affari del capitalismo italiano». Contro Zaccagnini stava uno schieramento che trovò il suo leader in Forlani, peraltro restio ad essere il condottiero d'una battaglia campale senza sfumature e senza compromessi. Si discusse accanitamente se il segretario dovesse o no essere designato direttamente dal Congresso, a scrutinio segreto: e finalmente questa proposta, che i «moderati» ritenevano a loro favorevole, prevalse. Nel suo discorso, Moro si tenne nella stratosfera delle grandi idee, Andreotti andò invece al sodo: «Possiamo dire a testa alta, ora che i comunisti si affannano a ripudiare, condannandolo, lo stalinismo, che è stato prevalente merito della DC se questo flagello fu risparmiato al popolo italiano».

Zaccagnini prevalse, di stretta misura. La lista – vincente – del rinnovamento ebbe al primo posto il nome di Moro (Zaccagnini, come nuovo segretario, era fuori conto), al secondo quello di Rumor: quindi, nell'ordine, Emilio Colombo, Cossiga, De Mita, Donat Cattin. I capi storici erano forse in declino, ma nemmeno poi tanto, anche in questa DC spaccata in due parti pressoché equivalenti.

Il governo avrebbe dovuto, a questo punto, rimettersi al lavoro: ma gli si parava davanti un grosso ostacolo, la legge per la legalizzazione dell'aborto. La DC – e la Chiesa – furono costrette ad un altro combattimento di retroguardia: e, dopo l'esperienza del *referendum* sul divorzio, si facevano poche illusioni. Zaccagnini il progressista (ma anche il cattolico fervente) non se la sentì di delineare una sua strategia. A chi l'interrogava in proposito, rispose: «La questione dell'aborto è troppo delicata anche per un segretario di partito tranquillo come me. Diciamo che sarà il gruppo parlamentare a decidere». Così fu: il gruppo parlamentare presentò un emendamento restrittivo alla legge Fortuna in forza del quale l'aborto era reato tranne due soli casi: un grave pericolo per la vita o la salute della madre, e la violenza carnale. Alla DC si associò, per far passare la norma, il solo MSI. I socialisti reagirono all'alleanza – che ripeteva quella per il divorzio – rifiutando di consentire ulteriormente, con la loro astensione, la vita del governo Moro, che il primo maggio si dimise. Fu inevitabile, a quel punto, un'altra interruzione anticipata della legislatura, interruzione che tra l'altro prorogava automaticamente di due anni il *referendum* sull'aborto. Le elezioni furono indette per il 20 giugno (1976): e precedute dal terremoto che devastò (6 maggio) il Friuli, causando circa ottocento morti: e che, con i suoi lutti e le sue rovine, mise in ombra la politica, e i temi della campagna propagandistica dei partiti.

Zaccagnini aveva molte apprensioni, alla vigilia del voto che, se fosse stato molto negativo per la DC, avrebbe consentito il «sorpasso» comunista (e sicuramente comportato il siluramento del segretario). Invece la DC, tra i cui candidati era Umberto Agnelli, andò bene. Ripeté la percentuale delle politiche di quattro anni prima (38,7 per cento) e rastrellò consensi sia in campo liberale, sia in campo missino e socialdemocratico. Il PCI si confermò in ascesa, con il 34,4 per cento, ma senza alcuna possibilità d'insidiare il primato democristiano. Va tuttavia rilevato che Democrazia proletaria ebbe l'1,5 per cento e portò alla Camera sei deputati: e che altri quattro li portò il Partito radicale. Netta fu la sconfitta del PSI, rimasto al di sotto del 10 per cento, di socialdemocratici e liberali, del MSI calato al 6,1. Sembrava che poco fosse cambiato per i democristiani. S'era invece avuta una svolta poco appariscente, ma fondamentale. La nuova composizione del parlamento rendeva impossibili le coalizioni di centro, cui mancavano ormai i numeri necessari. La DC era costretta o a ricostituire una qualche forma di centrosinistra, o ad ottenere l'appoggio comunista. Ogni altra soluzione – che non fosse un espediente caduco – diventava irrealizzabile.

Arnaldo Forlani, che aveva interesse a sminuire il successo di Zaccagnini, espresse un giudizio amaro ma acuto: la DC s'era salvata divorando i suoi figli, ossia sottraendo voti a quei partiti di centro che fungevano da cuscinetto tra il partito di maggioranza relativa e la sinistra. Berlinguer fu prudente: non gli interessava tanto l'eccellente risultato conseguito, quanto le possibilità che esso schiudeva per una collaborazione con la DC, forte ma prigioniera: o dei socialisti o dei comunisti.

Nella DC molti preferivano Berlinguer a De Martino: perché più affidabile, più coerente, più sicuro, in grado d'allentare le tensioni sociali e di togliere al terrorismo gran parte dell'appoggio d'una sinistra ancorata al passato, e ai suoi sogni rivoluzionari.

Ma l'interlocutore socialista fu presto ben diverso dal professor De Martino: il Comitato centrale socialista, che si svolse a metà luglio (1976) all'Hotel Midas di Roma, portò ai vertici l'infornata dei quarantenni. Bettino Craxi segretario, Claudio Signorile (della sinistra) vicesegretario, Enrico Manca a rappresentare il defenestrato De Martino, e poi Gianni De Michelis, in attesa che emergesse Claudio Martelli. La vecchia guardia era relegata nella galleria dei ricordi, alla ribalta c'era posto ormai solo per il tipo umano del socialista rampante.

All'anagrafe Bettino Craxi risultava chiamarsi Benedetto, che è, osserverà malignamente qualcuno, l'equivalente italiano di Benito. Milanese di nascita, siciliano per parte di padre, Craxi aveva fatto l'apprendistato di dirigente socialista prima nella sua città, e poi, a livello nazionale, come vicesegretario del Partito. Un *apparatchik* cui tutti riconoscevano doti d'efficienza e di pragmatismo, e a cui pochissimi erano invece disposti a riconoscere le qualità che fanno d'un funzionario un buon politico. Il giovane dirigente non era mai stato di quelli che ispirano simpatia a prima vista. Intanto perché con il suo metro e novanta di statura era sconsideratamente alto in un universo politico folto di bassotti, a cominciare dal presidente della Repubblica Giovanni Leone, e da Amintore Fanfani. Oltre che alto, era massiccio, un po' goffo, con una calvizie precoce e una faccia paffuta dove il piccolo naso era sormontato dagli occhiali dalla montatura spessa, e la mascella era forte (Forattini tradurrà quel forte, con tratti implacabili, in mussoliniana). Parlava lento, riflettendo su ogni frase, e raramente attenendosi alle banalità pensose di cui i politici si compiacciono. Diceva, di solito, cose concrete su problemi precisi: non le diceva con grazia, anzi aveva il vizio o il vezzo d'una certa brutalità.

Non erano mancati nel suo passato le sbandate populiste con cui ogni socialista paga pedaggio alla storia del Partito: ma negli anni del declino nenniano era stato molto vicino al patriarca del PSI, e aveva capeggiato la corrente autonomista, minoritaria. Amava le citazioni, anche raffinate, ma nella quotidianità le sue frequentazioni culturali erano piuttosto mondano-salottiere. Arrivato al vertice del PSI soprattutto perché gli altri notabili e capicorrente si elidevano a vicenda, Craxi fu considerato all'inizio un uomo di ripiego, che non impensieriva i «grandi» proprio per la carriera in qualche modo burocratica, e per l'assenza d'un retroterra umano e ideologico il cui spessore potesse essere anche lontanamente paragonato a quello dei Nenni, dei Lombardi, dei Basso, degli stessi De Martino e Mancini.

La sottovalutazione di questi astri politici emergenti è un fenomeno ricorrente. S'era detto anche di Berlinguer, quando il PCI l'aveva designato come successore di Longo, che era un grigio discepolo di Togliatti, privo d'immaginazione, povero di carisma, e non aureolato, per ragioni anagrafiche e per la sua appartatezza sarda, dal *curriculum* guerriero che il legnoso Longo o l'intemperante Giancarlo Pajetta potevano vantare. Invece, mentre Craxi otteneva i galloni di segretario, Berlinguer era già gratificato di elogi sperticati, e presentato come la personificazione d'un eurocomunismo uscito dalle maglie dei dogmi di Mosca e capace di rivendicare la sua autonomia pur senza rinunciare a propositi rivoluzionari: rinviati tuttavia a un remoto e improbabile futuro momento.

Ma Craxi non godeva della rendita di posizione assicurata a ogni leader comunista italiano: ossia dell'appoggio d'un formidabile schieramento intellettuale, della disponibilità sindacale, del consenso operaio. Per Berlinguer s'erano subito mobilitate firme autorevoli del giornalismo, che ne seguivano le opere e i giorni con servizievole abilità professionale. Al vero e chiuso Berlinguer, monaco della Causa, sia pure opportunamente aggiornata, era stata sovrapposta l'immagine artificiosa d'un grande comunicatore. Craxi muoveva invece i suoi primi passi di segretario con una zavorra d'antipatia: in parte legata al suo modo di essere e di comportarsi, in altra parte abilmente costruita dagli *opinion makers*. Cui si contrapponevano, è ovvio, i *fans* di Bettino, spesso troppo zelanti e invadenti. Così Craxi fu volta a volta il signor Nihil, ossia il signor Nulla (Fortebraccio) per la sua presunta – molto a torto – evanescenza: e poi, strada facendo, fu il Mitterrand della Bovisa, cioè, come ha scritto Gianfranco Piazzesi ironizzando sui denigratori, «un milanesone un po' stordito, un provincialotto colpevole di voler guardare all'alternativa francese anche quando Berlinguer aveva spiegato così bene che in Italia la democrazia può crescere solo attraverso il compromesso storico». Per i suoi modi autoritari e la

statura torreggiante fu anche paragonato all'allora dittatore dell'Uganda, lo si chiamò l'«Idi Amin bianco». Mai
tante frecciate, e così avvelenate, erano state lanciate dai
progressisti contro un capo socialista.

È che quel capo aveva un disegno. L'avrebbe perseguito, con ammirevole tenacia, attraverso evoluzioni tatti-
che, salti della quaglia, strizzate d'occhio ora a destra ora
a sinistra, pugni sul tavolo e sommesse esortazioni alla
calma. Senza però dimenticarsene mai. Il suo disegno si
articolava in due linee fondamentali: una collaborazione
con la DC che fosse meno subalterna e nel contempo meno sofferta di quella dei Nenni e dei De Martino; e una
costante guerriglia di logoramento contro il PCI, per im-
pedirgli di realizzare stabilmente il compromesso storico.
Craxi tuonava contro la destra, secondo un copione obbligato, ma le sue picconate più dure erano per i comunisti. Ad essi negava, sostanzialmente, d'avere patenti sicu-
re di affidabilità democratica. «Il PSI» diceva «è un partito del movimento socialista occidentale: il PCI si conside-
ra ancora parte del mondo comunista internazionale. Mi
pare che questo sia sufficiente per dire che la differenza
non è poca.»

Berlinguer s'era spinto fino ad affermare che «noi come eurocomunisti puntiamo alla creazione di una Europa
che non sia né antisovietica né antiamericana». Craxi ri-
batteva: «L'eurosocialismo auspica una Europa amica
dell'URSS e alleata degli USA». Quella società sovietica cui
Berlinguer riconosceva piena legittimità socialista «con
alcuni tratti illiberali» era per Craxi «una società illibera-
le con alcuni tratti socialisti». Della Bovisa o no, il Mitterrand italiano era assai più intraprendente, in talune affermazioni, di quello francese.

L'alternativa, e il sorpasso in danno dei comunisti – come si vede, nello stadio politico tutti volevano sorpassare tutti – restavano per lui prospettive lontane, il cui raggiungimento sarebbe stato facilitato dagli eventi dell'89 e del '90 all'Est, molto fuori dalla portata di Craxi. Mentre scriviamo il sorpasso non è avvenuto, anche se appare assai più probabile che in qualsiasi momento degli ultimi decenni; e l'alternativa è appena un vago, stanco proposito. Ma i successi di Craxi – compresi quelli elettorali, tuttavia inferiori, probabilmente, alle sue speranze – restano innegabili. A metà luglio del 1976 egli aveva avuto in eredità un partito rissoso, attestato elettoralmente attorno a un dieci per cento che andava stretto alle sue ambizioni (sue può stare sia per il Partito sia per Craxi), minacciato nella sua privilegiata posizione d'arbitro delle maggioranze dall'intesa tra i democristiani – e tra la sinistra democristiana in particolare – e i comunisti. Lo ripetiamo: Craxi ebbe in testa, dal momento in cui divenne segretario, un'idea precisa: quella di non lasciar passare mese, se possibile nemmeno settimana, senza fare qualcosa che richiamasse su di lui, e sul PSI, l'attenzione del mondo politico e dell'opinione pubblica. Le iniziative del *bulldozer* milanese potevano sovente parere volubili, o avventate, o inutilmente chiassose: altre volte si rivelavano invece produttive di risultati sia per il PSI sia – più raramente – per il Paese. Nessuno comunque fu autorizzato, da allora in poi, a pensare la politica italiana senza tenere il dovuto e rispettoso conto di Craxi; e nessuno fu più autorizzato a occuparsi del Partito socialista attribuendone la linea e le decisioni ad altri che a Craxi; che in casa sua voleva e sapeva essere padrone, quando non despota.

CAPITOLO UNDICESIMO

TEMPO DI SCANDALI

Era ancora tempo di scandali. Un tempo che non ha pause, nella politica italiana. Ma gli scandali di questi anni s'innestarono su una situazione già così deteriorata – dal punto di vista dell'ordine pubblico, dal punto di vista economico, dal punto di vista delle alleanze politiche – che il loro impatto ne fu moltiplicato. In tutte le *affaires* di questa stagione furono coinvolti, in varia misura, gli Stati Uniti: il che valse ad alimentare la già furibonda campagna antiamericana delle sinistre, parlamentari o extraparlamentari.

L'*affaire* numero uno ebbe origine a Washington, dove l'*establishment*, ma ancor più la stampa, hanno sempre provato un gusto acre nel mettere nei guai, assai più dei nemici, gli amici. Un deputato del Congresso, Otis Pike, rivelò che il governo USA aveva in vario modo foraggiato, tramite la CIA, i partiti italiani: in particolare la DC. Pike aveva attinto le sue informazioni da un rapporto della commissione investigativa sulla CIA. Risultava da esso che i finanziamenti erano terminati nel 1968: «Ma il rapporto» ha scritto Norman Kogan «notava che tra il 1970 e il 1971 l'ambasciatore americano Graham Martin avrebbe voluto riprenderli, concentrandoli sulla corrente di Fanfani. Aveva anche proposto di fornire fondi al generale Vito Miceli, allora capo dei servizi segreti italiani. Il rapporto aggiungeva che nel 1971 la CIA si era opposta alle raccomandazioni dell'ambasciatore. Il presidente Nixon e il segretario di Stato Kissinger avevano respinto la richiesta».

La bomba era di carta. Che gli Stati Uniti, negli anni della guerra fredda o comunque negli anni in cui i due blocchi dell'Ovest e dell'Est erano l'un contro l'altro armati e la pace veniva garantita dall'equilibrio del terrore, aiutassero dovunque i partiti anticomunisti, era ovvio. Che tra questi partiti fosse privilegiata in Italia la DC, perno dello schieramento moderato, era altrettanto ovvio. Nulla di lodevole, e poco di giuridicamente ineccepibile, in queste sovvenzioni: che nell'ottica internazionale avevano peraltro una loro solida logica. L'avevano in particolare per il flusso di denaro che dal versante opposto veniva diretto verso le casse del PCI: tanto importante, quel flusso, che quando nel 1954 Nino Seniga, braccio destro di Pietro Secchia, si portò via il «tesoro» del PCI, Togliatti si guardò bene dal presentare denuncia: perché, facendolo, avrebbe dovuto spiegare da dove provenissero quelle centinaia di milioni, equivalenti a diversi e svariati miliardi di oggi. Infatti Scelba, a chi gli rimproverava di non avere sfruttato adeguatamente l'infortunio comunista, replicò freddamente: «Io non potevo fare nulla perché non era stata presentata nessuna denuncia, e nessuna sottrazione di fondi era stata segnalata all'autorità italiana».

Le elemosine americane furono invece adeguatamente sfruttate, in chiave polemica. L'episodio fece luce temporanea e parziale sui canali torbidi e sotterranei attraverso i quali i partiti ammassavano quattrini, in misura enormemente superiore al gettito del tesseramento o di altri proventi leciti. La legge sul finanziamento pubblico dei partiti avrebbe dovuto porre rimedio a questi maneggi spre-

giudicati – per usare un eufemismo – e restituire traspa-
renza ai bilanci dei partiti. Sappiamo tutti che i nobili scopi indicati da chi volle il finanziamento pubblico non furono raggiunti, e che i quattrini dei contribuenti si som-
marono, semplicemente, a quelli delle tangenti e dei contributi più o meno volontari.

Anche l'*affaire* numero due ebbe origine a Washington, dove un senatore del Partito democratico, Frank
Church, s'era vista affidata la presidenza d'una commiss-
sione incaricata di far luce sui comportamenti disinvolti
di talune industrie statunitensi, e in particolare della potente Lockheed. Mosso da sdegno moralistico, e probabilmente anche dal desiderio di causare imbarazzi alla
presidenza repubblicana di Nixon, Church aveva con-
dotto con estrema decisione la sua indagine, accertando
che le multinazionali interessate alla vendita di armamenti all'estero avevano profuso denaro – per assicurarsi
le commesse – in Germania, in Giappone, in Olanda, in
Svezia, in Turchia, e naturalmente anche in Italia. Fu ap-
purato che tra il 1958 e il 1975 varie personalità giappo-
nesi avevano intascato la bellezza di dodici milioni di
dollari. Uno scandalo aveva lambito, in Olanda, la famiglia reale, perché il principe consorte Bernardo era stato
sospettato d'avere incassato dalla Lockheed un milione e
centomila dollari. Il segretario di Stato Kissinger tentò di
impedire che fossero rivelati i nomi dei ministri stranieri
implicati: Church, apostolo della lotta alle tangenti,
provvide infatti, nel suo atto di accusa, ad alcune cancel-
lature. Quel che rimaneva era tuttavia sufficiente per im-
plicare nelle manovre della Lockheed il mondo politico
italiano. Un versamento di settantottomila dollari era
giustificato, nella contabilità Lockheed, con la scritta
«pagamento per collaboratori del precedente ministro

della Difesa Gui». Di ben maggiore entità erano altri versamenti: in totale quasi due milioni di dollari. Le somme erano servite per procacciare alla Lockheed la fornitura di quattordici aerei da trasporto C 130 Hercules da impiegare nell'Aeronautica militare italiana. L'apparecchio era ottimo: anzi, senza alcun dubbio, il migliore in quel settore operativo. Ma era necessario per le esigenze nazionali? Ed era stato pagato il giusto prezzo o un prezzo artatamente maggiorato?

L'inchiesta italiana non tardò a raggiungere il cuore della vicenda, ossia l'ufficio affaristico dei fratelli Antonio e Ovidio Lefebvre. Erano loro gli ambasciatori in Italia della Lockheed. A loro si doveva la costituzione della *lobby* che aveva «promosso» – come usa dire nel gergo italinglese d'oggi – l'acquisto degli Hercules. Antonio Lefebvre, amico fin dagli studi universitari del presidente della Repubblica Giovanni Leone, era cattedratico di diritto della navigazione. «Nella professione, che esercita nel suo ramo» ha scritto Giuseppe Bucciante, avvocato pure lui, nel libro *Il Palazzo* «è un costruttore di arbitrati. Anzi è il re degli arbitrati... Gli arbitri provengono prevalentemente dal Consiglio di Stato e dalla Cassazione, ed è naturale che egli fosse l'idolo di questi ermellini. Il Ministro della Marina mercantile nel '64 si affretta a nominarlo Presidente del Consiglio superiore della Marina mercantile, senza tener conto che il professor Lefebvre è presidente o amministratore delegato di società marittime finanziate e controllate proprio dallo stesso dicastero.» Molto attivi in campo finanziario, i Lefebvre erano insuperabili nel formare società che s'incastravano l'una nell'altra come scatole cinesi. Antonio Lefebvre sapeva minimizzare, quando era il caso. Sempre secondo Bucciante la sua prestigiosa villa sulla via Cassia, con cinquantanove stanze, parco e piscina, risultava al catasto come «abitazione di sei camere e servizi».

Dai Lefebvre la macchia d'olio si estese a Camillo Crociani, altro boss di spicco del retropotere miliardario, e quindi al generale d'aviazione Duilio Fanali. Furono fatti, dopo quello di Gui, i nomi di altri due politici: il democristiano Mariano Rumor, per fatti avvenuti mentre era Presidente del Consiglio, e il socialdemocratico Mario Tanassi, per fatti avvenuti mentre era Ministro della Difesa. Sullo sfondo, per i legami con i Lefebvre, rimaneva Giovanni Leone: non incriminato ma chiacchierato. Si volle, perché faceva comodo, che Leone fosse l'Antelope Cobbler, il calzolaio o ciabattino dell'antilope, citato in una lettera di Roger Bixby Smith, consigliere legale europeo della Lockheed, al direttore dei contratti della società, Charles Valentine: «Tieniti forte alla sedia perché quello che segue ti può dare uno choc. Il nostro agente... dice che la Lockheed se non vuole ostacoli deve versare fino a centoventimila dollari per aereo... L'agente dice che non vi saranno più trattative a quattr'occhi tra un rappresentante del partito e quelli della Lockheed, ma che diranno a lui, possibilmente tramite Antelope Cobbler (lo trovi nel mio libriccino nero, vi è fin dal 5 ottobre 1965) esattamente quanto vuole questo partito. C'è da aggiungere che a parte il ciabattino bisognerà pensare a Pun [altro nome in codice, N.d A.] e a vari altri funzionari più o meno altolocati. L'agente insiste che darà i nomi e le cifre solo a una persona in rappresentanza della Lockheed».

L'identificazione di Leone con Antelope Cobbler era fatta derivare da elementi piuttosto futili e pretestuosi. Il più rilevante – si fa per dire – è stato così spiegato da Ruggero Orlando, che aveva parlato con Frank Church, e da lui aveva avuto l'assicurazione che Leone era estraneo all'*affaire*: «È qui [negli Stati Uniti, N.d.A.], nei circoli politici e diplomatici della capitale, o in quelli più allegri e sboccati di Wall Street, che il nostro Presidente è conosciuto e anche la sua bella consorte, Vittoria, vi è stata sempre ammirata: qualcuno, mi è stato detto, ha insistito nel sottolineare i suoi occhi di cerbiatta, di antilope. E il galante marito durante uno dei suoi viaggi americani si fece accompagnare da un calzolaio di lusso della Fifth Avenue per tornarsene a Napoli con un regalo, un paio di scarpe di antilope destinate alla bella moglie». In realtà sembra che Antelope Cobbler si riferisse a Rumor: il quale, pover'uomo, aveva ricevuto a Palazzo Chigi alcuni dirigenti della Lockheed presentatigli dal solito clan Lefebvre: e con la sua innata cortesia, aveva amichevolmente annuito a quanto costoro andavano dicendo in inglese. Ovidio Lefebvre fungeva da interprete, e Dio solo sa se e come avesse adattato le frasi degli interlocutori ai suoi disegni di mediazione. Finita l'udienza, i lockheediani s'erano precipitati al telefono per comunicare alla casa madre che il Presidente del Consiglio era d'accordo su tutto, mentre Rumor riprendeva la sfilza delle udienze, sempre bonariamente assentendo. Soldi ne erano corsi, intendiamoci, e molti: ma Gui, di onestà cristallina, e Rumor erano puliti.

Una commissione inquirente del parlamento – sostituitasi alla magistratura ordinaria a norma di Costituzione – fu chiamata a pronunciarsi sul rinvio a giudizio di Rumor e dei due ex Ministri. Rumor evitò l'incriminazione con un voto risicato – dieci commissari contro dieci –, Gui e Tanassi dovettero affrontare il processo: che poi scagionò Gui e condannò Tanassi a due anni e quattro mesi di reclusione. Con lui furono condannati il generale Fanali, i fratelli Lefebvre e Camillo Crociani. Leone, non imputato eppure sempre sovrastato dall'ombra dello scandalo, concluse anticipatamente il suo settennato. Anni dopo, a un intervistatore, Tanassi disse d'essere stato lapidato, lui solo, perché era il più debole. Sostenne di non essersi tenuto nemmeno un soldo, e d'avere incassato per il Partito: «Un capo, tanto più un segretario, occorre che provveda. Provvedeva Togliatti con i suoi giri commerciali all'Est; provvedeva De Gasperi e provvedevano gli altri. Perfino Ugo La Malfa ammise d'aver ricevuto cento milioni per il PRI e nessuno fiatò». «Corrotti per l'ideale, è una consolazione?» gli obiettò l'intervistatore, che era Vittorio Feltri. «Nessuno avrebbe potuto lanciare la prima o la seconda pietra» fu la risposta. Ma sotto la gragnuola c'era rimasto lui, Tanassi.

L'*affaire* numero tre ebbe il nome di Michele Sindona, nato nel 1920 a Patti in provincia di Messina, avvocato con il bernoccolo degli affari che, ritenendo troppo angusta per le sue ambizioni e le sue capacità la scena siciliana, decise d'emigrare a Milano: dove fece molta strada, e si assicurò il controllo d'imprese solide e di buona reputazione come la Pacchetti e la Rossari e Varzi. Poi diventò banchiere impadronendosi della Banca Unione e della Banca privata finanziaria, fuse nella Banca privata italiana. S'era acquistata fama d'infallibile, in campo economico. Aveva l'ammirazione di Andreotti, l'appoggio di molti notabili della politica, legami stretti con la finanza vaticana, conoscenze nell'ambiente mafioso. Era uno squalo che non restava mai fermo, doveva agire e divorare: anche la scena milanese e italiana gli sembrò col tempo asfittica, perciò creò una testa di ponte negli USA con l'acquisizione della Franklin National Bank. All'inizio degli anni Settanta il suo impero incuteva rispetto, timore, molte invidie. Nel 1974 era già andato in pezzi, con la dichiarazione di fallimento della Banca privata italiana. Lo portarono alla rovina sia una sfavorevole congiuntura monetaria – con un veloce degrado del dollaro, sul quale aveva puntato – sia l'opposizione ai suoi disegni da parte di Guido Carli, governatore della Banca d'Italia, e di due personaggi come lui siciliani e come lui milanesizzati: Ugo La Malfa, Ministro del Tesoro, ed Enrico Cuccia, il timoniere di Mediobanca. Quando anche la Franklin precipitò nella bancarotta, e il rigoroso e onesto avvocato Giorgio Ambrosoli si dedicò, come liquidatore, a un esame spietato dei bilanci della Banca privata italiana, la vicenda umana e professionale di Sindona traslocò dall'ambito economico a quello criminale: con l'assassinio dell'avvocato Ambrosoli – 12 luglio 1979 – per mano d'un sicario ingaggiato dal finanziere; con un finto rapimento e ferimento e quindi con un suicidio tentato nel carcere di New York dallo stesso Sindona: infine con il suicidio da lui questa volta realizzato – se suicidio fu – nel carcere di Voghera. Un caffè al cianuro come per Pisciotta, il «picciotto» che aveva «tradito» Salvatore Giuliano. Negli anni di cui ci occupiamo, a cavallo tra il 1975 e il 1976, Sindona annaspava ancora convulsamente per salvare il salvabile, alternando allettamenti e minacce – per Cuccia, per Calvi, per La Malfa, per Ambrosoli e facendo appello ai suoi protettori in Vaticano e nel Palazzo italiano. Ma era finito.

Evitiamo deliberatamente d'occuparci, in questa rassegna di scandali, della P2. Il materassaio d'Arezzo Licio Gelli tesseva già le sue trame, allora. Ma la Loggia massonica segreta, famosa e famigerata, ha raggiunto la celebrità solo in epoca successiva. Non abbiamo voluto appesantire un libro già carico di *flash-back* e d'anticipazioni con un'altra vicenda che ci avrebbe imposto arbìtri cronologici ancor più audaci, e che con i suoi sviluppi e le sue implicazioni successivi avrebbe ingombrato il racconto. Se la *Storia d'Italia* avrà un seguito, Gelli vi troverà la collocazione che gli spetta.

Nel tempo in cui la violenza diventava terrorismo, e in cui il PCI pareva assurgere al ruolo di partito dell'avvenire (sia pure in coabitazione con la DC) il panorama della stampa italiana registrò due importanti novità: la nascita del «Giornale» (25 giugno 1974) e quella di «Repubblica» (14 gennaio 1976). L'una e l'altra furono la risposta alla perdita di prestigio, d'autorità, di credibilità del «Corriere della Sera», che aveva abdicato al tradizionale compito d'interpretare i propositi e le valutazioni della borghesia illuminata, della «brava gente» lombarda, senza riuscire ad essere veramente accettato dallo schieramento «progressista», simpatizzante per la contestazione, indulgente verso il terrorismo «rosso», ansioso d'assistere all'ingresso del PCI nell'area del potere.

Il giudizio sul «Giornale» non spetta ovviamente a noi, che lo abbiamo fatto e seguitiamo a farlo. Ma una cosa ci sembra di poter dire con assoluta certezza: fu la voce che ruppe il coro, ormai intonato tutto a sinistra. E per questo non si badò ai mezzi – dalla calunnia alle pallottole – per tacitarla. Molti di coloro che avevano il coraggio di chiedere il «Giornale» all'edicolante – che spesso lo teneva nascosto – vennero minacciati e talvolta malmenati come «fascisti»: tale era la paura che quel quotidiano faceva al dilagante conformismo, che vince solo quando nessuno gli si ribella. Della qualità del nostro «prodotto» – dal punto di vista organizzativo, tipografico ecc. – giudichi il cosiddetto «consumatore». Ma la limpidità liberal-democratica delle nostre battaglie – quasi tutte andate a segno – non è più oggetto di contestazione nemmeno da parte dei nostri più accaniti avversari della prima ora.

La «Repubblica» nacque per volontà di Eugenio Scalfari, che aveva covato per anni, mentre era direttore dell'«Espresso», il sogno d'avere un suo quotidiano: e possedeva, per realizzare quel sogno, le necessarie qualità di talento giornalistico, di capacità manageriale, d'intraprendenza, di fantasia manovriera nei meandri della finanza e nei corridoi del Palazzo. Nato a Civitavecchia nel 1924, era calabrese d'origine («nei suoi articoli i riferimenti culturali sono quelli del liceo di Vibo Valentia, mentre invece nella politica è diventato uno che chiama al telefono il governatore della Banca d'Italia, e gli parla» ha scritto Giorgio Bocca). Nell'immediato dopoguerra fu prima azionista – in senso politico, allora, non finanziario – poi liberale: anni più tardi, sull'onda della popolarità procuratagli dalla polemica per il «piano Solo», fu deputato socialista. E da ultimo, con «Repubblica», divenne accanitamente antisocialista. Aveva gravitato attorno al «Mondo» di Pannunzio, con cui ruppe per passare ad un diverso stile giornalistico, più aggressivo e insieme più disponibile al variare dei venti.

Ma Scalfari non si preoccupava più che tanto della coerenza: e nemmeno avvertiva sensi di colpa se le sue diagnosi e le sue previsioni si rivelavano clamorosamente infondate. Sapeva di poter uscire trionfante dalle sabbie mobili delle sue contraddizioni, grazie alla vitalità dirompente delle sue iniziative. Citiamo ancora Bocca: «Scalfari ha la capacità di trasformare le scelte opportunistiche ed economiche in convinzioni profonde, sorretto dalla voglia di stare al timone quale che sia il mare». E Alberto Ronchey: «È attratto dal rischio... Non ha mai resistito al piacere di rischiare occupandosi di due argomenti come la Borsa e le trame dei servizi segreti, ai quali invece altri come me sono allergici perché non ci si capisce niente e si può sempre essere strumentalizzati da qualcuno. Insomma è pesca subacquea in acque nere, una specialità che a questo punto ci sembra ammirevole».

Nel progetto di «Repubblica» – attuato unendo le forze dell'«Espresso» a quelle della Mondadori – Scalfari ebbe ben chiaro il «mercato» cui avrebbe dovuto rivolgersi. Il vasto mondo universitario ed extraparlamentare di sinistra, i sessantottini imborghesiti ma non pentiti, i simpatizzanti del PCI che volevano – come lo voleva Scalfari – il compromesso storico, l'«intelligenza» che cominciava ad aver paura del troppo piombo infestante l'Italia, ma non intendeva ammettere d'essersi sbagliata, e poi la massa dei tanti che, pur avendo pochi scrupoli, o nessuno, nei loro comportamenti civici, ritenevano di riabilitarsi impugnando un foglio «progressista».

«Repubblica» procedette sempre meno sbilanciata verso l'eversione, perché gli avvenimenti sconsigliavano d'esserlo, sempre più tenace nel volere la realizzazione d'un accordo tra il PCI e i cattolici – in particolare la sinistra democristiana – e l'emarginazione del PSI di Craxi. Della nascita e dello sviluppo di «Repubblica», Scalfari ha fatto, nel suo libro *La sera andavamo in via Veneto*, un racconto legittimamente orgoglioso. In un passaggio egli si è occupato anche del «Giornale», e ha creduto di poter spiegare perché, diversamente da «Repubblica», altre testate «alcune delle quali inizialmente assai più prestigiose della nostra non siano state in grado d'intercettare i mutamenti del mercato. Il modesto successo del "Giornale"... ne è la prova evidente». Con il termine «mercato» Scalfari ha centrato il problema. Come uomo di marketing egli è imbattibile. I traguardi della diffusione e dei bilanci in attivo, che sono, intendiamoci, della massima importanza, «Repubblica» li ha pienamente raggiunti. «Il Giornale» ha raggiunto quelli suoi: che erano di tutt'altro genere. Si trattava di dare speranza e rappresentanza a quegli Italiani spauriti che assistevano con sgomento alla protervia estremista, alla crescita del terrorismo, e insieme alla rassegnazione o alla fuga in campo avverso di chi avrebbe dovuto battersi per impedire questo degrado. Quegli Italiani ebbero voce nel «Giornale», e l'ebbero nei commenti che il direttore e i redattori del «Giornale» facevano da Telemontecarlo. Articoli e commenti che ricalcano quelli d'allora sul «Giornale» e su Telemontecarlo, li leggiamo e ascoltiamo, ora, dovunque. Ora che non espongono più a nessun rischio.

CAPITOLO DODICESIMO

LA NON SFIDUCIA

Il 20 giugno 1976 gli Italiani avevano votato ancora massicciamente per la DC, sia pure «turandosi il naso», e avevano votato massicciamente anche per il PCI, senza tuttavia consentire ai comunisti quel sorpasso che per molti era nell'aria. Moro aveva lasciato le redini del governo, ma dalla sua poltrona di presidente della DC rimaneva il supremo timoniere – tanto più forte essendo la sua personalità di quella del segretario Zaccagnini – d'un partito rinvigorito.

Quanto lo fosse, si poté constatarlo allorché, durante la discussione in parlamento per lo scandalo Lockheed, Moro andò ben oltre una difesa d'ufficio degli uomini suoi che nello scandalo erano, o venivano ritenuti, implicati. Attaccò: «Noi non ci faremo processare sulle piazze. Se avete un minimo di saggezza della quale, talvolta, si sarebbe indotti a dubitare, vi diciamo fermamente di non sottovalutare la grande forza dell'opinione pubblica, che da più di trent'anni trova nella DC la sua espressione e la sua difesa».

Il compito di ricostituire, dopo il responso popolare, il governo fu affidato ad Andreotti, che in uno dei suoi tanti trasformismi era diventato – lui la bestia nera delle sinistre per tanti anni – l'interprete d'una sterzata di prima grandezza. La sterzata che, per la prima volta dopo il

1947, avrebbe riportato il PCI nell'area della maggioranza. Si parlò, per quello di Andreotti, d'un ennesimo governo balneare, ma lui replicò di non avere «nessuna intenzione di fare il bagnino».

Eppure si trovava in acque difficili. Sapeva di dover accettare l'appoggio comunista al suo governo: e nello stesso tempo sapeva che gli alleati dell'Italia sorvegliavano con molta attenzione lo sviluppo degli avvenimenti. I cambiamenti del PCI, il riconoscimento, da parte di Berlinguer, che la NATO era per l'Italia un ombrello utile, non avevano dissipato i sospetti. In uno dei periodici convegni dei sette Paesi più industrializzati dell'Occidente, questa volta a San Juan di Portorico, Aldo Moro – tuttora in carica in attesa del nuovo governo – aveva portato le sue assicurazioni prolisse. Ma da una dichiarazione di Helmut Schmidt resa nota il 19 luglio 1976 si seppe che, assenti gli Italiani, Ford e Kissinger per gli USA, Schmidt per la Germania Federale, Callaghan per la Gran Bretagna e Debré per la Francia avevano tenuto una riunione durante la quale era stato deciso che l'Italia non avrebbe avuto né un dollaro né alcuna altra forma di aiuto se i comunisti fossero entrati nel governo.

L'eco fu, in Italia, enorme. Ha scritto Arturo Gismondi nel suo *Alle soglie del potere*: «Che a Portorico si discutesse dell'Italia, a una settimana dalle elezioni che avevano visto crescere di tanto la presenza comunista, e che avrebbero reso difficile la formazione di un governo senza il PCI, era da prevedere. Che della cosa si discutesse in assenza degli Italiani... quasi a dettare condizioni alle quali Moro e i suoi collaboratori dovevano sottostare al loro ritorno in Italia non era affatto pacifico, e doveva ritenersi una umiliazione inflitta ai nostri politici. L'imbarazzo apparve subito evidente. Qualche giorno dopo l'apparizione delle notizie sulla stampa italiana, Moro rilasciava una dichiarazione che in pratica confermava quelle di Schmidt... Moro stesso esprimeva disappunto... e affermava l'estraneità del governo italiano alle intese intervenute fra gli alleati. Manifestava infine "stupore e vivo rincrescimento per il fatto che governi amici abbiano trattato, sia pure marginalmente, i problemi italiani in occasione di una riunione alla quale l'Italia non era stata invitata"».

Sorvegliata speciale in politica, l'Italia lo era anche in economia. Il Fondo monetario internazionale esigeva, per darle una mano, che fosse messo un po' d'ordine nei conti pubblici e che l'inflazione, calcolata ufficialmente al 17 per cento ma da molti valutata attorno al 25, fosse ricondotta al di sotto delle due cifre. S'erano avuti segni di ripresa dell'economia. Il prodotto nazionale lordo, che nel 1975 aveva fatto registrare un decremento di circa il 4 per cento, aveva riguadagnato il segno più: e l'aumento, per il 1976, sarebbe stato del 5,5, il terzo in ordine di grandezza del decennio '70-79. La bilancia dei pagamenti era in passivo in misura meno traumatica che nel '74 e nel '75. Oltretutto, le cifre erano probabilmente distorte dall'esistenza d'una economia sommersa sempre più capillarmente diffusa e sempre più potente: incentivata dalle rigide norme poste per i licenziamenti. Cosicché anche le allarmanti percentuali della disoccupazione giovanile – il 14,4 per cento dei giovani tra i quindici e i ventiquattro anni risultava senza lavoro – dovevano essere riviste alla luce di questa anomalia. Quel che mancava, per dare una spinta decisa alla ripresa, era un contesto politico e sociale che potesse ispirare – all'interno e all'esterno – una qualche tranquillità.

Per averla, Andreotti escogitò un inedito: la non sfiducia. Espediente politico e terminologico degno di stare alla pari con le «convergenze parallele». I comunisti non avrebbero votato a favore, si sarebbero astenuti, con ciò stesso consentendo la vita del monocolore che fu messo insieme alla meglio, che contava ben sessantanove Ministri e sottosegretari, e che vedeva ai posti di maggiore responsabilità alcuni notabili affermati, e qualche esordiente: Forlani agli Esteri, Cossiga agli Interni, Lattanzio alla Difesa tra i veterani, Pandolfi alle Finanze e Tina Anselmi al Lavoro tra le reclute: e in più un paio di tecnici (Stammati al Tesoro, Ossola al Commercio estero).

Nulla di interessante, così come non ci fu nulla di interessante nel discorso con cui Andreotti presentò il suo governo: tranne il modo elusivo e riduttivo con cui il Presidente del Consiglio volle far digerire al parlamento e al Paese un'operazione che era tutt'altro che incolore e indolore. La non sfiducia era una formula ambigua che consentiva di aggregare il PCI alla maggioranza, senza confessarlo. «Insomma» spiegò maliziosamente Giancarlo Pajetta «è quella cosa che noi non gli diamo [ad Andreotti, N.d.A.] ma a lui va bene lo stesso.» In Senato, dove l'astensione era equiparata, per regolamento, al voto contrario, i comunisti dovettero addirittura uscire dall'aula, quando si trattò di approvare il governo.

A compenso della loro non sfiducia, dove la doppia negazione valeva un'approvazione, i comunisti ebbero la Presidenza della Camera, dove s'insediò Pietro Ingrao, mentre Fanfani aveva la Presidenza del Senato. Pertini dovette lasciare la sua poltrona di Montecitorio, non perché avesse demeritato (anzi) ma perché il patto tra DC e PCI ridava a un comunista – e bisognava riandare a Umberto Terracini, Presidente della Costituente, per trovare un precedente – una delle massime cariche dello Stato.

Ad analoghi criteri si ispirò la ripartizione delle presidenze delle commissioni del Senato e della Camera: ne toccarono dieci ai democristiani, sette ai comunisti, cinque ai socialisti, le altre a repubblicani e socialdemocratici. Nilde Iotti ebbe un ulteriore avanzamento nel suo *cursus honorum* con la presidenza della Commissione affari costituzionali della Camera. Così ottenne via libera il governo che da Andreotti fu immaginosamente qualificato «programmatico di servizio».

L'intera operazione, premessa alla «solidarietà nazionale» che avrebbe anche formalmente inserito il PCI nella maggioranza, ebbe un sicuro perdente, il PSI: privato della sua indispensabilità, ridotto a un ruolo accessorio. E questo, paradossalmente, proprio in un periodo storico nel quale – nonostante le mattane o le mattanze estremiste – la posizione socialista o addirittura socialdemocratica risultava chiaramente vincente, per risultati e coerenza, rispetto alla concezione comunista.

Vi fu anche una sicura vincente, la DC che aveva catturato il PCI senza subire nessuno di quei traumi, interni o internazionali, che da quella cattura potevano derivare. La sua era una vittoria soltanto politica, o piuttosto di cucina politica: perché sul piano delle cose concrete il Paese stava andando di male in peggio. Ma la cucina politica sta al sommo d'ogni preoccupazione, per i notabili del Palazzo: che dunque furono, in casa democristiana, soddisfatti.

Più articolate e incerte le reazioni comuniste. Anni dopo, commentando la fine della politica di collaborazione tra DC e PCI, Fabrizio Cicchitto, citato da Gismondi, fu aspro: «Nel momento in cui il PCI era più forte, subito dopo il voto del 20 giugno (1976), il suo atteggiamento nei confronti della DC fu più debole e arrendevole. Viceversa, quando ormai i rapporti di forza erano mutati in favore della DC, cioè verso la fine dell'esperienza di quasi-governo, il PCI recuperò una durezza che però servì, a quel punto, solo a sancire la rottura e la sconfitta».

C'è del vero in questa diagnosi. Ma Berlinguer perseguiva un disegno ampio: quello eurocomunista – con avvicinamenti al francese Marchais e allo spagnolo Carrillo, e con ardui esercizi d'equilibrio per mantenere, nonostante tutto, buoni rapporti con Mosca – e quello del compromesso storico, anche se via via battezzato in altri modi. L'avvicinamento comunista al governo implicava una collaborazione comunista alle misure di austerità economica che la situazione imponeva. Ci fu la rituale «stangata» con l'aumento di prezzo dei prodotti petroliferi, e con l'elevazione del tasso di sconto dal 12 al 15 per cento. Fu inoltre deliberato che il finanziamento in valuta dei crediti all'esportazione passasse dal 30 al 50 per cento, e che fosse obbligatorio un deposito vincolato infruttifero per gli acquisti di divise estere. Prima della metà d'ottobre si ebbe la stangata bis. Abolizione di alcune festività, aumento della benzina, dei fertilizzanti, del bollo sulle auto diesel, delle tariffe ferroviarie e postali. Per i redditi superiori a sei milioni annui la contingenza fu congelata per il cinquanta per cento (anziché denaro, venivano dati Bot) e per i redditi al di sopra degli otto milioni il congelamento fu del cento per cento. Infine arrivò la stangata *ter*, con gli aumenti di altri prodotti e delle assicurazioni auto nonché delle tariffe elettriche e telefoniche. I sindacati accettarono che gli aumenti dell'indennità di contingenza fossero esclusi dal calcolo delle liquidazioni.

A medio raggio, queste misure ebbero senza dubbio un effetto positivo. Esse rientravano nella logica economica, e dunque nell'ottica dei partiti – a cominciare dalla DC – che tradizionalmente erano «di governo»: rientravano assai meno nella logica «storica» dei comunisti, accusati da molti – alla loro sinistra, e nelle loro stesse file – di avere imposto sacrifici ai lavoratori in cambio di contropartite soltanto politiche, ossia di posizioni di potere.

Le difficoltà di Berlinguer e del suo gruppo dirigente furono ammesse da Giorgio Napolitano: «Non ci possiamo nascondere» disse «che esistono nelle nostre file, tra le masse dei nostri compagni, dei nostri iscritti, dei lavoratori che ci seguono... resistenze pesanti. Le resistenze nascono da residui, che in questo momento vengono alla luce in modo piuttosto evidente, di una vecchia politica di tipo oppositorio, negativo e protestatario. Se non facciamo i conti con queste resistenze e con questi residui non può andare avanti la nostra linea nei confronti del governo Andreotti». Il mutamento d'indirizzo era netto, e per tanta parte della militanza comunista inaccettabile. Giorgio Amendola si spinse fino a riconoscere che «ogni volta che si annuncia la chiusura di una fabbrica i lavoratori cominciano ad occuparla per richiedere l'intervento dello Stato, cioè per accrescere la zona economica assistita dallo Stato... bruciando nel mantenimento di situazioni economicamente arretrate capitali pubblici».

Il PCI, approdato nell'area del potere, rinnegava così non solo gli slogan di piazza, ma anche le impostazioni cosiddette «scientifiche» dell'autunno caldo. La cui parziale e non molto convinta difesa fu presa dalla sinistra ingraiana e anche dal vecchio Luigi Longo, che rispolverò le tesi classiche (e classiste): «I milioni di simpatizzanti ed elettori comunisti non si aspettano dai comunisti un avallo al ripristino del predominio dei gruppi monopolistici cui si deve la crisi attuale». Berlinguer si sforzò di conciliare gli opposti, con una enunciazione che voleva spiegare tutto, e non spiegava nulla: «Il nostro atteggiamento non è di sostegno [del governo Andreotti, N.d.A.] come alcuni insinuano malignamente. Noi ci limitiamo a sostenere di volta in volta, ma lealmente e responsabilmente, soltanto quei provvedimenti che ci sembrano giusti e necessari». Senonché analoghi provvedimenti, in situazioni che avrebbero richiesto interventi altrettanto incisivi, erano stati bollati dal PCI come antipopolari, biecamente reazionari, e da combattere nel parlamento e in piazza.

In verità si trattava di ben altro che di assensi motivati a provvedimenti singoli. Il PCI – tra un serpeggiare continuo di malumori interni e di fermenti sindacali – partecipò alla formulazione, con DC, PSI, PSDI e PRI, d'un «programma comune», che era un insieme di benintenzionati e affastellati propositi risanatori, quelli che non vengono mai negati all'elettorato, in vista d'una consultazione elettorale, e che sono sistematicamente rinnegati subito dopo. Ai loro militanti e simpatizzanti Aldo Moro ed Enrico Berlinguer davano – l'ha notato Arturo Gismondi – una spiegazione quasi identica. «Le cose sono» asseriva Moro «tanto fragili che un'opposizione a fondo, da chiunque condotta, andrebbe al di là della normale dialettica, e rischierebbe di spaccare il Paese, di portarlo alla rovina.» E Berlinguer: «Il Paese nella sua fase attuale non è in grado di sopportare che uno dei due grandi partiti si schieri all'opposizione. Se la DC o il PCI decidesse di mettersi all'opposizione il quadro democratico si romperebbe». La solidarietà nazionale, per il momento realizzata con l'espediente della «non sfiducia», era dunque ineluttabile. Un'attrazione fatale, o una congiunzione fatale tra i due maggiori partiti, discendeva dai fatti. Senza di essa era – per usare il linguaggio di Nenni – il caos.

Se non del caos, certo d'un disordine crescente, che poteva diventare straziante e avvilente paralisi, s'erano avuti e si avevano segni sempre più evidenti, soprattutto nell'ordine pubblico. La primavera del 1975 era stata a Milano, capitale dell'eversione, tremenda. Il 13 marzo 1975 un *commando* di Avanguardia operaia aveva massacrato a colpi di chiave inglese lo studente diciassettenne Sergio Ramelli, aggredito sotto casa sua all'Ortica (un quartiere periferico milanese) mentre parcheggiava il ciclomotore. Ramelli era un simpatizzante dell'estrema destra: per questo nell'istituto tecnico industriale Molinari, dove studiava, l'avevano sottoposto a un «processo» assembleare, e costretto a cambiare scuola. I fanatici che lo perseguitavano non ne furono appagati. Radunatisi nei locali della facoltà di medicina dell'Università Statale – dove la facevano da padroni – decisero di «dare una lezione» al ragazzo. La «lezione» gli costò la vita, Ramelli morì dopo oltre un mese di agonia (elementi della stessa Avanguardia operaia assalirono con bottiglie Molotov, biglie, spranghe un bar milanese frequentato dai «neri», e di «neri» o presunti tali ne ferirono seriamente sette). Nei covi dell'eversione si auspicò che la marcia rivoluzionaria annoverasse «cento, mille, centomila Ramelli». Morti, ovviamente.

Dieci anni dopo l'agguato a Ramelli i suoi uccisori furono individuati e arrestati: alcuni resero piena confessione. Erano quasi tutti ex studenti di medicina che, approdati alla laurea, avevano per lo più trovato posto in strutture sanitarie pubbliche. Professionisti rispettati, con famiglia, anche se uno di loro era rimasto in politica, come dirigente di Democrazia proletaria. Le condanne furono abbastanza severe: dagli undici anni per i «capi» della squadraccia a sei anni per i gregari. Così come per l'omicidio di Calabresi, anche per questo di Ramelli apparve scioccante, negli imputati, l'apparente estraneità psicologica e anche ideologica alla cieca e sanguinaria furia del tempo in cui imperava la legge della chiave inglese.

Il 16 aprile successivo (1975) un neofascista noto, Antonio Braggion, uccise con un colpo di pistola uno studente – anche lui, come Ramelli, diciassettenne – Claudio Varalli. Quasi tutta la stampa invocò una pena durissima, e quando fu pronunciata la sentenza la sinistra protestò rumorosamente perché era stata – sostenne – troppo mite. I fatti furono così ricostruiti: un gruppo di studenti reduci da una manifestazione contestataria aveva avvistato, in piazza Cavour a Milano, tre neofascisti: due erano scappati, il terzo, appunto il Braggion, oltretutto impedito nei movimenti perché zoppicava, s'era rifugiato nella sua auto, parcheggiata lì vicino. Il gruppo gli era piombato addosso, ed aveva cominciato a tempestare con le aste delle bandiere o con altro la vettura, infrangendone il lunotto posteriore. Allora il terrorizzato Braggion, che teneva una pistola nell'auto, l'aveva impugnata e aveva sparato centrando uno degli assalitori, appunto Claudio Varalli. Questo era tanto vero che la Corte d'Assise inflisse in primo grado al Braggion cinque anni per eccesso colposo di legittima difesa e cinque per possesso abusivo d'arma: in secondo grado la condanna fu di tre anni e tre mesi, per gli stessi reati. I giudici seppero resistere ad una pressione politica, di stampa e di piazza, che avrebbe voluto fosse disconosciuto il fatto, evidente, che l'omicida non aveva aggredito, ma era stato aggredito.

Fu invece inequivocabilmente volontario e «nero» l'assassinio di Alberto Brasili, il 25 maggio 1975, in piazza San Babila, che era a Milano l'area privilegiata del peggior neofascismo. Brasili, uno studente che militava alla sinistra estrema, fu circondato da una pattuglia di forsennati *ultras* di destra. Uno di loro l'accoltellò, a morte. L'episodio era esecrabile. Ma non per questo diventano credibili i commenti, come quello del «Corriere», secondo i quali «chi ammazza deliberatamente, chi disprezza la vita altrui, chi è pronto a usare la pistola e il coltello, sono i fascisti». Anche i fascisti. Ma non solo loro.

Il capitolo della violenza restava dunque dolorosamente aperto. Ci s'illuse invece per un momento che il capitolo del terrorismo potesse essere chiuso dal nuovo e definitivo arresto di Renato Curcio (il 18 gennaio 1976), insieme a Nadia Mantovani, a Milano. Purtroppo, lo si è già rilevato, la cattura di Curcio segnò soltanto la fine d'una fase del terrorismo, la meno cruenta e feroce.

Nello scontro a fuoco con la polizia, a conclusione del quale fu preso con le armi in pugno, Curcio rimase ferito. Ferito anche il brigadiere dei carabinieri Lucio Prati. Sfuggì invece alla trappola tesa dal generale Dalla Chiesa Mario Moretti, che era, insieme a Semeria, Bonisoli e Azzolini, al vertice delle BR. Azzolini spiegò successivamente: «Dopo Sossi, dopo la Spiotta [la cascina dove Curcio e Margherita Cagol s'erano rifugiati, N.d.A.], dopo la caduta di tanti compagni, con le forze regolari ridotte a quindici persone, Moretti Bonisoli e io facemmo una lunga riflessione e arrivammo a questa alternativa: qui, o questa guerra la facciamo sul serio, o tanto vale piantarla. Qui o ci mettiamo in testa di vincere o siamo vinti in partenza. Presa la decisione militare e strategica di fare la guerra allo Stato, sul serio, per vincerla, tutto ne conseguì, l'analisi politica compreso il SIM, o Stato imperialista delle multinazionali [la sigla SIM era stata ideata da Curcio nelle sue elucubrazioni teoriche,

N.d.A.], diventava un corollario e una giustificazione della macchina militare, della ferocia dello scontro, del pesante lavoro».

Le BR erano allo stremo, e il giudice torinese Gian Carlo Caselli le considerava liquidate. In agonia erano i NAP, o Nuclei armati proletari, nei quali s'era realizzata una singolare simbiosi tra studenti di famiglia borghese ed emarginati dei «bassi» del profondo Sud. Ma nasceva Prima linea, e il Movimento studentesco, in una sua recrudescenza fanatica e spietata, prendeva i connotati particolarmente truci di Autonomia. I cortei erano ormai reparti di armati, che reagivano agli interventi della polizia sparando e uccidendo. Se la polizia a sua volta sparava e uccideva, la sinistra intellettuale si mobilitava, per denunciare la repressione. «Attento poliziotto / è arrivata la compagna P 38.» E anche: «Non siamo un centinaio di teppisti / ma migliaia di buoni comunisti / Gui e Tanassi sono innocenti / siamo noi i veri delinquenti».

Questa trasformazione del Movimento fu realizzata nella primavera del 1977: gli eversori presero di mira anche il PCI, che da incendiario s'era fatto pompiere. La conversione s'era attuata in breve tempo. Ancora nel febbraio 1975, a un Convegno su «Sicurezza democratica e lotta alla criminalità» organizzato da un Centro studi d'ispirazione comunista, Ugo Spagnoli aveva detto che «il nostro Paese, dal 1969, è oggetto di una offensiva terroristica, squadristica e teppistica, da parte di gruppi, associazioni e forze fasciste che hanno cercato di gettarlo nel caos, di seminare panico, di creare lo smarrimento nelle coscienze degli Italiani, in modo da far saltare i cardini del regime democratico e da spostare nettamente a destra l'asse della vita politica nazionale». Era la solita tesi delle sinistre, impermeabile all'evidenza dei fatti che quotidianamente e clamorosamente la smentivano. Fin quando a smentirla non provvidero gli stessi brigatisti.

Il legame tra PCI e BR era stato a lungo stretto, anche se sotterraneo. Dichiarò Franceschini, uno dei fondatori delle BR: «Il Partito comunista sapeva bene chi eravamo, sapeva che la maggioranza di noi proveniva dalle sue file e che alcuni, con la tessera in tasca, frequentavano ancora le sezioni». Il Partito armato, falcidiato nei ranghi, feriva, gambizzava, assassinava. Il 29 aprile 1976, a Milano, militanti di Autonomia operaia che stavano creando le strutture di Prima linea ammazzarono il consigliere provinciale missino Enrico Pedenovi. L'8 giugno 1976, dodici giorni prima delle elezioni politiche dalle quali l'estrema sinistra s'attendeva grandi affermazioni, non ottenendone invece niente, furono abbattuti nel centro di Genova il procuratore generale della Corte d'Appello Francesco Coco e i due carabinieri della sua scorta. La rivendicazione collegò esplicitamente l'assassinio alla imminente prova elettorale: «Il 20 giugno si potrà solo scegliere chi realizzerà lo Stato delle multinazionali, chi darà l'ordine di sparare ai proletari. Chi ritiene oggi che per via elettorale si potranno determinare equilibri favorevoli al proletariato... indica una linea avventuristica e suicida. L'unica alternativa al potere è la lotta armata per il comunismo». I NAP, nel loro ultimo conato di vitalità, attentarono il 14 dicembre a Roma ad Alfonso Noce, un dirigente dei servizi di sicurezza che se la cavò con qualche ferita. Morirono invece l'agente Prisco Palumbo e il nappista Martino Zichitella. L'indomani a Sesto San Giovanni si ebbe uno scontro a fuoco tra brigatisti e polizia. Walter Alasia rimase ucciso dopo aver freddato il vicequestore Antonio Padovani e il maresciallo Sergio Bazzega. Alasia era stato sorpreso in casa sua: vi si era tappato, secondo quanto fu scritto da chi ne condivideva le idee, perché «nei giorni della più dura repressione cerca dove dormire, ma tutte le porte si chiudono o lui non si fida più di nessuno». Ai funerali lo commemorò Enrico Baglioni che – ha scritto Giorgio Galli – «alla Magneti Marelli ha un tale sostegno operaio da risultare secondo eletto al consiglio di fabbrica».

Le BR, che avevano sparato il più delle volte per ferire, non per ammazzare (tra i molti gambizzati vi fu anche il 2 giugno 1977, a Milano, uno degli autori di questo libro, Indro Montanelli) avevano «alzato il tiro» (lo annunciarono esplicitamente): facevano fuoco, ormai, per uccidere, e infatti dopo Coco assassineranno a Torino (16 novembre l'attentato, morirà il 29 novembre) il vicedirettore della «Stampa», Carlo Casalegno.

«La scelta dei bersagli» ha scritto Galli «è chiara: dirigenti aziendali, spesso indicati dagli stessi operai che utilizzano le BR per rompere la disciplina di fabbrica; rappresentanti della DC...; medici e giornalisti accusati di mettere la loro capacità professionale al servizio dell'antiguerriglia.» In alcune scuole medie superiori e università si alzavano applausi all'annuncio di queste gesta. Terroristi noti potevano «entrare alla mensa della Marelli e sedere, ammirati come i moschettieri del re, al tavolo delle impiegate». Uno dei dirigenti di Prima linea ricordò che «a Salò abbiamo discusso praticamente in pubblico». Non avevano subìto alcuna sanzione estremisti che, ostentando le loro armi, sfilavano nei cortei al grido «Basta coi parolai, armi agli operai», e Luciano Lama era stato violentemente contestato, il 17 febbraio 1977, all'Università di Roma, dove aveva voluto tenere un comizio agli studenti che l'occupavano.

Se la polizia irrompeva a Radio Alice, dai cui studi erano state date, durante una tumultuosa manifestazione a Bologna, istruzioni per la guerriglia, la intellettualità «progressista» si mobilitava, protestando contro la repressione. Nel bilancio di sangue degli anni di piombo vanno annotati, a fianco delle vittime di attentati, i morti e feriti in scontri di piazza o durante operazioni di polizia: morti e feriti che una visione manichea attribuiva infallibilmente alla polizia (la cui sola presenza era «provocazione») o alla nequizia dei neofascisti (che erano in alcuni specifici settori di alcune specifiche città attivi e violenti, se del caso assassini, ma che in gran parte del Paese avevano la ferocia disperata di animali presi in trappola).

Dopo che Lama era stato svillaneggiato a Roma (tra gli autonomi che si accanirono di più erano Antonio Savasta ed Emilia Libera, pronti a passare al partito armato) divampò, il 12 e il 13 marzo 1977, una sorta di insurrezione studentesca e giovanile, con saccheggi di armerie e di ristoranti, espropri proletari. A Bologna si ebbe la morte di Francesco Lorusso, dirigente di Prima linea, e forse per vendicarlo venne ucciso a Torino il brigadiere Giuseppe Ciotti. Il 22 marzo a Roma l'agente Claudio Graziosi fu freddato mentre tentava di arrestare Maria Pia Vianale, e nello scambio di colpi d'arma da fuoco tra i compagni di Graziosi e l'assassino restò colpita a morte una guardia zoofila, Angelo Cerrai.

Il 22 aprile, un poliziotto che sorvegliava uno dei tanti cortei minacciosi del momento fu ucciso, e tre suoi colleghi feriti. Dal Viminale Cossiga decise di non consentire altre manifestazioni: non intendeva permettere «che i figli della borghesia romana uccidessero i figli dei contadini del Sud» (era, ancora una volta, la contrapposizione tra studenti e agenti, già fatta da Pier Paolo Pasolini per

213

Valle Giulia). Nonostante la proibizione il Partito radicale volle ugualmente inscenare una manifestazione per celebrare il terzo anniversario della vittoria nel *referendum* per il divorzio, e la polizia fece fuoco – fu costretta a far fuoco, dissero i responsabili dell'ordine pubblico – uccidendo la studentessa Giorgiana Masi: dal che derivarono altre manifestazioni, in tutta Italia. In una di esse, a Milano (14 maggio) fu ucciso il brigadiere Antonino Custrà. Scopo specifico della dimostrazione milanese era di protestare contro l'arresto di due avvocati di Soccorso rosso. I gruppi di guerriglieri s'erano trasferiti, dalla zona del carcere di San Vittore, alla via De Amicis, e lì un fotografo dilettante aveva fissato in una terribile istantanea l'immagine d'uno dei terroristi – il passamontagna sul volto, la pistola impugnata con entrambe le mani – che sparava, mirando accuratamente, contro la polizia. Le pagine di cronaca del «Corriere della Sera» rifiutarono quello straordinario documento, senza dubbio perché ritenuto diffamatorio nei riguardi dei bravi ragazzi esuberanti e intemperanti che si permettevano qualche libertà con la polizia. Più tardi risultò che lo sparatore, identificato, non poteva essere l'assassino di Custrà, e ciò bastò a farne, per alcuni, una sorta di innocente perseguitato.

Poiché s'è accennato a Prima linea, converrà dare qualche ragguaglio su questa nuova formazione del partito armato presto diventata, con le BR, la più pericolosa e spietata. I suoi ideologi s'erano formati in fabbrica – in particolare alla Magneti Marelli e alla Telettra di Crescenzago – oppure provenivano dalle esperienze di Lotta continua e di Autonomia. Riconoscevano insomma come maestri di pensiero e di azione politica Adriano Sofri, Toni Negri, Oreste Scalzone, Franco Piperno. Nell'autunno del 1976 alcuni militanti di secondo rango avevano scalzato i capi e deciso il salto al terrorismo, incluso l'assassinio. Tra questi «sergenti» ribelli che avevano preso il comando erano a Torino Marco Donat Cattin, figlio del Ministro democristiano, e Roberto Sandalo. Entrambi avevano fatto il loro apprendistato di violenza buttando bombe Molotov in manifestazioni studentesche (Prima linea aveva infatti una stretta parentela con il «Movimento '77»). A Firenze, nel maggio del 1977, era stata definita la struttura gerarchica dell'organizzazione, che firmerà poi diverse «rivendicazioni».

Le forze dell'ordine, che non erano state capaci – o a cui era stato impedito – di stroncare i primi conati terroristici nel 1972, che non avevano dato il colpo di grazia alle sconfitte Brigate rosse nel 1976, agirono senza risolutezza anche contro Prima linea, cui venivano accreditati, o che si accreditava, duemila militanti variamente armati a fine 1977. Ha scritto Giorgio Galli: «Se Marco Donat Cattin (comandante Alberto) può continuare a fare il bibliotecario all'istituto Galileo Ferraris, prendendo regolari permessi per le azioni armate, se Roberto Sandalo, noto da anni alla polizia, può addirittura frequentare la qualificata Scuola allievi ufficiali alpini [di Aosta, N.d.A.], diventare ufficiale e come tale trasportare armi per la lotta clandestina... se leader di PL come Galmozzi, Borelli, Scavino, arrestati a maggio subito dopo la formalizzazione dell'organizzazione, tornano presto in libertà; se altri (come Rosso e Libardi) sono liberati due mesi dopo l'omicidio di Moro e Baglioni addirittura durante il suo sequestro. Se tutto questo avviene tra il maturare del movimento del 1977 e la svolta rappresentata dall'operazione Moro, non è perché servizi di sicurezza e magistratura non sappiano che il partito armato si sta formando e non abbiano individuato molti suoi leader.

La spiegazione è un'altra, molto complessa». Galli la riassume, attribuendo le inerzie, le omissioni e le indulgenze delle forze dell'ordine ad un preciso orientamento della magistratura, cui erano sottoposte: «L'inaffidabilità della classe politica appariva tale che la magistratura riteneva di non poter disporre di strumenti per colpire i terroristi (i moderati) o ne considerava con indulgenza le iniziative (i progressisti)». Vale a dire che la lotta al terrorismo era per una parte dei giudici inutile, e per un'altra dannosa. Perché allora la polizia e i carabinieri avrebbero dovuto prodigarsi per andare a catturare i terroristi che sparavano? Con l'altro rischio – se qualcuno dei terroristi ci lasciava la pelle – d'essere crocifissi dalle belle anime di sinistra? Quando alcuni militanti di Prima linea furono portati davanti alla Corte d'Assise di Torino, nel marzo del 1979, le sentenze furono miti, e il perché della mitezza fu motivato: «Non vi è notizia alcuna attraverso le risultanze processuali che gli imputati o alcuni di essi fossero inseriti o anche soltanto collegati con l'organizzazione di Prima linea. Non si può certo affidare a vaghe e disinformate dichiarazioni dei tre imputati predetti, senza serio altro riscontro, la prova della esistenza e della operatività di una organizzazione con carattere di efficienza e di pericolosità».

Le prove sarebbero venute, e anche i ravvedimenti di chi aveva il dovere di prevedere e provvedere, e non aveva fatto né l'una né l'altra cosa. Ma ci voleva, perché tutto cambiasse, il sequestro e l'assassinio di Aldo Moro.

CAPITOLO TREDICESIMO

VIA FANI

Alla fine del 1977 il governo andreottiano della non sfiducia denunciava irreversibili sintomi di deterioramento. Il clima sociale rimaneva inquieto, il collasso dell'ordine pubblico era sempre più vistoso, il PCI alzava il prezzo della sua collaborazione e altre formazioni politiche – i repubblicani e i socialisti in particolare – si dichiaravano disposte a favorirne l'ingresso nel governo, o almeno la formale partecipazione alla maggioranza.

A Mosca, in occasione dei festeggiamenti per il sessantesimo anniversario della Rivoluzione d'ottobre, Berlinguer pronunciò il 2 novembre un discorso che a Brežnev sicuramente non piacque, ma che ebbe echi favorevoli in Italia. Il segretario comunista disse con chiarezza che la democrazia doveva considerarsi «il valore storicamente universale sul quale fondare un'originale società socialista», e che lo Stato, anche uno Stato socialista, avrebbe dovuto avere un carattere non ideologico e assicurare «tutte le libertà personali, civili e religiose».

Erano concetti enunciati, almeno in parte, anche nelle costituzioni comuniste: ma che l'Est considerava acquisiti e consolidati, nella molto particolare applicazione che essi avevano al di là del «muro». Il fatto che un leader comunista li riproponesse come conquista futura, non come realtà operante, attestava quanto grande fosse, nell'Impero di Mosca, il divario tra teoria e pratica. Era insomma, quella di Berlinguer, non solo la convalida della democrazia formale, a lungo irrisa dai comunisti, ma la implicita denuncia delle trasgressioni antidemocratiche perpetrate nel Paese del socialismo reale.

Lo «strappo» di Berlinguer accrebbe il culto che l'«intelligenza» italiana gli tributava, e che stava assumendo connotati quasi sacrali, e a volte grotteschi. S'era avuta a Roma, il 2 dicembre 1977, una grande adunata di metalmeccanici, ribollente di slogan antigovernativi e di accuse ai «padroni». Nel corso di essa Pierre Carniti aveva minacciato «decisioni di lotta», incluso lo sciopero generale, se le attese dei lavoratori non fossero state soddisfatte. Due giorni dopo una vignetta di Forattini mostrava Berlinguer che, seduto in vestaglia e pantofole nel confortevole salotto borghese di casa sua, beveva il tè sotto un ritratto di Marx, infastidito (Berlinguer, non Marx) dalle urla dei metalmeccanici. L'autorevole Paolo Spriano s'indignò per quella satira cattiva, e ammonì: «Avete un'idea della vita di sacrificio, di passione rivoluzionaria, di tensione politica e morale di un dirigente comunista come Berlinguer?». Con piena ragione Eugenio Scalfari, sul cui quotidiano la vignetta era stata pubblicata, replicò con un articolo dal titolo *Berlinguer non è la Madonna*. Ma ci mancava poco, stando agli elogi che gli tributavano i suoi ammiratori, tra i quali si contavano alcune firme giornalistiche accreditate, a torto o a ragione, d'una certa autorevolezza. Perfino il sottile Vittorio Gorresio, in una biografia di Berlinguer, gli diede merito d'una straordinaria precocità rivoluzionaria. A otto anni, secondo Gorresio, aveva partecipato a una protesta contro la scarsità di servizi a Stintino. Un Mozart della rivolta sociale.

Lo sfaldamento della «non sfiducia» ebbe la gradualità

molesta e inarrestabile d'ogni crisi italiana. Ugo La Malfa invocava un governo di emergenza, Craxi auspicava un cambiamento del quadro politico, il PCI chiedeva una svolta per «un governo di piena solidarietà democratica», espressione questa che i socialisti facevano propria.

Il 16 gennaio 1978 Andreotti, messo alle corde, presentò le sue dimissioni a Leone. Tre giorni dopo riebbe l'incarico. Come molte precedenti, questa trentacinquesima crisi dopo la Liberazione si annunciava travagliata. Andreotti era bersagliato d'accuse. Le sinistre gl'imputavano molte colpe, una di esse particolarmente futile; quella cioè d'aver consentito che l'ex colonnello delle SS Herbert Kappler, condannato all'ergastolo quale responsabile della strage delle Fosse Ardeatine (da lui attuata, su ordine di Hitler, per rappresaglia all'attentato di via Rasella) fuggisse dall'ospedale militare del Celio dov'era ricoverato. Kappler era minato dal cancro, e infatti morì dopo alcuni mesi. Dalla Repubblica Federale tedesca erano venute ripetute sollecitazioni perché a trentatré anni di distanza dall'eccidio, il criminale di guerra fosse liberato. Ma ad un provvedimento di clemenza s'erano rumorosamente opposte le organizzazioni antifasciste e resistenziali, e la sinistra in generale. A Ferragosto (1977) Kappler evase. Si raccontò che la moglie Annalise, cui non facevano difetto né l'amore per il marito né una forza fisica da considerare eccezionale, se non sovrumana, avesse messo Kappler, sia pure smagrito dal male, entro un valigione, e se lo fosse portato via così, sotto gli occhi delle guardie. Agli strilli d'indignazione che da ogni parte si levarono, il ministro della Difesa Lattanzio rispose, imbarazzato, con alcune dichiarazioni alla Camera, giudicate poco convincenti. Il 19 settembre fu trasferito ai Trasporti, e sostituito alla Difesa da Ruffini. Per il momento il governo non cadde, ma era questione di settimane.

L'inserimento dei comunisti nella maggioranza corrispondeva perfettamente ai disegni di Moro, cui spettò in definitiva il compito di sbrogliare la matassa. Il leader democristiano era stato un tenace assertore del primato democristiano – con soprassalti d'orgoglio, come in occasione del dibattito sull'affare Lockheed – ma abbinava questo suo patriottismo di partito a un disfattismo di regime: ossia alla profonda e intima convinzione che l'ascesa comunista fosse ormai infrenabile, e che la Democrazia cristiana, passati i tempi in cui, secondo una definizione di Moro, poteva prendersi il lusso di essere l'opposizione di se stessa, dovesse rassegnarsi ad una coabitazione amichevole con il PCI. La diga non era più tale, era piuttosto, in quest'ottica, un argine basso sul quale le acque dell'una e dell'altra parte potevano a volte mescolarsi, se non totalmente confondersi. Il possibilismo malleabile e duttile – o debole – di Moro urtava contro opposizioni robuste: dentro la DC, dove Zaccagnini era senza esitazioni al fianco di Moro; ma dove «i dorotei di Bisaglia e Colombo, il gruppo napoletano Leone-Gava, e i liberal-cattolici emergenti nelle città del Nord, i De Carolis e i Mazzotta, l'Umberto Agnelli e il conte di Montelera» (questa esemplificazione è di Giorgio Bocca) ribadivano incrollabili posizioni anticomuniste; e fuori dalla DC o fuori d'Italia con gli Americani che facevano arrivare al governo di Roma avvertimenti non sempre cauti, e non sempre cortesi. Tanto che Moro aveva preparato per il quotidiano dell'ENI «Il Giorno» un articolo – del quale non volle poi la pubblicazione e che fu divulgato dopo la sua morte – nel quale avanzava morbide ma precise rimostranze. Affermando che un Paese amico aveva il diritto di manifestare, attraverso canali appropriati, le sue inquietudini, ma non di farle conoscere «senza vincolo di discrezione» perché ne derivava, per i destinatari, disagio.

Il 28 febbraio 1978, mentre duravano le consultazioni, Moro espose ai gruppi parlamentari democristiani, riuniti a Montecitorio proprio per discutere dei rapporti con il PCI, la sua diagnosi della situazione, e la sua prognosi. Fu il suo ultimo discorso pubblico. Moro riconobbe che da anni qualcosa s'era guastato nel normale meccanismo della democrazia italiana. Era diventato impossibile, a questo punto, «riproporre lo schema classico del rapporto maggioranza-minoranza». Questo perché il 20 giugno 1976 «abbiamo avuto una vittoria ma non siamo stati gli unici vincitori. I vincitori sono stati due, e due vincitori in una battaglia creano certamente dei problemi. Noi siamo in condizione di paralizzare in qualche modo il Partito comunista e il Partito comunista è a sua volta in grado di paralizzare, in qualche misura, la Democrazia cristiana». E allora? Allora bisognava profittare della disponibilità del PCI a «trovare un'area di concordia, un'area di intesa tale da consentire di gestire il Paese finché durano le condizioni difficili alle quali la storia di questi anni ci ha portato». Una frase di Moro fu particolarmente rivelatrice dei suoi pensieri: «Se non avessimo saputo cambiare la nostra posizione quando era venuto il momento di farlo non avremmo tenuto, malgrado tutto, per più di trent'anni la gestione del Paese». Tuttavia egli diede un contentino anche a coloro che, nella DC, rifiutavano il nuovo corso, asserendo che «una intesa politica che introduca il PCI in piena solidarietà con noi non la riteniamo possibile». Da ultimo la rituale e un po' stanca esortazione: «Camminiamo insieme [noi della DC, N.d.A.] perché l'avvenire appartiene in larga misura ancora a noi».

«In larga misura», «ancora»: su queste ambiguità si fondava la costruzione politica che Moro aveva in mente: ammesso che si possa, anche a posteriori, ricostruire compiutamente la logica sofisticata e bizantina d'un personaggio come Moro. Ai comunisti, disposti a lasciarsi inglobare nella maggioranza, doveva essere data – così almeno si supponeva – qualche soddisfazione. Berlinguer non aveva chiesto molto: che fossero depennati dall'elenco dei Ministri quelli più duramente anticomunisti, che fosse designato qualche tecnico (per l'Istruzione avrebbero voluto Antonio Ruberti che diventerà Ministro molti anni dopo e che la Pantera studentesca, appoggiata dal PCI, bollerà come repressore e complice dei «privati» per una loro *mainmise* sulle università), che fosse ridotto il numero dei dicasteri. La lista che Andreotti portò al Quirinale l'11 marzo 1978 non accoglieva nessuna di queste istanze. I nomi erano quelli di sempre, inclusi Ossola, Donat Cattin, Bisaglia, tutti invisi ai comunisti. Gli auspicati accorpamenti di Ministeri non erano previsti. Arrivata al momento della verità, ossia alla spartizione delle poltrone, la DC che flirtava con i comunisti era stata del tutto uguale alla DC che li aborriva. Ai suoi alleati permanenti e occasionali la DC intimava, quando veniva il momento di spartire la torta del potere (e solo per quella) una resa incondizionata: prendere o lasciare. Vi fu, in casa comunista, chi vide in quel Ministero tagliato su misura per le esigenze democristiane, una provocazione. Giancarlo Pajetta annunciò che non sarebbe stato alla Camera, quando si fosse votato. Tra i pareri di chi voleva si rifiutasse il governo, e chi voleva lo si accettasse, ne prevalse un terzo: il PCI avrebbe risolto il dilemma dopo aver ascoltato il discorso di investitura che Andreotti avrebbe pronunciato a Montecitorio.

Secondo Gismondi, che ha approfondito questa vicenda, la costituzione d'un governo «tradizionale», senza concessioni alla svolta della solidarietà nazionale, non fu voluta da Andreotti: cui pure essa si attagliava alla perfezione. Anzi, Andreotti «dovendo poi frequentare con le sue proposte di legge il parlamento, non aveva interesse a infastidire i comunisti, senza trascurare la possibilità che questi si tirassero indietro». E ancor meno fu di Zaccagnini, che non si sarebbe mai permesso d'intralciare i propositi covati da Moro. Fu proprio Moro ad accoppiare questo attestato di conservazione democristiana alla sterzata a sinistra. Un po' arzigogolando, Franco Rodano suppose che Moro intendesse costringere i comunisti al rifiuto, così da portare il Paese a elezioni anticipate, e a un chiarimento. Ma l'ipotesi è quasi certamente infondata. Moro non era uomo che spasimasse per i chiarimenti. Semmai pensava a una sua futura elezione alla Presidenza della Repubblica: per la quale gli occorreva tutta la DC, e gli facevano molto comodo i consensi comunisti.

Il voto di fiducia della Camera al governo era stato fissato per il 16 marzo (1978). A mezzanotte del 15 Tullio Ancora, un magistrato che era stato allievo di Moro, e che ne era rimasto amico, telefonò al dirigente comunista Luciano Barca per chiedergli un incontro: «Ci vediamo a metà strada» ha raccontato Barca «e sul cofano di una macchina prendo gli appunti relativi a un messaggio che Moro invia a Berlinguer. Moro è preoccupato delle riserve che sono state formulate dal PCI sulla lista del governo, e fa appello a Berlinguer che non si riapra il dibattito che i gruppi parlamentari DC hanno appena faticosamente chiuso. Moro riconosce che si dovrà trovare un mezzo per garantire i propri alleati, ma afferma che è ormai troppo tardi per modificare la lista del governo». Barca prese buona nota, riservandosi di parlarne a Berlinguer l'indomani perché lo sapeva riluttante a trattare questioni importanti per telefono, e «in sedi non proprie».

Convinto d'aver fatto tutto il necessario perché la maggioranza cattocomunista reggesse, Aldo Moro uscì di casa, pochi minuti prima delle nove del 16 marzo, per andare alla Messa nella vicina chiesa di Santa Chiara e poi per raggiungere Montecitorio, dove Andreotti avrebbe ottenuto la fiducia. Sapeva di procedere, politicamente, su un terreno minato, ma il «Paese scombinato» (la qualifica è sua, in una lettera alla moglie) che la DC doveva bene o male guidare esigeva, a suo avviso, che si facesse appello a tutte le risorse: e che, gattopardianamente, ci si risolvesse a grandi cambiamenti, pur di non cambiare. Rimuginava probabilmente gli intoppi, le proteste, i distinguo, le dissidenze del prossimo avvenire. Era impensierito, ma alla sua maniera filosofica, dall'ordine pubblico. Il 1978 s'era aperto foscamente. Se a fine settembre del 1977 Bologna aveva vissuto, con il «Convegno sulla repressione», un *happening* truce e tracotante dell'estrema sinistra giovanile (per fortuna senza che ne derivasse spargimento di sangue), i primi mesi dell'anno successivo erano stati punteggiati di morti. Li ha elencati Giorgio Galli: «Organizzazioni di vario nome uccidono Carmine De Rosa (sorvegliante FIAT a Cassino, rimane ferito con lui Giuseppe Rota); a Roma gli studenti missini Franco Bigonzetti e Francesco Ciavatta (ne deriva una violenta dimostrazione, durante la quale viene ucciso dai carabinieri un altro studente, Stefano Recchioni); a Firenze l'agente Stefano Dionisi; a Prato il notaio Gianfranco Spighi... Sono tuttavia le BR a compiere azioni finalizzate a un preciso obiettivo. Oltre a ferimenti in quattro città... esse uccidono Riccardo Palma, consigliere di Cassazione con incarichi alla direzione generale degli Istituti di pena al Ministero della Giustizia (Roma, 16 febbraio) e il maresciallo Rosario Berardi, già distintosi in arresti di brigatisti (Torino, 10 marzo): sono operazioni collegate al processo che in marzo inizia a Torino [contro il nucleo storico delle BR, N.d.A.]». C'era di che temere anche se, nei suoi calcoli politici, Moro poteva ricordare che l'emergenza terrorismo gli aveva agevolato l'abbraccio difficile con Berlinguer. Un primo traguardo politico importante stava per essere superato. Ma alla Camera Moro non arrivò mai.

L'agguato di via Fani fu «un lavoro militare di altissima specializzazione». Moro aveva una scorta di cinque persone: due – l'autista appuntato Domenico Ricci e il maresciallo dei carabinieri Oreste Leonardi – sulla sua FIAT 130 blu, non blindata, altri tre, i vicebrigadieri di PS Raffaele Jozzino e Francesco Zizzi e la guardia Giulio Rivera, su un'Alfetta che seguiva. Quando le Brigate rosse avevano deciso di compiere un'azione spettacolare, un «attacco al cuore dello Stato», Aldo Moro non era stato il primo bersaglio cui avevano pensato. Avrebbero preferito Andreotti, che meglio impersonava le caratteristiche e i vizi da loro imputati alla classe dirigente democristiana. Franceschini andò a Roma per vedere quali possibilità vi fossero di sequestrare Andreotti. «Avevamo» disse a Sergio Zavoli «questa idea fondamentale, che se si voleva realmente colpire il cuore dello Stato bisognava andare a Roma perché a Roma c'erano i luoghi fisici e le persone importanti.»

Durante un pedinamento il brigatista ebbe addirittura la tentazione di toccare Andreotti, di sfiorarlo con un braccio. Ma poi, la scelta della vittima cambiò. Toccò a Moro, e l'operazione che sarebbe stata compiuta in via

Fani ebbe un nome, operazione «Fritz», che pare derivasse, per una curiosa contaminazione linguistica, dalla frezza bianca del leader democristiano. Moro era preoccupato per l'incolumità sua e dei suoi familiari, e infatti aveva chiesto anche per loro una protezione. Ma pare che questo derivasse dalla naturale apprensività dell'uomo, più che da allarmi concreti. Sta a dimostrarlo la noncuranza con cui quelle che i brigatisti chiameranno «teste di cuoio», ma che erano gente semplice, non bene addestrata, contenta d'un servizio «comodo», affrontavano i loro compiti.

Chiederà il presidente della Corte d'Assise di Roma, Santiapichi, a Eleonora Moro, nel processo contro il *commando* brigatista: «Pare che ci fosse un'abitudine costante, non si sa bene se suggerita da certe prevenzioni di suo marito nei confronti delle armi, di non tenere pronti il mitra o i mitra della scorta, di tenerli nel portabagagli. E vero?». «Non era affatto un'idea di mio marito, assolutamente no,» rispose la signora Moro «era il fatto tragico che questa gente le armi non le sapeva usare perché non facevano mai esercitazioni di tiro, non avevano abitudine a maneggiarle, tanto che il mitra stava nel portabagagli. Leonardi ne parlava sempre. "Questa gente" diceva "non può avere un'arma che non sa usare. Deve saperla usare. Deve tenerla come si deve. La deve tenere a portata di mano. La radio deve funzionare, invece non funziona." Per mesi si è andati avanti così. Il maresciallo Leonardi e l'appuntato Ricci non si aspettavano un agguato, in quanto le loro armi erano riposte nel borsello e uno dei due borselli, addirittura, era in una foderina di plastica.» Insomma anche il maresciallo che giustamente protestava, credeva poco, secondo Eleonora Moro, a un pericolo imminente. Ci credeva, invece, secondo la moglie Ileana

Leonardi. Essa raccontò che, al momento d'uscire di casa, il marito aveva trafficato nell'armadio per prendere delle pallottole. «Ultimamente andava in giro armato perché si era accorto che una macchina lo seguiva.» La scorta era dunque numerosa, cinque uomini dove forse ne sarebbero bastati due, ma cinque uomini praticamente disarmati e, nonostante le inquietudini del maresciallo Leonardi, imprudentemente rilassati.

Dopo una lunga preparazione, i brigatisti erano appostati in via Fani. La coincidenza del loro blitz feroce con la fiducia al primo governo, dopo il 1947, che avesse l'appoggio esplicito del PCI, fu casuale. La prigione di via Montalcini 8 era pronta fin dal 1977, la vittima poteva essere Andreotti, o Fanfani, o appunto Moro. «La decisione» ha detto Franco Bonisoli «fu presa una settimana prima, fu fissato un giorno, poteva essere il 15, poteva essere il 17.»

Un attacco da manuale. «Alcuni brigatisti in divisa dell'aviazione civile» così lo ha descritto Bocca «stanno dietro la siepe di un bar, altri ancora sulle due automobili rubate, bianca la prima, nera la seconda. Tutto è stato previsto: hanno tagliato le gomme al furgoncino di un fioraio perché non si muova e non intralci, hanno tranciato la catena che limita le possibilità di manovra, hanno sabotato una cabina telefonica... L'azione è rapida, sincronica: l'automobile bianca dei brigatisti taglia la strada all'auto di Moro, si ferma di colpo, si fa tamponare. Un tiratore scelto con un solo colpo al centro della fronte uccide l'autista, il maresciallo è colpito da una raffica di mitra come i due poliziotti che stanno sui sedili anteriori dell'auto di scorta. Quello seduto dietro riesce a scendere dall'auto e a impugnare la rivoltella, ma c'è anche per lui il colpo preciso in mezzo alla fronte. Moro, appena graffiato da un proiettile, viene spinto sull'altra automobile in attesa. Se ne vanno indisturbati trasbordando il prigioniero su un furgoncino pitturato in azzurro e bianco come quelli della polizia.»

Ed ecco la stessa scena vista da uno degli assassini, Valerio Morucci: «La macchina con targa del corpo diplomatico [era quella bianca, N.d.A.] si mise in seconda fila mentre l'altra rimase dov'era. Appena visto arrivare il 130 blu da via Trionfale, il 128 targato corpo diplomatico è partito ad andatura abbastanza veloce per evitare di farsi sorpassare. Passò davanti al bar Olivetti e frenò bruscamente all'altezza dello stop. A quel punto il 130 tamponò il 128, l'Alfetta di scorta tamponò il 130, il 128 bianco con a bordo le altre due persone si pose dietro per chiudere l'accesso ad altre macchine, la persona che doveva occupare l'incrocio occupò l'incrocio e noi quattro che eravamo dietro le siepi del bar Olivetti uscimmo per sparare sulla scorta. Di queste quattro persone due erano incaricate di sparare sull'Alfetta e le altre due sull'autista e sull'altra persona che occupava il posto al suo fianco [maresciallo Leonardi, N.d.A.] nel 130. Io ero tra queste due persone e quindi sparai contro il 130. Nel frattempo l'autista del 130, appuntato Ricci, cercò disperatamente di guadagnare un varco verso via Stresa, e più volte fece marcia indietro e marcia avanti per raggiungere questa uscita verso destra, mentre era in corso la sparatoria. Il maresciallo Leonardi per prima cosa si preoccupò di proteggere l'onorevole Moro e si girò per farlo abbassare, e infatti è stato trovato morto in quella posizione. Lo stesso accadde per Jozzino che uscì dalla macchina per esplodere un paio di colpi con la sua pistola».

Cinque morti, e un prigioniero, Aldo Moro, presidente della Democrazia cristiana. Quei cinque cadaveri saranno cinque macigni che peseranno, durante i cinquantacinque giorni della prigionia di Moro, sulle polemiche tra i sostenitori della fermezza e i sostenitori della trattativa. Perché la trattativa poteva avere come interlocutori solo gli esecutori e i mandanti della strage: ed equivaleva al riconoscimento d'una sorta di legittimità guerriera, o guerrigliera, per chi non aveva esitato a decidere lo sterminio. Era l'ammissione d'una spietata logica della guerra, tale da annullare ogni valore giuridico e morale: logica che pure era stata negata al «boia» Kappler.

Sotto l'impatto del crimine, il governo Andreotti ebbe nel volgere di poche ore la fiducia, tra un coro d'esecrazioni per la spietata sfida delle BR, che avevano subito rivendicato l'attentato: «Questa mattina abbiamo sequestrato il presidente della Democrazia cristiana ed eliminato le sue guardie del corpo, teste di cuoio di Cossiga». Berlinguer parlò d'un «tentativo estremo di frenare un processo politico positivo», ma Lucio Magri dal suo pulpito d'estrema sinistra salottiera parve soprattutto preoccupato dall'incombere, in reazione alla strage, di leggi liberticide. Il che, disse, «sarebbe andare proprio sulla strada che la strategia dell'eversione vuole». Per l'imperversare del terrorismo chiese al Paese un'«autocritica» e un'autentica volontà d'affrontare i problemi «che sono alla base della crisi economica e morale».

Il Viminale si pose al lavoro per individuare gli uomini del *commando*, e compilò un primo elenco di sospetti nel quale erano inclusi i nomi di sei che saranno condannati per la strage: Azzolini, Bonisoli, Micaletto, Savasta, Gallinari, Moretti. Insieme a loro, la lista, compilata non solo con fretta, ma con scoraggiante negligenza, includeva i nomi di due detenuti, di un informatore dei servizi di sicurezza, di uno (Antonio Bellavita) che da otto anni risiedeva a Parigi. A testimonianza della profonda disorganizzazione da cui erano afflitti i servizi segreti e di ordine pubblico.

Essi agivano in base a norme superate: la pianificazione dei provvedimenti da adottare in caso di emergenza risaliva agli anni Cinquanta, e non era stata aggiornata neppure dopo la crescita allarmante del terrorismo. Pochi mesi prima della tragedia (14 ottobre 1977) era stata approvata una legge che ristrutturava i servizi di sicurezza abolendo il SID e sdoppiandolo nel SISDE (Servizio per le informazioni e la sicurezza democratica) e nel SISMI (Servizio per le informazioni e la sicurezza militare) coordinati, o almeno così si supponeva dal CESIS (Comitato esecutivo per i servizi di informazione e di sicurezza). Poi, il 31 gennaio, Cossiga aveva dato vita con un decreto all'UCIGOS, Ufficio centrale per le investigazioni generali e per le operazioni speciali. In questo pullulare di novità restava, ha osservato qualcuno, un dato certo: che «nei mesi nei quali maturò e fu eseguito il sequestro Moro in Italia non vi fu in pratica nessun servizio segreto preposto alla lotta contro l'eversione interna». Coloro che fanno della P2 l'asse portante d'ogni avvenimento italiano negli ultimi decenni attribuiscono questa inerzia a un disegno perverso; e portano a prova l'appartenenza di alcuni dirigenti dei servizi di sicurezza alla Loggia di Gelli. È la tesi, tra gli altri, di Giorgio Galli (i servizi furono «riorganizzati con un criterio preciso, l'egemonia del SISMI, il controllo di uomini della P2»). Lo stesso Galli non può tuttavia negare che vi fosse nel Paese una diffusa atmosfera di rassegnazione, di condiscendenza o addirittura di complicità verso il terrorismo «rosso». Nei processi gli autori di attentati ottenevano le attenuanti in quanto avevano agito «per motivi di particolare valore morale e sociale», e la feroce Prima linea veniva nelle sentenze qualificata non una banda armata ma una semplice associazione sovversiva. Magistratura democratica, la corrente di sinistra dei giudici, nutriva non rispetto, ma ostilità verso lo Stato e simpatizzava per i miti rivoluzionari. Il terrorismo diventava così – sono parole di Galli – «un fenomeno storico comprensibile (anche se non giustificabile) in una fase di trasformazione sociale ostacolata da una classe politica corrotta».

Il giorno in cui i cinque della scorta furono trucidati e Moro sequestrato, ci fu chi brindò. Lo ha raccontato Mario Ferrandi, detto Coniglio, uno degli esponenti di spicco di Prima linea: «Quella mattina c'era [a Milano, N.d.A.] un corteo di lavoratori dell'UNIDAL che erano stati messi in cassa integrazione. Durante il corteo esce questa edizione speciale de "La Notte" con il titolo: *Moro sequestrato. La scorta uccisa. Sono state le Brigate rosse.* Il corteo ha un momento di stupore e successivamente di euforia mista a inquietudine. C'era la sensazione, durata alcune ore, non più, che finalmente stava succedendo qualcosa di talmente grosso che le cose non sarebbero state più le stesse. Molto eccitati erano gli studenti che partecipavano al corteo. Andiamo alla mensa della scuola e si decide, strada facendo, di impiegare i soldi della cassa del circolo giovanile per acquistare dello spumante, brindare a questo fatto, e coinvolgere nel brindisi i lavoratori della mensa, gli inservienti, cosa che avviene».

Quarantott'ore dopo via Fani fu lasciato in un sottopassaggio di largo Argentina (a Roma ovviamente) un plico con il comunicato numero 1 delle Brigate rosse, e la prima fotografia polaroid di Moro nella sua prigione. Il linguaggio – che non muterà nei comunicati successivi – rivestiva di apparente logica politica lo sproloquio fanatico. «Giovedì 16 marzo un nucleo armato delle Brigate rosse ha catturato e rinchiuso in un carcere del popolo Aldo Moro, presidente della Democrazia cristiana. La sua scorta armata, composta da cinque agenti dei famigerati corpi speciali, è stata completamente annientata. Chi è Aldo Moro è presto detto: dopo il suo degno compare De Gasperi è stato fino ad oggi il gerarca più autorevole, il teorico e lo stratega indiscusso di quel regime democristiano che da trent'anni opprime il popolo italiano. Ogni tappa che ha scandito la controrivoluzione imperialista, di cui la DC è stata artefice nel nostro Paese, dalle politiche sanguinarie degli anni Cinquanta alla svolta del centrosinistra fino ai giorni nostri con l'accordo a sei, ha avuto in Aldo Moro il padrino politico e l'esecutore più fedele delle direttive impartite dalle centrali imperialiste.»

I brigatisti invocavano per il loro crimine moventi di comodo, intrisi di mal digerita e rozza ideologia. Quanto poco Moro fosse servo di direttive delle centrali imperialiste, e quanto invece del suo disegno politico personale e delle sue altrettanto personali paure, lo si vide quando cominciarono ad arrivare al Palazzo e alla stampa le sue lettere. Sulla loro autenticità, o almeno sull'autonomia che Moro ebbe quando le scriveva, si è molto discusso. Alcuni amici politici di Moro diffusero una dichiarazione nella quale si sosteneva che l'uomo chiuso nel «carcere del popolo» era uno strumento passivo nelle mani dei sequestratori, e che per sua mano era espressa la volontà dei sequestratori stessi, non la sua. Di tutto questo Eleonora Moro ha fatto giustizia: «Tutto in quelle lettere» ha detto ai giudici che processavano gli assassini di Moro «apparteneva a mio marito. Il contenuto, il pensiero, il modo di parlare e di esprimersi, la sua logica. Una autenticità assoluta. Quelle lettere erano scritte da lui, pensate da lui, esprimevano il suo modo di vedere le cose, di valutarle». Con il che la signora Moro ha sicuramente reso un servizio alla verità, ma non alla memoria del marito. Concesso tutto ciò che dev'essere concesso – ed è moltissimo – alla angosciosa situazione in cui il presidente della DC si trovava, aggiunto che nessuno può lanciare la prima pietra, e che molti, quasi tutti, in analoghe circostanze si sarebbero – o ci saremmo – probabilmente comportati come lui, va detto con chiarezza che quelle furono le lettere d'un uomo terrorizzato, non d'uno statista consapevole delle sue responsabilità e pensoso di qualcosa che andasse al di là della sua individuale salvezza. Una lettera a Cossiga – 29 marzo – delineava già la tesi dello scambio di prigionieri: la libertà di Moro in cambio della libertà d'un certo numero di terroristi arrestati (ne furono poi precisati il numero, tredici, e i nomi).

Rivolgendosi a Cossiga, che gli era amico e lo ammirava, Moro affacciava anche l'ipotesi che, costretto a parlare dai suoi carcerieri, egli potesse rivelare segreti compromettenti. «Io mi trovo sotto un dominio pieno e incontrollato, sottoposto a un processo popolare che può essere opportunamente graduato con il rischio di essere indotto a parlare in maniera che potrebbe essere sgradevole e pericolosa in determinate situazioni. Il sacrificio degli innocenti, in nome di un astratto principio della legalità, mentre un indiscutibile stato di necessità dovrebbe indurre a salvarli, è inammissibile.» Non un cenno alla sorte dei cinque uomini di scorta trucidati. E non un riferimento al caso Sossi, durante il quale, di fronte ad un dilemma analogo a quello che il sequestro di Moro poneva, lo Stato – del quale Moro era un esponente insigne – aveva ritenuto di non dover trattare: proprio per quei motivi di legalità che lo sventurato Moro ora rinnegava, appellandosi all'umanità.

Puntuali erano invece i riferimenti ad altri baratti di prigionieri: «ricorderò gli scambi tra Brežnev e Pinochet, i molteplici scambi di spie, l'espulsione dei dissenzienti dal territorio sovietico... queste sono le alterne vicende di una guerriglia che bisogna valutare con freddezza bloccando l'emotività e riflettendo sui fatti politici». Una successiva lettera, questa a Zaccagnini (cui erano peraltro associati Piccoli, Bartolomei, Galloni, Gaspari, Fanfani, Andreotti e Cossiga), era indirettamente rivolta al PCI. «I comunisti non dovevano dimenticare» scriveva Moro «che il mio drammatico prelevamento è avvenuto mentre si andava alla Camera per la consacrazione del governo che mi ero tanto adoprato a costruire.»

L'Italia politica si stava spaccando, di fronte alla tragedia: da una parte i fautori della «fermezza», la DC, il PSDI, il PLI, e con particolare insistenza il Partito repubblicano il cui leader, Ugo La Malfa, propugnava addirittura il ripristino della pena di morte per i terroristi. Dall'altra Craxi, i radicali, la sinistra non comunista, i cattolici contestatori come Raniero La Valle, uomini di cultura come Leonardo Sciascia. I due schieramenti non erano compatti. Pertini, socialista, dichiarò di non voler seguire il funerale di Moro ma neppure quello della Repubblica. Alcuni esponenti della DC vicini alla famiglia Moro erano per la trattativa, altri erano – come Zaccagnini – tormentati e incerti. Il presidente della Repubblica Leone disse: «Ho l'anima pronta e la penna a disposizione», ossia era incline a firmare la grazia per chiunque. Nel PCI Umberto Terracini era per un atteggiamento «elastico».

Le reazioni dell'opinione pubblica erano più difficili da decifrare. Moro era un personaggio importante, non un personaggio popolare. Molti vedevano in lui un privilegiato barone della politica, e insieme il maggior fautore di quel lassismo rassegnato che aveva dato alimento alla sanguinaria violenza brigatista. Altri, meno di lui impegnati e influenti nell'attività politica, avevano perso la vita per mano brigatista. Non si ebbe insomma la sensazione che si levasse dal Paese la richiesta di salvare Moro a ogni costo. Si levava piuttosto la richiesta di fermare e punire, a ogni costo, gli assassini della scorta che potevano anche diventare gli assassini di Moro e che continuarono a spargere sangue durante i cinquantacinque giorni di prigionia del Presidente democristiano. Vi furono due «esecuzioni» (gli agenti di custodia Lorenzo Cotugno, a Torino [l'11 aprile] e Francesco De Cataldo, a Milano [il 20 aprile]) e numerosi ferimenti.

Il 18 aprile 1978, trentesimo anniversario del trionfo elettorale democristiano sul Fronte popolare socialcomunista, una telefonata al centralino del «Messaggero» avvertì che in un bar di piazza Indipendenza, a Roma, poteva essere trovato un comunicato delle Brigate rosse. Lo si rinvenne, infatti. Annunciava l'avvenuta esecuzione di Moro «mediante suicidio», e aggiungeva che il suo corpo poteva essere recuperato nel Lago della Duchessa, sulle montagne al confine tra Lazio e Abruzzo. Insorsero subito molti dubbi, per il linguaggio inconsueto del volantino e per le modalità della sua diffusione. Comunque il Lago della Duchessa fu raggiunto da squadre di carabinieri e poliziotti, i quali ne videro la superficie ricoperta da uno spesso strato di ghiaccio, intatto.

A confermare definitivamente lo scetticismo sopraggiunse, due giorni dopo, un vero comunicato delle Brigate rosse, con cui si poneva al governo un *ultimatum* di quarantotto ore. O le richieste brigatiste venivano accolte, oppure Moro sarebbe stato giustiziato. (Solo anni dopo si accertò che il comunicato apocrifo era stato compilato da un falsario, legato ad ambienti torbidi, Toni Chic-chiarelli, «assassinato nel settembre dell'84» ha scritto Zavoli «in circostanze rimaste misteriose. Tutto ciò contribuirà a rendere attendibile un'ipotesi sempre ventilata, qualche volta testimoniata, ma mai provata: quella del collegamento fra Chicchiarelli e uomini dei servizi segreti, o di potenti associazioni sovversive che lo guidano, lo condizionano, e infine lo uccidono».)

Lo stesso giorno dell'allarme infondato per il Lago della Duchessa, in una palazzina di via Gradoli a Roma fu scoperto casualmente (un'inquilina della palazzina aveva notato strane infiltrazioni d'acqua da un alloggio sovrastante) un covo brigatista ancora «caldo» ma ormai deserto. Vi fu rinvenuta tra l'altro la targa originale della 128 bianca usata per il tamponamento di via Fani.

Mentre Paolo VI e il segretario generale delle Nazioni Unite Kurt Waldheim aggiungevano i loro appelli ai molti già vanamente rivolti alle BR, Craxi incaricava Giuliano Vassalli di scovare, nei fascicoli pendenti, il nome di qualche brigatista che potesse essere decentemente rilasciato, in segno di buona volontà. Si pensò a Paola Besuschio, studentessa a Trento, dove aveva conosciuto Renato Curcio e Margherita Cagol, accusata di rapine «proletarie», sospettata d'aver ferito il consigliere democristiano milanese Massimo De Carolis, condannata a quindici anni, malata. Più tardi si penserà ad Alberto Buonoconto, un nappista anch'egli malato in carcere a Trani. Ma le BR erano tracotanti, volevano che fossero scarcerati brigatisti ritenuti tra i più pericolosi (Ferrari, Franceschini, Ognibene, Curcio) e anche delinquenti comuni come Sante Notarnicola. Il governo non cedeva, e i messaggi di Moro, che infaticabilmente riempiva pagine su pagine, si facevano sempre più pressanti, sempre più tormentati. In uno di essi rivendicò la piena autenticità dei suoi scritti smentendo chi, in qualche modo a fin di bene, li aveva squalificati come megafoni della volontà brigatista cui Moro era soggetto. «Questo bagno di sangue non andrà bene né per Zaccagnini né per Andreotti né per la DC né per il Paese: ciascuno porterà la sua responsabilità.» Seguì un messaggio a Leone: «Faccio vivo appello con profonda deferenza al suo alto senso di responsabilità e di giustizia affinché, d'accordo con il governo, voglia rendere possibile un'equa e umanitaria trattativa per scambio di prigionieri politici, la quale mi consenta di essere restituito alla famiglia che ha grave e urgente bisogno di me».

Era il primo maggio. La famiglia Moro affidò al quotidiano dell'ENI «Il Giorno» un rude invito alla DC perché rinunciasse all'intransigenza: quasi contemporaneamente Moro, cui i sequestratori avevano annunciato che la sua condanna a morte era stata pronunciata, e che in mancanza di riscontri sarebbe stata eseguita, disconosceva la sua appartenenza al partito di cui era presidente: «Non mi resta che constatare la mia completa incompatibilità con il partito della Democrazia cristiana. Rinuncio a tutte le cariche, mi dimetto dalla Democrazia cristiana. Chiedo al Presidente della Camera di trasferirmi dal gruppo della DC al gruppo misto».

Il calvario stava per concludersi con il sacrificio. Il 9 maggio, mentre la direzione della DC era riunita e Fanfani si apprestava a prendere la parola, il professor Franco Tritto, collaboratore di Moro e frequentatore della famiglia, ricevette una telefonata di cui esiste la registrazione. «Adempiamo alle ultime volontà del Presidente comunicando alla famiglia dove potrà trovare il corpo dell'on. Aldo Moro. Mi sente?» «Che devo fare? Se può ripetere.» «Non posso ripetere, guardi. Allora, lei deve comunicare alla famiglia che troveranno il corpo dell'on. Aldo Moro in via Caetani. Lì c'è una Renault 4 rossa. Il primo numero di targa è il 5.» Via Caetani si trova a brevissima distanza da piazza del Gesù e dalle Botteghe Oscure. Un'ennesima sfida e un ennesimo sberleffo brigatista alle forze dell'ordine che pattugliavano freneticamente Roma. Il cadavere giaceva nel bagagliaio della vettura. Fu accertato dai medici legali che l'uccisione era avvenuta la mattina stessa di quel 9 maggio.

Cossiga si dimise da Ministro dell'Interno, la famiglia Moro ripudiò ogni celebrazione ufficiale: «Nessuna manifestazione pubblica o cerimonia o discorso: nessun lutto nazionale, né funerali di Stato o medaglia alla memoria. La famiglia si chiude nel silenzio e chiede silenzio. Sulla vita e sulla morte di Aldo Moro giudicherà la storia».

Se il mondo politico italiano s'era diviso tra fermezza e trattativa, anche al vertice delle Brigate rosse la tesi umanitaria (liberazione di Moro) e la tesi sanguinaria (condanna a morte) erano state dibattute. L'ha ammesso Mario Moretti, che di Moro fu l'inquisitore, durante il lungo sequestro. Il termine «umanitario» può sembrare singolarmente inappropriato per gente che aveva sterminato cinque innocenti. Ma nella loro ottica fanatica, i brigatisti si sentivano autori d'una azione di guerra, restando da decidere se a quelle cinque vite sacrificate dovesse esserne aggiunta una sesta, l'unica che avesse valenza politica. Mario Moretti ha detto: «Credo che non ci fu mai scelta più dura nelle Brigate rosse, ma non ce ne fu nemmeno un'altra credo così quasi unanime. C'erano dei compagni che non erano d'accordo, ma non si può parlare neanche di maggioranza o minoranza perché praticamente quasi l'intera organizzazione si pronunciò a quel modo perché, politicamente, era una scelta che a quel punto diventava obbligata». Valerio Morucci e Adriana Faranda erano contro l'assassinio, e lo ripeterono a Moretti ancora il 3 maggio. E Curcio, nel carcere di Palmi, disse un giorno: «Di Moro non abbiamo mai saputo nulla e sei mesi dopo che lo hanno ammazzato hanno chiesto a noi prigionieri di scrivere perché lo avevano fatto».

Così fu decisa la morte. La mattina del giorno fatale Prospero Gallinari e Anna Laura Braghetti svegliarono Moro e gli annunciarono che sarebbe stato liberato, inducendolo a distendersi nel bagagliaio della Renault. Lo fulminò invece la raffica d'una mitraglietta cecoslovacca Skorpion.

A distanza di pochi giorni dall'epilogo della tragedia si ebbero i primi arresti di brigatisti coinvolti nell'agguato a Moro. Prima un tipografo, Enrico Triaca, che s'era messo a disposizione di Mario Moretti, poi Valerio Morucci e Adriana Faranda. Le crepe nel muro dell'omertà sarebbero presto diventate una breccia imponente. I componenti del *commando* di via Fani e del gruppo di carcerieri – compreso il carnefice Gallinari – furono via via catturati, e condannati in primo grado il 28 gennaio 1983, dalla Corte d'Assise di Roma presieduta da Severino Santiapichi. Furono applicate in quel processo le norme di legge che concedevano un trattamento di favore ai pentiti. Se i brigatisti speravano di mettere in ginocchio lo Stato – e sicuramente lo speravano, nel loro delirio di fanatici e nel loro perverso raziocinio – furono delusi. Quello Stato pachidermico, inefficiente, negligente, indulgente, ridicolizzato, seppe contrattaccare. Né si ebbero segni che le masse si muovessero. In un penoso sforzo di attribuire un qualche valore alla sua militanza criminal-politica, Mario Moretti ha detto a Sergio Zavoli: «Non riesco a ragionare nei termini vincitori e vinti, ma nei termini di uno scontro che ha prodotto una trasformazione. Posso rilevare, per quel che mi riguarda, che gran parte delle nostre aspettative non ha avuto successo: ma che si sia esaurito un movimento e insieme ad esso si siano esaurite anche le Brigate rosse non è avvenuto in un giorno, è avvenuto in un arco di anni... Questa esperienza è esaurita ed è irripetibile». Grazie a Dio.

CAPITOLO QUATTORDICESIMO

SEI E MEZZO

La fine atroce di Aldo Moro sconvolse gli equilibri della politica italiana ancor più di quanto si potesse a prima vista supporre. Per la verità già il sequestro, con le sue conseguenze ultime, aveva mutato radicalmente i dati della situazione. La storia non si fa – e nemmeno la cronaca – con i se. Ma è legittimo ipotizzare ciò che sarebbe potuto accadere se i brigatisti rossi, anziché obbedire alla voluttà di distruzione e di morte – quella che induceva un militante a sognare l'avvento d'un regime alla Pol Pot, con una immane e salvifica carneficina – avessero liberato Moro: quel Moro che aveva coperto d'accuse e recriminazioni i suoi amici di partito, che aveva rinnegato la DC, che sarebbe riemerso dalla segregazione catacombale di via Montalcini gonfio di rancori, e ansioso di vendette da assaporare a freddo. Per la DC la sua presenza sarebbe stata dirompente, se non devastatrice. Il martire sfuggito alla morte poteva diventare – lo diventeranno del resto la moglie e i figli – il peggior nemico della *nomenklatura* democristiana. Altro che Cossiga (il Cossiga del 1991, per intenderci).

La mitraglietta Skorpion cecoslovacca evitò alla DC i dilemmi d'un dopo-sequestro imprevedibile. Ma la morte di Moro tolse di scena un protagonista, e privò Berlinguer d'un interlocutore nel quale riponeva molta fiducia.

Non è un caso – l'ha osservato Arturo Gismondi – che nei sette mesi trascorsi dal ritrovamento del cadavere al voto comunista contro l'ingresso dell'Italia nel Sistema monetario europeo (13 dicembre 1978) si sia esaurita l'esperienza della solidarietà nazionale. «Berlinguer» ha affermato Ugo Pecchioli, che a quel tempo era responsabile, nel PCI, dell'Ufficio problemi dello Stato «sapeva bene che sarebbe accaduto quello che accadde. Morto Moro, la solidarietà nazionale si logorò rapidamente, i nemici di quella politica ebbero subito il terreno più libero per vanificare il programma di governo concordato, invertire la rotta.»

L'elettorato cominciava a stancarsi del PCI di Berlinguer. Lo si constatò tra maggio e giugno quando, ancora sotto lo choc di via Fani e via Caetani, gli Italiani di molti comuni, di qualche provincia, e delle regioni a statuto speciale Friuli-Venezia Giulia e Valle d'Aosta, furono chiamati alle urne per consultazioni amministrative. Il test interessava circa cinque milioni di cittadini, in prevalenza nel Mezzogiorno. Il responso fu una volta tanto inequivocabile. La DC, con il suo 42,6 per cento si portò – nei comuni con più di cinquemila abitanti, dove si votava con la proporzionale – quattro punti sopra i risultati delle politiche, e sei sopra quelli delle precedenti comunali. Il PCI – ove il confronto fosse con le politiche del 20 giugno '76 – precipitò dal 35,6 al 26,4 per cento. Non v'era stata invece variazione, nei consensi comunisti, rispetto alle comunali precedenti. Che tuttavia erano state indette quando l'impetuosa ascesa comunista era ancora di là da venire, e nessuno presagiva o temeva un possibile sorpasso del PCI in danno della DC. Netto il balzo del PSI dal 9 al 13 per cento, buone le prove dei partiti laici minori, pessima quella del MSI.

Erano dati per alcuni aspetti abbastanza sconcertanti. Risultavano premiate sia la fermezza democristiana e dei laici durante i cinquantacinque giorni di Moro, sia la flessibilità socialista. Non si capiva bene se il PCI fosse stato punito dal suo elettorato tradizionale perché s'era governativizzato, o se fosse stato abbandonato da compagni di strada occasionali perché aveva troppo blandamente inciso sull'azione di governo. Questa volta la doppia immagine del PCI di Berlinguer – partito dei grandi cambiamenti ma anche partito della legge e dell'ordine – non funzionò. Berlinguer ammise, in una onesta autocritica, che erano rimaste in ombra «le implicazioni innovatrici e trasformatrici della nostra linea di austerità», e che s'erano appannate «la fisionomia e l'iniziativa autonoma del partito». Ossia, era tempo di finirla con la «strategia AVIS», quella del donatore volontario di sangue. La DC in lutto, che s'affrettava a collocare Moro sull'altare dei suoi santi protettori, gongolava per l'esito elettorale: nel quale aveva dimostrato – nonostante la fine di Moro, nonostante le condizioni disastrose dell'ordine pubblico e dell'economia – la sua infrangibilità. La DC rimbalzava sulle emergenze come su un materasso a molle di Licio Gelli.

Altri motivi di malcontento vennero a Berlinguer dai *referendum* proposti dai radicali, e celebrati l'11 giugno (1978). In origine i *referendum* erano nove. Sette erano stati tuttavia evitati dalle modifiche governative e parlamentari alle leggi di cui si chiedeva l'abrogazione, o da divieti costituzionali. I due sopravvissuti si riferivano alla legge Reale sull'ordine pubblico, che il 22 maggio 1975 aveva accresciuto i poteri delle forze dell'ordine, e alla legge sul finanziamento pubblico dei partiti, risalente al 1974 e allora approvata entusiasticamente, quasi all'unanimità, dai due rami del parlamento, ossia da quei partiti che della legge stessa erano i beneficiari. Per la legge Reale il PCI veniva colto in contraddizione. All'epoca della sua promulgazione – e prima che Berlinguer diventasse un campione della legge e dell'ordine, e uno dei più risoluti avversari della violenza e del terrorismo – il PCI aveva votato contro. Ora si associava invece a una dichiarazione con cui DC, PSI, PRI, PSDI s'impegnavano ad impedirne l'abrogazione.

Semmai il partner più dubbioso, in questa coalizione, era il PSI: coerente in questo con una tradizione socialista che oscilla tra la voglia di stabilità e la voglia di continui mutamenti, tra un garantismo esasperato e una conclamata risolutezza nell'opporsi alla criminalità, insomma tra le sirene della nobile utopia e l'esigenza di governare. Craxi non era e non è uomo da utopie (poche settimane dopo susciterà un vespaio rinnegando Carlo Marx e rifacendosi all'insegnamento di Pierre Joseph Proudhon: lo rimbeccheranno anche Francesco De Martino e Riccardo Lombardi, oltre che Berlinguer). Ma è uomo che concede il necessario, e anche più, alla demagogia, o piuttosto ai trascorsi demagogico-populisti del partito. Berlinguer ritenne tuttavia di poter sanare la contraddizione del PCI dicendo, e diceva la verità, che quello, con il terrorismo imperante e il cadavere di Moro appena calato nella tomba, era tra tutti il momento meno adatto per una contesa sull'ordine pubblico.

Quanto al finanziamento pubblico dei partiti, i radicali si scontravano, chiedendo che fosse eliminato, con l'intero Palazzo. Stando alle prese di posizione partitiche i no all'abrogazione avrebbero dovuto aggirarsi sul novanta per cento. Emersero invece dai *referendum* due tendenze opposte dell'elettorato. Per la legge Reale esso rispettò i suggerimenti dei partiti di governo. Ventiquattro

milioni di elettori su trentun milioni di voti validi furono
per il mantenimento della legge. Ben diverso il risultato
del *referendum* sul finanziamento pubblico dei partiti. Il
no passò, ma con il 56 per cento dei voti. Questa maggioranza diventava minoranza rispetto all'intero corpo elettorale (calcolando cioè anche le astensioni). Il sì prevalse
in molte grandi città: Milano, Torino, Roma, Napoli, Bari, Palermo, Cagliari. Tenuto conto dell'indirizzo adottato dai partiti, e del tambureggiamento propagandistico
che ne era derivato nei mezzi d'informazione, e in particolare nella televisione di Stato, quella vittoria risicata fu
per il Palazzo un autentico schiaffo. Se i politici ne ebbero le guance arrossate, durò poco. Continuarono ad incassare serenamente i finanziamenti, e ad incrementarli
con varie forme di tangenti.

Andreotti minimizzò lo smacco della partitocrazia.
«Quattordici milioni di Italiani erano contro i partiti?
Anche per la legge Reale – per la lotta al terrorismo – si
ebbe l'amara constatazione che, in un certo senso, si poteva ritenere che sette milioni di Italiani – di cui due e
mezzo del Sud – erano dalla parte dei terroristi. Era una
interpretazione capziosa, ma di facile presa. A risultati
proclamati Berlinguer si lamentò fortemente per lo scar-
so impegno degli altri partiti, che in tal modo avevano
scoperto i comunisti. E credo che nei giorni immediata-
mente successivi questo risentimento, ma ancor di più il
timore della concorrenza radicale e socialista e del distacco dall'opinione pubblica dei grandi centri, consi-
gliò una manovra dura che ridesse credibilità al PCI. E di
fatto il 15 giugno Berlinguer mi *telefonò*, preannuncian-
domi la decisione di associarsi alla richiesta di dimissioni del presidente Leone.»

Col che passiamo dalle amministrative e dai *referendum* ad un altro – e assai più rilevante – episodio politico di questa stagione convulsa della vita nazionale: l'*impeachment* di un Presidente della Repubblica al cui settennato nessuno avrebbe profetato un così amaro epilogo. L'uomo dei governi balneari, che s'insediava d'estate, questa volta, prima che la sua ultima estate al Quirinale cominciasse, fu «detronizzato».

«La campagna di attacco a Leone con il preciso proposito di farlo dimettere prima del semestre bianco» ha scritto Andreotti nella terza serie dei suoi *Visti da vicino* «si sviluppò quasi all'improvviso ed è tuttora oscuro se vi fu un... disegno d'autore finalizzato contro la sua persona o se fu una delle mosse-chiave per dare scacco matto alla Democrazia cristiana e aprirne la successione.» Perfino Andreotti è stato dunque indotto a chiedersi come mai una presidenza che, dopo alcuni sussulti, pareva avviata a una fisiologica conclusione, sia stata d'un tratto sottoposta a un'offensiva massiccia, e vincente. A rigor di logica ben altri problemi che quello della personalità e del comportamento di Leone – che del resto se ne sarebbe presto andato dal Quirinale – avrebbero dovuto assillare la classe politica.

Leone era stato preso a bersaglio con particolare accanimento proprio durante i due terribili mesi – o poco meno – del sequestro di Aldo Moro. Era uscito il libro di Camilla Cederna *Giovanni Leone: la carriera di un presidente* che non risparmiava nulla né ai comportamenti del Capo dello Stato, né a veri o presunti abusi dei suoi familiari. Di alcuni degli addebiti – i più gravi – la magistratura stabilì poi l'infondatezza («non si risparmiava neppure» ha scritto Andreotti «il fratello del Presidente accusato di commerciare in "grazie", il che fu confutato dai giudici con pene pecuniarie purtroppo ancora esigue – contro i calunniatori»). La Cederna aveva in larga parte riprodotto ciò che su Leone era stato affermato da varie fonti, molte delle quali tutt'altro che limpide, come l'agenzia «Op» di quel Mino Pecorelli che fu poi ucciso in circostanze mai chiarite. «L'Espresso» aveva rincarato la dose, con una serie di articoli, e Marco Pannella s'era posto all'avanguardia degli antileonini minacciando lo sciopero della fame se il Presidente non si fosse dimesso.

Restavano su Leone le ombre dello scandalo Lockheed e della sua stretta amicizia con i fratelli Lefebvre, soprattutto con uno di loro, il professor Antonio, benché nulla di certo, e nemmeno di seriamente documentato, fosse emerso su una connessione tra il Presidente e le vicende dell'*affaire* italo-americana. Sembrava che, nel marasma della vita pubblica, fosse stato cercato un capro espiatorio, e trovato nella persona gioviale (*troppo* accondiscendente, *troppo* affezionata al parentado, *troppo* di tutto) di quest'uomo dal vulnerabile macchiettismo. In una intervista dell'84 Leone avanzò il sospetto che contro di lui fosse stata ordita una sorta di congiura. «Mino Pecorelli... seguiva un criterio impostogli da qualche settore dei servizi segreti che lo utilizzava per i suoi scopi. Lui poi a sua volta ricattava. Una volta ci arrivò addirittura la voce che pretendeva una somma mensile (venti-trenta milioni credo), una specie di stipendio... Quando fummo alla fine della vicenda, e gli attacchi della "Op" [lo screditato periodico di Pecorelli, N.d.A.], erano diventati quotidiani, un amico avvicinò Pecorelli per invitarlo a smettere. "Ora per farmi smettere ci vuole un miliardo," rispose Pecorelli "quanto mi danno i suoi nemici per continuare." Poi si è scoperto che anche lui era della P2.»

Vera o falsa che fosse la tesi del complotto, resta il fatto che Leone era finito in quella situazione per obiettive anche se complesse ragioni politiche, e insieme per il modo di essere suo e della sua corte. I «tre monelli» Mauro, Giancarlo e Paolo s'erano acquetati troppo tardi, e non completamente, e le esuberanze del Capo dello Stato erano diventate leggenda vernacola. «Leone va preso com'è» ha osservato Andreotti nel già citato «ritratto» molto elogiativo e molto comprensivo. «Quando veniva alle partite di calcio il suo tifo era irrefrenabile e gli sfuggiva anche qualche parola poco protocollare. In più, quando erano in campo gli azzurri del Napoli invocava a loro sostegno santi più o meno sconosciuti, dicendo che i santi importanti sono come gli avvocati che hanno molte cause: non possono porvi mano bene e le trascurano.» Ma gli Italiani finirono per non prenderlo, Leone, così com'era. La sua immagine era stata intaccata non tanto dalla prova di scorrettezze gravi quanto dalla evidenza di leggerezze minori, e fatali. Di fronte all'opinione pubblica un Cirino Pomicino che con una turba schiamazzante di *clientes* pretende d'entrare alla RAI di Napoli, ritenuta *cosa sua*, per assistere alla trasmissione d'una partita di calcio si squalifica assai più di noti mariuoli del Palazzo. Leone aveva intelligenza e cultura, ma difettava rovinosamente di stile. Incupito dalle P 38, il Paese parve non sopportarlo più. Questo – non l'elezione del '71 «inquinata», come pretendevano le sinistre, dall'apporto del MSI, non lo stesso scandalo Lefebvre – fece sì che la fine anticipata d'una Presidenza priva di meriti eccezionali, ma anche di colpe alla Gronchi, fosse accettata senza opposizioni: neppure quella del partito cui Leone apparteneva, e cui aveva dato molto.

Un segno evidente della fragilità d'una Presidenza ormai in dirittura d'arrivo fu dato da un articolo del direttore della «Stampa» Arrigo Levi, il 28 marzo (Moro era nelle mani delle Brigate rosse). «Dobbiamo purtroppo prendere atto» scriveva Levi «che questa campagna [contro Leone, N.d.A.] ancorché intessuta di calunnie (che in ogni altro Stato sarebbero state da tempo perseguite penalmente) ha finito per impedire il Capo dello Stato, se non altro psicologicamente, nello svolgimento delle sue funzioni. Il suo quasi totale silenzio di questi ultimi dieci giorni è motivo di grave disagio per la nazione.» Muovendo da questa premessa, Levi arrivava a una conclusione sorprendente: che cioè Leone potesse dimettersi per consentire l'elezione a Capo dello Stato del prigioniero Aldo Moro: durante il cui «impedimento» i poteri effettivi sarebbero spettati al presidente del Senato Fanfani, coadiuvato da notabili della Repubblica.

L'idea che Moro, ostaggio del terrorismo, dovesse rivestire – sia pure a titolo onorifico – la massima carica dello Stato, venne dai più considerata stravagante. Andreotti tuttavia s'impensierì soprattutto per la premessa, ossia per l'esplicito suggerimento che Leone dovesse andarsene. «I giornalisti» annotò nei suoi *Diari* «collegano la mossa con ispirazioni di Fanfani e di La Malfa, ma non ho alcun riscontro diretto.» Lo preoccupava l'eventualità che l'iniziativa di Levi fosse stata sollecitata dagli Agnelli: dai quali seppe che ne erano invece all'oscuro. Tranquillizzato, invitò «Zaccagnini e Belci [direttore del quotidiano della DC, N.d.A.] a far scrivere sul "Popolo" un commento che ridimensioni il tutto». E suggerì a Leone di non reagire.

Il tutto non fu ridimensionato. Fedele ad una sua consolidata e fortunata teoria e pratica, secondo la quale il silenzio spegne le polemiche, Andreotti aveva sconsigliato il Quirinale («e forse ho sbagliato» ammise più tardi) «di scendere in quotidiane rettifiche e polemiche, come avrebbe voluto il capo dell'ufficio stampa Nino Valentino. Mi sembra che un Presidente non possa... scendere in piazza e che – salvo casi che interessino la vita dello Stato – debba riservarsi, dopo il suo mandato, precisazioni ed anche adeguate reazioni. Suggerii di dirlo con ferma dignità e chiarezza non seguendo la via sdrucciolevole segnata dai provocatori. E i partiti, da me consultati, convennero su questa linea, con la sola eccezione dell'onorevole Ugo La Malfa, già socio fondatore della presidenza Leone ed ora convinto assertore delle sue dimissioni».

Quando capì che, tacendo, avallava, o così pareva, tutto ciò che si stava dicendo di lui e della sua famiglia, Leone si risolse alla controffensiva. Preparò, insieme al fido Valentino, un testo di duecentocinquanta righe in cui ogni addebito che gli era stato mosso veniva, punto per punto, confutato. Per quanto riguardava in particolare la Lockheed, Leone insisteva sul fatto che la commissione d'inchiesta sullo scandalo avesse giudicato «corretto» il suo comportamento.

Questa autodifesa avrebbe dovuto essere trasmessa dall'ANSA la mattina del 15 giugno 1978, in tempo per venire annunciata e letta nei passi essenziali durante il Tg1 delle 13.30. Andreotti e Zaccagnini furono messi al corrente dell'iniziativa: e poterono leggere le cartelle che Leone aveva preparato. Furono entrambi perplessi, anche se non opposero alcun veto alla diffusione. Sembra peraltro che una copia del testo fosse pervenuta tra il 14 sera e la mattina del 15 giugno, attraverso chissà quali canali, a Berlinguer. Il leader comunista, l'abbiamo accennato, era allarmato dai risultati elettorali, e irritato con gli altri partiti della maggioranza, la DC in particolare. Sul «caso» Leone, Berlinguer aveva tenuto un atteggiamento cauto. Gli ripugnava, per temperamento e per linea politica, di provocare una crisi del Quirinale innestata sulla crisi del Paese. Ma era anche tentato dal desiderio di dare ai suoi un segno tangibile di presenza politica. Il donatore di sangue aveva bisogno d'una occasione per attestare che il sangue sapeva, all'occorrenza, cavarlo agli altri. E questa era un'occasione ottima. Queste supposizioni sono smentite dai dirigenti comunisti, che attribuiscono a Berlinguer propositi meno meschini: «Noi fummo spinti in sostanza» ha dichiarato Gerardo Chiaromonte «dalla preoccupazione che la crisi della Presidenza della Repubblica potesse diventare sempre più grave e pericolosa, agli effetti della stabilità democratica del Paese».

La direzione del PCI, convocata per il mattino del 15 giugno, non aveva nulla, all'ordine del giorno, che riguardasse Leone. Ma l'ordine del giorno fu ribaltato, e Leone passò al primo punto. Quando Berlinguer prese la parola, si capì che la sorte di Leone era segnata; i comunisti si associavano a chi ne voleva la caduta. Il senatore Bufalini fu da Berlinguer incaricato di preavvertire Leone dell'imminenza d'un comunicato comunista, che era una condanna «per ragioni di opportunità che prescindono dalle accuse». Bufalini s'intrattenne con Valentino; quindi col segretario generale della Presidenza, Franco Bezzi. Entrambi ritennero che non fosse necessario né conveniente un incontro, del resto non richiesto, tra l'emissario delle Botteghe Oscure e il Presidente: che comunque sapeva, ormai, e che rinunciò all'autodifesa giornalistica e televisiva. Gli restava una fiammella di speranza, rappresentata dalla DC. Ma durò poco. Il partito di maggioranza relativa non fece quadrato attorno al Presidente «mollato» dai comunisti, e «mollato», per vischiosità, anche dai socialisti. «Potevo minacciare le dimissioni?» si è chiesto retoricamente Andreotti. «Ma avrei probabilmente portato acqua al mulino antidemocristiano, sommando crisi a crisi. Né mi sembra che il mio Partito tralasciò sforzi per far recedere comunisti e socialisti dalla brusca pretesa.»

Forse, in questa specifica situazione, Aldo Moro che aveva espresso con forza, se non con arroganza, il rifiuto della DC a farsi processare sulle piazze per lo scandalo Lockheed, sarebbe stato, una volta tanto, meno cedevole. Andreotti e Zaccagnini ritennero invece che Leone dovesse essere immolato sull'altare della solidarietà nazionale. Mentre il PCI deliberava, i maggiorenti democristiani avevano fatto pilatescamente sapere che «il Presidente stesso, nella sua sensibilità, più volte manifestata in privato, scioglierà il problema». In realtà fu sollecitato a scioglierlo, e nel modo per lui più ingrato. Andreotti e Zaccagnini si fecero insieme ricevere da Leone, nel pomeriggio del 15, per dirgli che la situazione non era più sostenibile. «Fu tra i momenti più odiosi della mia vita, ne sentivo infatti insieme la fatalità e la profonda ingiustizia» ha commentato Andreotti.

Alle 20.30 un funzionario della Presidenza recapitò a Palazzo Chigi la lettera ufficiale di dimissioni: «Onorevole Presidente, le comunico che in data odierna ho rassegnato le dimissioni dalla carica di Presidente della Repubblica. Mi pregio pertanto inviarle l'Atto di dimissioni da me sottoscritto. Con i sensi della mia alta considerazione Giovanni Leone». La sera stessa Giovanni e Vittoria Leone lasciarono il Quirinale. La DC lodò «l'esemplare decisione», Fanfani assunse la supplenza. Il dimissionario, buttata nel cestino la lunga arringa che aveva preparato *pro domo sua*, si congedò dagli Italiani con un messaggio dignitoso: «Se oggi mi sono deciso a compiere questo passo» disse «è perché ritengo assolutamente preminente su quello personale l'interesse delle istituzioni. Infatti finché le insinuazioni, i dubbi, le accuse, hanno formato oggetto di attacchi giornalistici, non suffragati da alcuna circostanza, ho potuto far pesare sulla bilancia la necessità di non drammatizzare, imponendomi un riserbo che mi è stato rimproverato come silenzio, che mi è costato amarezza e che corrisponde forse a tempi sorpassati. Ma nel momento in cui la campagna diffamatoria sembra aver intaccato la fiducia delle forze politiche, la mia scelta non poteva essere che questa. Credo tuttavia che oggi abbia io il dovere di dirvi, e voi, come cittadini, abbiate il diritto di essere da me rassicurati, che per sei anni e mezzo avete avuto come Presidente della Repubblica un uomo onesto, che ritiene d'aver servito il Paese con correttezza costituzionale e dignità morale».

L'«abdicazione» di Leone suscitò pochi rimpianti e pochi compianti. Nell'ultimo messaggio egli aveva sottolineato una verità evidente: l'abdicazione gli era stata imposta non dalla forza degli accusatori, ma dall'assenza di difensori nello schieramento politico. Non aveva potuto far assegnamento sulla DC, dove Andreotti lo gratificherà di ampi e forse eccessivi elogi, ma a distanza di anni: e lì per lì lo lascerà affondare, con le lacrime agli occhi, ma senza buttare una ciambella di salvataggio. E nemmeno aveva potuto fare assegnamento su un «partito trasversale». Si asserì che qualcuno aveva voluto punirlo per la disponibilità alla grazia verso i terroristi durante il sequestro di Moro. Ma i socialisti, che della «flessibilità» erano stati i campioni, non mossero un dito per lui.

La causa di Leone fu perduta anzitutto da Leone stesso. Se il riserbo fuori moda di cui faceva cenno nel messaggio l'avesse veramente imposto a se stesso e al clan, il torrente delle insinuazioni probabilmente non l'avrebbe travolto. Ma fu perduta anche per l'obiettiva debolezza politica d'un democristiano non d'apparato. La sua Presidenza aveva avuto battute ed episodi da Spaccanapoli piuttosto che da Quirinale, ma due costituzionalisti, Antonio Baldassarre e Carlo Mezzanotte, l'hanno nel loro libro *Gli uomini del Quirinale* lodata perché ispirata da grande «scrupolo scientifico» nelle decisioni che attenevano alla carica. Arturo Carlo Jemolo, pur dichiarando che avrebbe continuato a non votare per la DC, espresse a Leone – e fu in quei frangenti un gesto di rara eleganza – la sua solidarietà. Pochi, tra i nomi che contavano, lo imitarono.

CAPITOLO QUINDICESIMO

PERTINI

Con l'elezione a Presidente della Repubblica di Sandro Pertini, sabato 9 luglio del 1978, l'Italia compì un importante giro di boa: forse il più importante del dopoguerra dopo la definitiva uscita dei comunisti dal governo, nel 1947. Il cambiamento non fu netto, e nemmeno chiaramente visibile. Tranne che in circostanze eccezionali, la storia non ammette punti e a capo: è un *continuum* nel quale l'oggi ha sempre forti tracce dell'ieri, e le premesse del domani. Eppure si può ben dire che con la scomparsa di Moro era finito un capitolo, e con Pertini ne cominciava uno nuovo.

Non fu tutto, e nemmeno principalmente, merito del personaggio, più suggestivo e pittoresco di quanto fosse concretamente incisivo. La verità è che l'Italia aveva bisogno di togliersi d'attorno gli incubi dai quali era stata fino a quel momento incalzata, e di ripulirsi – o almeno illudersi d'averlo fatto – dal fango che l'aveva insozzata. La strage di via Fani, episodio ultimo d'un terrorismo feroce e delirante, l'affare Lockheed, le canzonette napoletane e poi l'*impeachment* di Leone, i vizi pubblici, il disordine endemico, la viltà diffusa: tutti questi aspetti funesti o molesti della vita italiana parvero riscattati, almeno per un momento, dall'ingresso al Quirinale di Pertini. Non fu proprio così: gli strascichi delle tragedie ci inse-

guirono per anni, o per decenni – basta pensare al ritrovamento di documenti della prigionia di Moro in un appartamento milanese, nel 1990 –, il piombo e l'esplosivo
fecero altre vittime: o colpendo con cieca crudeltà nel
mucchio, come alla stazione di Bologna nel 1980, o aggiungendo altri nomi al folto elenco dei «giustiziati» con
la P 38. Continuarono come prima e forse peggio di prima la corruzione, la leggerezza dilapidatrice del Palazzo
e dell'amministrazione, i piccoli giuochi della bassa cucina politica.

Ma si delineò anche quello che fu chiamato – da qualcuno con intonazione sprezzante, la stessa che era stata
riservata a termini come «maggioranza silenziosa» e «opposti estremismi» – il «riflusso». Un inizio di presa di coscienza delle menzogne, delle insulsaggini, delle assurdità
che avevano contribuito a determinare il degrado della
convivenza civile, il fiorire di una violenza stralunata, il
collasso dell'economia. È singolare che simbolo di questo
ritorno, se non alla saggezza, almeno a una certa ragione-
volezza, sia stato l'impulsivo e temibilmente imprevedibile Pertini. La commedia della vita ha, nella scelta dei suoi
protagonisti, ragioni che la ragione non conosce.
L'instabile Pertini fu un punto fermo.

Anche lui rischiò di bruciarsi in una elezione presidenziale che, per incredibile che sembri, ricalcò, nonostante
quel po' po' di sconquassi che le stavano alle spalle, i bi-
zantinismi di sempre. I socialisti, cui la guida di Bettino
Craxi dava un mordente particolare, chiedevano che uno
dei loro fosse Capo dello Stato: per un principio
d'alternanza, e anche – quest'argomento non fu esplicitamente enunciato, ma largamente sottinteso – perché i
Presidenti democristiani, si chiamassero Gronchi o Leone, non avevano brillato: e sullo stesso Segni, folgorato

dalla malattia, erano state avanzate, lo sappiamo, pesanti insinuazioni per la parte avuta nel presunto *golpe* cartaceo del generale De Lorenzo.

La DC, affidata all'onesto ma non energico Zaccagnini, era incerta e divisa. Dati i suoi consensi nelle prime votazioni – 29 giugno – al candidato di bandiera Gonella, sprovvisto d'ogni autentica, anche minima *chance*, s'era rifugiata, come già le era accaduto nel dicembre del 1971, in una astensione d'attesa. Il maggior partito italiano non sapeva cosa voleva, e nemmeno cosa non voleva. Presentateci una «rosa», dissero i democristiani ai socialisti, e la valuteremo. Craxi, galante, si affrettò a soddisfare la richiesta. Proponeva Pertini, De Martino, Giolitti, Bobbio (poi anche Giuliano Vassalli e Massimo Severo Giannini). I petali furono via via sfogliati in piazza del Gesù mentre i comunisti si tenevano in posizione d'attesa, e di dichiarata disponibilità per un socialista; e i repubblicani facevano a sorpresa il nome di Ugo La Malfa.

Pertini, di cui s'era creduto per qualche ora che potesse avere una immediata e larga investitura, rischiò di finire nel folto gruppo dei pretendenti delusi. Tra l'altro aveva fatto sapere di non voler essere il candidato delle sole sinistre: avversario dichiarato nel 1948 dell'alleanza tra socialisti e comunisti con la quale Nenni portò il suo partito alla catastrofe elettorale del 18 aprile, Pertini non era disposto, trent'anni dopo, e in condizioni altrettanto sfavorevoli, a un *beau geste* suicida. A Pertini, Craxi avrebbe forse preferito Antonio Giolitti. Ma Giolitti non lo volevano i repubblicani, e La Malfa non lo volevano i socialisti. Zaccagnini si rassegnò, avendo probabilmente capito che, nella rosa socialista, Pertini era l'uomo che meno di ogni altro rappresentava il Partito, e che più di ogni altro rappresentava il Paese. La sedicesima votazione – nelle precedenti avevano avuto voti sparsi Alfredo Carlo Moro, Eleonora Moro e Camilla Cederna – fu per Sandro plebiscitaria: 832 voti su 995 votanti. Centoventuno le schede bianche: ai missini e ai demonazionali, che la scheda bianca l'avevano preannunciata, s'era aggiunto un certo numero di franchi tiratori di varia provenienza. Sicuramente molti, tra loro, i democristiani: in una riunione dei gruppi parlamentari, indetta per ottenere l'assenso all'elezione di Pertini, Zaccagnini s'era dovuto confrontare con 48 no e 22 astenuti.

Malgrado questi rifiuti, Pertini aveva avuto un appoggio senza precedenti. Tutte le esitazioni suscitate dalla sua candidatura erano state superate, compresa quella della tarda età (avrebbe compiuto gli ottantadue anni nel settembre successivo). La sua vitalità, fu detto per dissipare i dubbi, era una garanzia. Il pronostico fu, una volta tanto, azzeccato.

L'opinione pubblica accolse in generale molto positivamente questa scelta. Forse Pertini non era in tutto e per tutto il Presidente che gli Italiani avrebbero voluto: perché ne avrebbero voluto uno al di fuori della classe politica. Ma di tutti gli appartenenti alla classe politica, era quello che le apparteneva di meno. Anche se in vita sua non aveva fatto che politica; anche se per politica aveva sofferto miseria, confino, galera, esilio; anche se era stato a lungo Presidente della Camera dei deputati, non era bastato, tutto questo, a farne un vero «professionista» della politica. Il giorno della sua elezione esprimemmo questi concetti, aggiungendo: «Ciò non toglie nulla al fervore, che non ha mai avuto cedimenti, della sua milizia socialista. Ma in Pertini il carattere conta più delle idee: e il carattere di Pertini non lo dispone al compromesso, che della politica è un ingrediente insostituibile. C'è in lui qualcosa che ci ricorda altri due uomini della vecchia Italia che, come Pertini, pur non facendo che politica, ne rimasero sempre dilettanti, e proprio per questo ancor oggi si raccomandano al nostro rispetto: Leonida Bissolati e Felice Cavallotti. Pertini concilia in sé l'immacolato candore del primo e gli impulsi generosi del secondo. Ha lo sdegno incontenibile, l'invettiva pronta, il perdono facile... Aveva ragione quando, a chi gli rinfacciava l'età, rispose che era nato giovane, come altri nasce vecchio. Effettivamente Pertini è uno dei pochissimi che, partito Don Chisciotte a vent'anni, a ottanta non sia diventato Sancho Panza».

Né le qualità né i difetti di Pertini lo abilitavano ad essere uomo di governo. Infatti assurse alla Presidenza della Repubblica senza mai aver occupato, nello Stato, una carica veramente operativa. Ad esse il Partito socialista lo riteneva inadatto: per la riluttanza ai baratti della bottega politica, ma anche per le improvvisazioni, gli sfoghi, il confusionismo rivestito d'enfasi. Nenni gli portava affetto, aveva incondizionata ammirazione per il suo coraggio, ma nessuna per il suo cervello (eppure, lo si è accennato, quando fu varato il Fronte popolare l'ingenuo Pertini ebbe più fiuto della vecchia volpe Nenni). Chi gli era vicino sapeva che la colloquialità alla mano di Pertini non significava autentico interesse per le persone. Come ogni buon demagogo – e lo era – capiva al volo l'opinione pubblica e s'intonava agli umori di un'assemblea senza troppo badare alla sostanza. Amava colloquiare con la gente più che con gli individui. Non era mai stato sfiorato da sospetti sul maneggio del denaro pubblico e privato. La sua onestà era a prova di bomba. Tutt'al più gli si poteva rimproverare – ma con l'andazzo corrente era colpa lievissima – d'avere, come ogni altro Presidente della Camera, appagato l'incessante caccia dei dipendenti del parlamento a miglioramenti economici, privilegi, anzianità fittizie, indennità pretestuose.

Gli Italiani seppero che con Pertini – il quale del resto utilizzò la reggia dei Papi come un ufficio, continuando a vivere nella sua casa di piazza della Fontana di Trevi – sarebbe entrato al Quirinale un uomo, non una famiglia, e tantomeno un clan. La moglie Carla Voltolina, di molti anni più giovane, sposata nel 1946 dopo due anni di lotta partigiana in comune, era una donna piuttosto eccentrica, ma d'esemplare riservatezza. La Repubblica non avrebbe avuto – e non l'avrà con Cossiga – una *first lady*, e tantomeno dei «monelli», essendo il Presidente, per fortuna del Paese, se non sua, senza figli.

Il ligure asciutto, veemente e a volte sconclusionato avrebbe saputo cattivarsi l'affetto degli Italiani – e la considerazione degli stranieri – come non era mai riuscito a Leone, così smanioso d'essere simpatico, così dotto, così comprensivo, così sorridente, così accomodante. Anche se la sua investitura non fu quale la si sarebbe voluta – venne dopo mille sottintesi e sotterfugi, come uscita di soccorso da un groviglio di intrighi in cui corsero pericolo di restare strangolati coloro stessi che lo avevano annodato – ebbe un effetto liberatorio. E lo scriviamo senza alcun riferimento a quella Liberazione di cui s'è voluto, insistentemente e alla lunga stucchevolmente, che Pertini fosse la personificazione. Di lui, scrivemmo «a caldo» che «rappresentava al meglio il peggio degli Italiani». A cadavere raffreddato, lo confermiamo. Gli Italiani si riconobbero in Pertini, nel quale la classe politica non s'era mai riconosciuta. Fu la sua forza.

Nota bibliografica

La pubblicistica riguardante il periodo storico trattato nell'*Italia degli anni di piombo* è vastissima, e altrettanto vasta è la gamma delle testimonianze. Per non affollare pagine e pagine di titoli e citazioni, e per non offrire indicazioni incomplete, abbiamo deciso di rinunciare a una sistematica bibliografia. I riferimenti essenziali sono tuttavia indicati nel testo.

Avvenimenti principali

1965 – 2 giugno. Viene concessa la grazia all'ex capo partigiano Francesco Moranino, condannato all'ergastolo e rifugiato in Cecoslovacchia.

1965 – Settembre. Gli USA intervengono militarmente nella guerra civile in corso nella Repubblica Dominicana.

1965 – Novembre. Il XXXVI Congresso del PSI pone la questione della riunificazione con il PSDI.

1965 – 8 dicembre. Si conclude il Concilio Vaticano II.

1966 – Gennaio. Congresso socialdemocratico.

1966 – 21 gennaio. Cade il secondo governo Moro.

1966 – 23 febbraio. Moro forma il suo terzo governo.

1966 – 30 ottobre. Riunificazione dei partiti socialista e socialdemocratico.

1966 – Novembre. Gravi alluvioni a Firenze e Venezia. In Cina Mao organizza il movimento delle Guardie rosse.

1967 – 21 aprile. Colpo di Stato dei colonnelli in Grecia.

1967 – 5-10 giugno. Guerra dei sei giorni tra Israele, Giordania, Egitto e Siria.

1967 – Ottobre. Manifestazioni in USA contro la prosecuzione della guerra nel Vietnam.

1967 – Novembre. Decimo Congresso della DC a Milano.

1967 – Enciclica *Populorum progressio*.

1968 – Gennaio. Con l'elezione di Dubcek inizia in Cecoslovacchia un nuovo corso.

1968 – 15 gennaio. Terremoto nel Belice.

1968 – 31 gennaio. L'occupazione dell'Università di Trento dà l'avvio alla «contestazione studentesca».

1968 – 4 aprile. A Memphis viene ucciso Martin Luther King.

1968 – 10-11 maggio. Divampa a Parigi il «maggio» francese.

1968 – 19 maggio. Alle elezioni politiche il PSU perde voti e viene decisa nuovamente la scissione dei socialdemocratici.

1968 – 5 giugno. Dimissioni del governo Moro a causa del ritiro dei socialisti.

1968 – 5 giugno. Assassinio di Robert Kennedy.

1968 – 24 giugno. Leone forma un governo monocolore democristiano, che resta in carica fino al 19 novembre.

1968 – Luglio. Enciclica *Umanae vitae*.

1968 – Agosto. Le truppe del Patto di Varsavia invadono la Cecoslovacchia.

1968 – Settembre. L'Albania esce dal Patto di Varsavia legandosi alla Cina.

1968 – Novembre. Richard Nixon è il nuovo Presidente degli USA.

1968 – 2 dicembre. Ad Avola la polizia apre il fuoco sugli scioperanti.

1968 – 12 dicembre. Rumor ricostituisce un governo di centrosinistra.

1969 – Gennaio. Si aprono a Parigi i negoziati di pace tra USA e Vietnam.

1969 – Marzo. Scontri di frontiera tra URSS e Cina.

1969 – Luglio. Esce il primo numero del «Manifesto» (diventerà quotidiano dal 28 aprile 1971).

1969 – 4 luglio. Nuova scissione del Partito socialista.

1969 – 5 agosto. Rumor, dimissionario dal 5 luglio, forma il suo secondo governo (monocolore DC).

1969 – Settembre. Gheddafi destituisce re Idris e proclama la Repubblica araba di Libia.

1969 – Settembre-dicembre. «Autunno caldo» nel mondo del lavoro.

1969 – Ottobre. Il nuovo Cancelliere della Germania Federale Brandt promuove la *Ostpolitik*.

1969 – 9 novembre. Forlani è il nuovo segretario della DC.

1969 – 20 novembre. Accordo tra Italia e Austria per un sistema di autogoverno in Alto Adige.

1969 – 12 dicembre. Strage di piazza Fontana a Milano.

1969 – 14 dicembre. Morte di Giuseppe Pinelli.

1970 – 7 febbraio. Cade il secondo governo Rumor.

1970 – Marzo. Entra in vigore il Trattato di non proliferazione nucleare.

1970 – 27 marzo. Terzo governo Rumor che riconferma il centrosinistra.

1970 – 20 maggio. Il parlamento approva lo Statuto dei Lavoratori.

1970 – Luglio. Gheddafi annuncia il sequestro di tutti i beni degli Italiani residenti in Libia.

1970 – 6 agosto. Dopo le dimissioni di Rumor (6 luglio) Emilio Colombo forma un governo di centrosinistra.

1970 – Settembre-ottobre. Gravi episodi di violenza in tutta Italia.

1970 – Novembre. Gli USA riprendono i bombardamenti sul Vietnam del Nord.

1970 – 1° dicembre. Approvata la legge sul divorzio.

1970 – Dicembre. Manifestazioni popolari in Polonia contro la crisi economica e sanguinosa repressione a Danzica. A Gomulka succede Gierek.

1971 – 16 febbraio. Il Consiglio regionale della Calabria riconosce Catanzaro capoluogo della Regione.

1971 – Febbraio. Riprendono in Italia violenti disordini.

1971 – 13 giugno. Le amministrative parziali registrano un calo della DC e un'avanzata del MSI.

1971 – 24 dicembre. Giovanni Leone viene eletto Presidente della Repubblica al ventitreesimo scrutinio.

1972 – 15 gennaio. Colombo scioglie il governo in seguito all'uscita del PRI.

1972 – 17 febbraio. Primo governo Andreotti (monocolore DC).

1972 – 26 febbraio. Per la prima volta nella storia della Repubblica Leone scioglie anticipatamente le Camere e indice nuove elezioni.

1972 – 3 marzo. Le Brigate rosse sequestrano un dirigente della Sit-Siemens.

1972 – 15 marzo. Giangiacomo Feltrinelli muore a Segrate preparando un attentato.

1972 – 13-17 marzo. Al XIII Congresso del PCI Enrico Berlinguer è nominato segretario del Partito.

1972 – 7 maggio. Elezioni anticipate per il rinnovo del parlamento. In seguito alla sconfitta del PSIUP nasce il PDUP.

1972 – 17 maggio. Viene assassinato il commissario Calabresi.

1972 – 31 maggio. Attentato fascista a Peteano.

1972 – 26 giugno. Secondo governo Andreotti (coalizione di centrodestra).

1972 – Agosto. Freda e Ventura vengono incriminati per la strage di piazza Fontana.

1972 – Settembre. Scoppia in USA lo scandalo Watergate.

1972 – Novembre. Congresso del PSI: De Martino alla segreteria.

1972 – 1° dicembre. Muore Antonio Segni.

1972 – 10 dicembre. Modifiche al Codice di procedura penale (legge Valpreda).

1973 – Gennaio. Ha inizio il nuovo regime tributario dell'IVA.

1973 – 25 maggio. In seguito a gravi episodi di violenza la Camera concede l'autorizzazione a procedere contro Almirante per il reato di ricostituzione del Partito fascista.

1973 – 10 giugno. Fanfani sostituisce Forlani alla segreteria DC.

1973 – 12 giugno. Dimissioni del governo Andreotti per l'uscita del PRI.

1973 – 7 luglio. Quarto governo Rumor (di centrosinistra).

1973 – 11 settembre. Colpo di Stato in Cile: si instaura la dittatura di Pinochet.

1973 – 12 ottobre. Berlinguer propone il compromesso storico.

Ottobre-novembre. Quarta guerra arabo-israeliana (Guerra del Kippur).

1973 – 2 dicembre. I Paesi membri dell'OPEC decidono di quadruplicare il prezzo del greggio: in Italia vengono prese misure per il razionamento dei carburanti.

1973 – 17 dicembre. Strage all'aeroporto di Fiumicino ad opera di terroristi palestinesi.

1974 – 14 marzo. Quinto governo Rumor, di centrosinistra con appoggio esterno del PRI.

1974 – 18 aprile. Le BR sequestrano a Genova Mario Sossi.

1974 – Maggio. Legge sul finanziamento dei partiti.

1974 – 12 maggio. *Referendum* sul divorzio.

1974 – 28 maggio. Strage in piazza della Loggia a Brescia.

1974 – 25 giugno. Esce a Milano il primo numero del «Giornale».

1974 – Luglio. Cade in Grecia il regime dei colonnelli.

1974 – Agosto. Nixon, coinvolto nello scandalo Watergate, si dimette e viene sostituito da Gerald Ford.

1974 – 3-4 agosto. Strage sul treno *Italicus*.

1974 – 9 settembre. Il capo delle BR Renato Curcio viene catturato a Pinerolo.

1974 – 3 ottobre. Dimissioni del quinto governo Rumor.

1974 – 4 ottobre. Mandato di cattura contro Michele Sindona.

1974 – 23 novembre. Quarto governo Moro (bicolore DC-PRI con appoggio di PSI e PSDI).

1975 – 14 febbraio. Curcio evade dal carcere.

1975 – 13 marzo. Mortalmente ferito a Milano lo studente di estrema destra Sergio Ramelli.

1975 – Aprile. Finisce, con l'entrata dei Vietcong a Saigon e l'evacuazione delle truppe americane, la guerra del Vietnam.

1975 – 16 aprile. Ucciso a Milano lo studente di sinistra Claudio Varalli.

1975 – 22 aprile. Approvato il nuovo diritto di famiglia.

1975 – 22 maggio. Vengono concessi più ampi poteri a polizia e magistratura (legge Reale).

1975 – 25 maggio. Ucciso a Milano lo studente di sinistra Alberto Brasili.

1975 – Giugno. Riapertura del Canale di Suez, chiuso dalla guerra dei sei giorni.

1975 – 5 giugno. In uno scontro a fuoco tra BR e polizia rimane uccisa la moglie di Curcio, Margherita Cagol.

1975 – 15 giugno. Alle elezioni amministrative (che vedono per la prima volta la partecipazione dei diciottenni) si registra un aumento del PCI.

1975 – 26 luglio. Zaccagnini sostituisce Fanfani alla segreteria DC.

1975 – Agosto. Alla Conferenza di Helsinki vengono ribaditi i princìpi della distensione tra Est e Ovest.

1975 – 10 novembre. Firma del Trattato di Osimo fra Italia e Jugoslavia.

1975 – 17 novembre. PCI e PCF fissano in un documento comune il modello del socialismo per l'Occidente.

1975 – Novembre. Alla morte di Francisco Franco sale al trono di Spagna Juan Carlos I di Borbone.

1976 – 14 gennaio. Dopo 13 anni, conclusione dei lavori della Commissione antimafia.

1976 – 14 gennaio. Esce il primo numero de «la Repubblica».

1976 – 18 gennaio. Curcio viene catturato a Milano.

1976 – 6 febbraio. Dilaga lo scandalo Lockheed.

1976 – 11 febbraio. Quinto governo Moro (dimissionario dal 7 gennaio): monocolore DC.

1976 – 26 marzo. Saragat alla segreteria del PSDI al posto di Tanassi.

1976 – 28 marzo. Scoppia lo scandalo del SID.

1976 – 30 aprile. Crisi di governo: si decidono elezioni anticipate.

1976 – 6 maggio. Terremoto in Friuli.

1976 – 20 giugno. Alle elezioni politiche si registra un avvicinamento del PCI alla DC.

1976 – 10 luglio. Un incidente a Seveso provoca una allarmante fuoriuscita di diossina.

1976 – 16 luglio. Rinnovo nelle cariche del PSI: Craxi è il nuovo segretario.

1976 – 30 luglio. Terzo governo Andreotti con l'astensione dei partiti dell'arco costituzionale.

1976 – 9 settembre. Muore Mao Tse-tung.

1976 – 14 ottobre. Aldo Moro nuovo presidente della DC.

1976 – Novembre. Negli USA viene eletto Presidente Jimmy Carter.

1977 – Gennaio. In Cecoslovacchia viene firmata la «Charta '77» che chiede il rispetto dei diritti umani (i dissidenti firmatari saranno arrestati nel maggio '78).

1977 – 18 gennaio. Incomincia a Catanzaro il processo per la strage di piazza Fontana.

1977 – 21 gennaio. La Camera approva la legge sull'aborto.

1977 – Marzo. In Svizzera un *referendum* popolare respinge la proposta di allontanare i lavoratori stranieri.

1977 – Marzo. A Madrid i segretari dei Partiti comunisti italiano, francese e spagnolo formulano i princìpi dell'eurocomunismo.

1977 – 10 marzo. Gui e Tanassi deferiti alla Corte costituzionale per l'affare Lockheed.

1977 – Giugno. Le Brigate rosse feriscono dodici giornalisti.

1977 – Agosto. Con l'espulsione della «banda dei quattro» ha inizio in Cina la critica alla rivoluzione di Mao.

1977 – Ottobre. Ristrutturazione dei servizi di sicurezza.

1977 – 16 novembre. Carlo Casalegno della «Stampa» viene ferito mortalmente a Torino.

1977 – 7 dicembre. Il Senato approva la legge sull'equo canone.

1978 – 16 gennaio. Dimissioni del governo Andreotti.

1978 – 9 marzo. Inizia a Torino il processo alle Brigate rosse.

1978 – 12 marzo. Quarto governo Andreotti.

1978 – 16 marzo. Rapimento a Roma di Aldo Moro.

1978 – 29 marzo. Congresso PSI: nel simbolo, falce e martello vengono sostituiti dal garofano.

1978 – 1° maggio. Inizia il processo per lo scandalo Lockheed.

1978 – 9 maggio. Viene ritrovato a Roma il cadavere di Aldo Moro.

1978 – 10 maggio. Il ministro dell'Interno Cossiga si dimette.

1978 – 11 giugno. *Referendum* sulle leggi dell'ordine pubblico e del finanziamento dei partiti.

1978 – 15 giugno. Si dimette il Presidente della Repubblica Giovanni Leone.

1978 – 9 luglio. Sandro Pertini è il nuovo Presidente della Repubblica.

APPENDICE

RITRATTI

Biografie essenziali delle principali figure storiche trattate in questa Storia d'Italia.

Georges Pompidou
(Montboudif, Cantal, 1911 – Parigi, 1974)
Uomo politico francese

Perfezionati gli studi umanistici presso l'École Normale Supérieure e l'École libre des sciences politiques, tra il 1935 e il 1944 insegnò nei licei di Marsiglia e a Parigi. Nella capitale francese, all'indomani della Liberazione dall'occupante tedesco, venne in contatto con il generale De Gaulle, che dal settembre 1944 al gennaio 1946 rivestì la carica di Presidente del governo provvisorio francese: Pompidou vi prese parte come consulente per l'istruzione e l'informazione, ruolo che detenne fino al 1949. Agli inizi degli anni Cinquanta entrò alle dipendenze della Banca Rothschild, di cui nel 1954 assunse la direzione, e restò per alcuni anni lontano dalla vita politica.

Nel 1958 De Gaulle, nel frattempo tornato a capo del governo, lo nominò per la seconda volta capo di gabinetto e successivamente membro del consiglio costituzionale (1959): in questa veste Pompidou prese parte agli incontri con il Fronte nazionale di liberazione algerino in Svizzera, che prepararono gli accordi di Évian per l'armistizio nel conflitto franco-algerino. Il successo dei negoziati gli aprì la strada alla nomina a Primo Ministro (1962), carica che mantenne senza interruzioni per sei anni e durante la quale affrontò l'esplosiva situazione creata dal movimento studentesco, che culminò in Francia nel maggio 1968. Contrario al ricorso alla violenza, optò per il dialogo con gli studenti, che favorì la riapertura della Sorbona e la scarcerazione dei contestatori arrestati, e con i sindacati, per una composizione delle vertenze e il ritorno della pace sociale (accordi di Grenelle). L'impegno profuso dal Primo Ministro in un frangente così difficile venne ricompensato nel mese successivo con la vittoria nelle elezioni anticipate: all'Assemblea nazionale i gollisti ottennero la maggioranza dei seggi. Al trionfo elettorale fece tuttavia seguito l'allontanamento di Pompidou dall'esecutivo per volontà del generale, che lo sostituì con Maurice Couve de Murville.

Si trattò di una breve parentesi, dato che nell'aprile 1969, in seguito alle dimissioni di De Gaulle sconfitto nel referendum sulla riforma del Senato e delle regioni, Pompidou si candidò alle elezioni presidenziali appoggiato dal movimento gollista, dai repubblicani e dai centristi, e al ballottaggio, il 15 giugno 1969, si impose. Il periodo del suo mandato presidenziale fu caratterizzato dalla volontà di fare della Francia una potenza industriale di primo piano a livello sia europeo sia mondiale. Di qui lo sviluppo nel settore aerospaziale (costruzione dell'aereo supersonico Concorde e dell'Airbus, programma spaziale Arianne), delle telecomunicazioni, dell'energia (costruzione di tredici centrali nucleari), delle infrastrutture (alta velocità). Furono inoltre, questi, anni caratterizzati da un diffuso benessere economico, bruscamente interrotto nel novembre 1973 dal sopraggiungere della crisi petrolifera.

Un ambito cui Pompidou prestò particolare attenzione, senza dubbio per la sua profonda preparazione intellettuale, fu quello della cultura, dove promosse tra l'altro l'istituzione del Musée d'Orsay, con la riconversione della stazione dismessa lungo la Senna in uno spazio espositivo per l'arte del XIX secolo, e un centro pluridisciplinare per accogliere l'arte contemporanea situato nel quartiere parigino del Beaubourg.

In politica estera rifuggì qualsiasi forma di affermazione di prestigio, mentre inserì la Francia in seno all'Europa gettando le basi per l'Unione europea nel dicembre 1969 a fianco di Willy Brandt e tolse il veto all'ingresso della Gran Bretagna nella Comunità europea (1972). Sul piano mondiale si mostrò disponibile verso gli Stati Uniti e la NATO, ma difese strenuamente l'indipendenza della Francia, curò gli interessi francesi nelle ex colonie e fu il primo capo di Stato d'Europa a compiere nel 1973 un viaggio ufficiale nella Repubblica popolare cinese.

Minato da una malattia incurabile diagnosticata nel 1969, si spense il 2 aprile 1974, prendendo del tutto alla sprovvista gli ambienti politici parigini, tenuti all'oscuro delle sue condizioni di salute andate gradualmente peggiorando durante il mandato presidenziale.

Mariano Rumor
(Vicenza, 1915 – Vicenza, 1990)
Uomo politico italiano

Formatosi in un ambiente cattolico, dopo l'8 settembre 1943 aderì alla Democrazia cristiana, che rappresentò nel CNL. Al termine della seconda guerra mondiale operò intensamente per diffondere il Partito nella realtà vicentina, e a livello regionale divenne ben presto un esponente democristiano di primo piano. Nel 1946 fu eletto alla Costituente e due anni più tardi deputato al parlamento italiano. Durante i lavori del Congresso nazionale della DC (1949) si segnalò per l'intervento legato alle problematiche del mondo del lavoro in Italia, in cui auspicò l'azione riformistica del Partito per realizzare un vero e proprio cambiamento socioeconomico basato sulla solidarietà.

Legato alla corrente dossettiana («Cronache sociali»), al ritiro di Giuseppe Dossetti dalla vita politica attiva Rumor contribuì attivamente a creare la corrente di Iniziativa democratica, che raggruppava ex dossettiani e centristi degasperiani. Grazie al ruolo di spicco assunto in Iniziativa democratica poté ricoprire i primi incarichi istituzionali: sottosegretario all'agricoltura con De Gasperi e poi con Pella, e, nel 1954, sottosegretario alla Presidenza del Consiglio con Fanfani. I primi timidi passi di apertura compiuti da quest'ultimo verso i socialisti determinarono in Iniziativa democratica una spaccatura tra i fanfaniani e il gruppo dissidente dei dorotei (così chiamati dal nome del convento delle suore di Santa Dorotea a Roma dove si riunirono) capeggiato da Segni, Moro e Rumor stesso. Anche in questa circostanza Rumor divenne ben presto un leader della corrente, e con il governo Segni (1959) ebbe la direzione del Ministero dell'Agricoltura, conservata nei governi Tambroni e Fanfani, mentre nel 1963 ebbe il Ministero dell'Interno durante il mandato di Leone.

Segretario nazionale della DC dal 1964, affrontò la delicata fase di apertura e collaborazione con i socialisti, chiamati a far parte dell'esecutivo, mentre nel 1968 ricevette l'incarico di costituire il suo primo governo di centrosinistra (formato dalla coalizione DC, PSI, PRI), che tuttavia ebbe vita breve a causa della scissione interna ai socialisti che ne decretò la fine. Di lì a poco varò il secondo governo, questa volta monocolore, e infine il terzo e ultimo: nella breve esperienza governativa riuscì a dare vita alle amministrazioni regionali e a varare lo Statuto dei lavoratori, e si sforzò di arginare la violenza politica culminata nell'attentato di piazza Fontana a Milano. Nel 1972 fu scelto da Andreotti quale Ministro dell'Interno, mentre l'anno successivo, in vista di una ripresa del dialogo con i socialisti, venne designato per apprestare ancora una volta un governo di centrosinistra, alla cui guida affrontò la grave crisi petrolifera, il referendum sul divorzio e una situazione sociale sempre più tesa e violenta. Dimessosi nell'ottobre 1974, venne proposto da Moro alla segreteria del Partito, senza successo; escluso da ogni incarico sia all'interno della DC sia nel governo, fu chiamato da Moro al Ministero degli Esteri, ma dal 1976 non assunse più incarichi. Coinvolto nello scandalo Lockheed, riguardo al quale fu prosciolto da ogni accusa, nel 1979 fu eletto deputato al parlamento europeo e senatore, carica nella quale fu riconfermato negli anni seguenti fino alla morte.

Alexander Dubček
(Uhroveč, Slovacchia, 1921 – Praga, 1992)
Uomo politico cecoslovacco

Attivo militante comunista fin dalla giovinezza, nel 1927 lasciò la Cecoslovacchia per portarsi in Unione Sovietica, da cui fece ritorno nel 1938. Operaio, aderì al movimento clandestino comunista, si oppose al governo filonazista di monsignor Tiso e prese parte all'insurrezione del 1944. Dopo la guerra intraprese gli studi di giurisprudenza e perfezionò la sua formazione politica a Mosca nel periodo 1955-1958.

Segretario del Partito comunista slovacco nel 1960, quindi nel 1963 primo segretario, cinque anni più tardi fu chiamato a dirigere il Partito comunista cecoslovacco in sostituzione di Antonín Novotný. In tale veste, senza negare il ruolo principale del Partito comunista e la fedeltà all'URSS, Dubček si apprestò ad avviare un processo di riforme antiautoritarie, una maggiore indipendenza della Cecoslovacchia nei rapporti con gli altri Stati, soprattutto in ambito economico, e a introdurre elementi di democrazia nella vita sociale del Paese. L'enorme consenso da parte dell'opinione pubblica cecoslovacca verso le sue iniziative non impedì la dura reazione di Mosca e del Patto di Varsavia: nell'agosto 1968 Praga fu occupata e i carri armati dell'Armata rossa posero fine alla breve stagione riformista della «primavera di Praga». Dubček, in un primo tempo arrestato, fu rilasciato su istanza del presidente Ludvik Svoboda e quindi poté restare alla testa del Partito. Fu solo nell'aprile dell'anno seguente che venne destituito da ogni incarico; dopo aver assolto brevemente alla carica di ambasciatore ad Ankara, si ritirò a Bratislava dove ebbe un impiego nel locale ufficio forestale.

Si riebbero sue notizie solo nel gennaio 1988, quando fu autorizzato a lasciare la Cecoslovacchia per recarsi in Italia; qui non solo ricevette la laurea *honoris causa* conferitagli dall'Università di Bologna, ma rilasciò un'intervista a «l'Unità» nella quale tracciava un parallelo tra la propria esperienza maturata durante la primavera di Praga e il nuovo corso riformatore avviato in quel periodo in Unione Sovietica da Mikhail Gorbaciov. Con al caduta del comunismo in seguito alla rivoluzione di velluto del 24 novembre 1989, che costrinse Milos Jakes a dare le dimissioni dalla direzione del Partito comunista, venne eletto a dicembre Presidente del parlamento federale della Repubblica federativa ceca e slovacca. Con questa carica si oppose, a fianco del presidente della Repubblica Vaclav Havel, alla divisione del Paese in due entità territoriali distinte, così come rifiutò di firmare la legge che poneva al bando gli ex comunisti dagli incarichi pubblici per almeno cinque anni. Nelle elezioni del 1992 venne eletto nel parlamento federale ma non in Slovacchia. Il 1° settembre dello stesso anno rimase mortalmente ferito in un incidente automobilistico, le cui circostanze non furono mai del tutto chiarite.

Henry Alfred Kissinger
(Fürth, Baviera, 1923)
Uomo politico americano

Emigrato negli Stati Uniti con la famiglia ebraico-tedesca nel 1938 a causa delle persecuzioni razziali naziste, ottenne la cittadinanza americana e durante la guerra fu impiegato come traduttore dal tedesco nel controspionaggio. Lasciato l'esercito nel 1946, intraprese gli studi in scienze politiche prima allo Harvard College e poi alla Harvard University, dove restò a insegnare e a lavorare tra il 1951 e il 1971. Nel contempo svolse consulenze per organismi federali di sicurezza e per il Dipartimento di Stato. Dal 1968 divenne consigliere del presidente Richard Nixon per gli affari esteri, nei quali applicò un principio di *realpolitik* consistente nel valutare gli obiettivi statunitensi alla luce dei mezzi di cui erano dotati gli USA e delle forze tra le grandi potenze. In questo quadro si impegnò per il ripiegamento della presenza militare statunitense nonché nel perseguire la politica della distensione, raggiungendo con l'URSS gli accordi sui missili balistici intercontinentali. Nel 1971 preparò il viaggio che Nixon fece l'anno seguente in Cina al fine di normalizzare le relazioni tra i due Stati, segnato dalla fine del veto americano all'entrata della Cina nell'ONU. Sempre nel 1972 avviò i negoziati a Parigi con il vietnamita Le Duc Tho per porre fine alla guerra del Vietnam e all'impegno militare americano nella regione; l'accordo per il cessate il fuoco raggiunto il 15 gennaio 1973 valse ai due diplomatici il premio Nobel per la pace. Nominato Segretario di Stato nel settembre 1973, Kissinger si impegnò a negoziare in Medio Oriente la fine della guerra del Kippur tra Israeliani e Arabi, ponendo le premesse per un avvicinamento tra USA ed Egitto e la pace tra quest'ultimo Stato con Israele, sancita nel 1978 con il trattato di Camp David. Se riuscì a contenere l'espansione sovietica in Medio Oriente, poco poté fare per contrastare il diffondersi di governi filocomunisti in Angola e in Mozambico, mentre sembrerebbe aver avuto un ruolo diretto nell'attuazione del colpo di Stato cileno da parte del generale Pinochet; gli è stata contestata anche una presunta complicità nell'«operazione Condor», pianificata dai servizi segreti statunitensi per destabilizzare i Paesi dell'America centro-meridionale retti da governi di sinistra.

Durante lo scandalo Watergate che travolse il presidente Nixon e lo costrinse alle dimissioni, Kissinger risultò estraneo ai fatti e quindi rimase alla direzione del Dipartimento di Stato anche durante l'amministrazione Ford; la conclusione di questa segnò per Kissinger la fine degli incarichi governativi e il ritorno all'insegnamento delle relazioni internazionali presso la Georgetown University (1977). Il ritorno dei repubblicani alla Presidenza con Reagan e Bush dopo la parentesi democratica di Carter non comportò per Kissinger il ritorno al Dipartimento di Stato: ebbe solo incarichi temporanei, l'ultimo dei quali nel 2002, quando George Bush gli affidò la commissione d'inchiesta sull'attacco alle Torri gemelle del World Trade Center di New York l'11 settembre 2001. Sebbene privo di mandati governativi, Kissinger continua ad avere ruolo attivo sulla scena mondiale e americana in qualità di consulente, conferenziere e consigliere d'amministrazione.

Cronologia essenziale

La seguente cronologia si propone di integrare e arricchire il percorso storico tracciato dagli Autori, evidenziando gli eventi principali che costituiscono l'ossatura di questa Storia d'Italia.

1965

2 giugno – Viene concessa la grazia all'ex capo partigiano Francesco Moranino, condannato all'ergastolo per aver trucidato diversi partigiani non comunisti e rifugiato in Cecoslovacchia.

18 giugno – In Algeria un colpo di Stato rovescia Ben Bella e avvia il processo di nazionalizzazione delle industrie.

luglio – In Grecia il re Costantino II appoggia un governo di centro-destra.

agosto – A Los Angeles divampa la rivolta del *Black Panther Party* contro l'*establishment* politico-economico detenuto dai bianchi; la protesta è repressa dalla polizia. India e Pakistan sono in guerra per il controllo della regione del Kashmir.

20 settembre – Fanfani, Ministro degli Esteri dal 5 marzo, viene eletto Presidente dell'ONU.

30 settembre-2 ottobre – In Indonesia viene sventato un colpo di Stato contro Ahmed Sukarno, successivamente sostituito dal generale Hadji Mohamed Suharto.

settembre – Gli USA intervengono militarmente nella Repubblica Dominicana, dove una guerra civile dilania il Paese in seguito alla caduta della giunta militare.

ottobre – L'intervento mediatore dell'ONU spinge India e Pakistan a dichiarare una tregua.

4 ottobre – Paolo VI rende visita al palazzo dell'ONU e tiene un discorso sulla pace.

novembre – Il XXXVI Congresso del PSI pone la questione della riunificazione con il PSDI.

dicembre – In Francia le elezioni presidenziali decretano la vittoria di Charles De Gaulle solo dopo il ballottaggio con il candidato socialista François Mitterrand.

8 dicembre – Terminano i lavori del Concilio Vaticano II; le costituzioni e i decreti adottati dai padri conciliari precisano tra l'altro i poteri e i compiti dei Vescovi, rinnovano la liturgia, autorizzano la partecipazione attiva alla vita della Chiesa da parte dei laici, il cui ruolo è valorizzato di fronte alle problematiche della società e del mondo contemporaneo.

Italo Calvino pubblica *Le cosmicomiche*; Peter Weiss *L'istruttoria*. Guido Crepax crea il fumetto *Valentina*. Il cosmonauta sovietico Aleksej Leonov compie una «passeggiata» nello spazio. La sonda americana *Mariner 4* invia fotografie di Marte.

1966

gennaio – Alla conclusione del Congresso socialdemocratico viene approvata la mozione di riunificazione con i socialisti di Pietro Nenni. Con la pace di Taskent termina il conflitto indo-pakistano ma resta aperta la questione del Kashmir. In India Indira Gandhi, figlia di Nehru, è eletta Primo Ministro.

21 gennaio – Cade il secondo governo Moro su un disegno di legge relativo alla scuola materna pubblica.

23 febbraio – Saragat riconferma l'incarico a Moro, che compone il suo terzo governo.

30 aprile – Gianni Agnelli diviene presidente della FIAT.

4 maggio – La FIAT avvia la produzione di automobili in Unione Sovietica, nello stabilimento di Togliattigrad.

30 giugno – Hanoi, capitale del Vietnam del Nord, viene bombardata dagli Americani.

18 agosto – In Cina Mao Tse-tung, per sbarazzarsi di oppositori interni al Partito, organizza il movimento delle Guardie rosse, a sostegno della «rivoluzione culturale» condotta contro i quadri comunisti sospettati di moderatismo o orientati verso una via capitalista dopo il fallimento del «grande balzo in avanti».

30 ottobre – Il Partito socialista e quello socialdemocratico si uniscono e danno vita al Partito socialista unificato (PSU), il cui presidente è Nenni, mentre cosegretari sono Francesco De Martino e Mario Tanassi.

novembre – Gravi alluvioni si verificano a Firenze, dove straripa l'Arno, e a Venezia.

dicembre – Nella Repubblica Federale Tedesca si costituisce la «grande coalizione» tra l'Unione cristiano-democratica e i socialdemocratici: Cancelliere è Kurt Kiesinger, mentre il socialdemocratico Willy Brandt è Ministro degli Esteri.
Il presidente De Gaulle annuncia il ritiro della Francia dalla NATO.

Truman Capote pubblica *A sangue freddo*; José Lezama Lima *Paradiso*; Gabriel García Márquez *Cent'anni di solitudine*; il filosofo Michel Foucault *Le parole e le cose*; Jorge Amado *Donna Flor e i suoi due mariti*; Bernard Malamud *L'uomo di Kiev*; viene edito postumo *Il Maestro e Margherita* di Michail Bulgakov. Il filologo Giorgio Petrocchi cura l'edizione critica della *Divina Commedia*. La Congregazione per la dottrina della fede abolisce l'Indice dei libri proibiti. Pier Paolo Pasolini realizza il film *Uccellacci e uccellini*; Gillo Pontecorvo *La battaglia di Algeri*; Roberto Rossellini *La presa del potere di Luigi XIV*; Michelangelo Antonioni *Blow-up*. I Sovietici riescono a far allunare la sonda spaziale *Lunik IX*. In Italia nasce la Montedison, fusione tra la società elettrica Edison e la Montecatini, che controlla l'80% dell'industria chimica. In Francia, a Rance, entra in funzione la prima centrale elettrica che sfrutta l'energia prodotta dalle maree.

1967

9 febbraio – La polizia interviene per porre fine all'occupazione in atto nell'Università di Torino contro il progetto di riforma universitario.

28 marzo – Paolo VI affronta nell'enciclica *Populorum progressio* il problema della giustizia sociale e dei rapporti tra gli Stati.

15 aprile – Il generale Giovanni De Lorenzo è sollevato dalla carica di capo di Stato Maggiore dell'esercito in seguito allo scandalo SIFAR (Servizio informazioni delle forze armate) sulle migliaia di schedature di esponenti politici, sindacalisti, imprenditori, religiosi e militari.

21 aprile – Colpo di Stato dei colonnelli in Grecia contro una possibile vittoria delle sinistre nelle elezioni; Costantino II è costretto all'esilio a Roma.

maggio – Il territorio sudorientale della Nigeria proclama l'indipendenza con il nome di Repubblica del Biafra, che resiste agli attacchi governativi grazie all'aiuto militare francese.

10 maggio – «L'Espresso» denuncia il «piano Solo»: un complotto ordito nel 1964 dai vertici dei carabinieri per mantenere l'ordine dopo le dimissioni del governo di centrosinistra guidato da Moro e non concedere spazio alcuno ai Partiti di sinistra. L'operazione avrebbe trovato la connivenza del presidente della Repubblica Antonio Segni, di parte della DC e di Confindustria, preoccupati dal programma riformista del governo di Moro.

22 maggio – Il Presidente egiziano, Nasser, blocca i traffici marittimi che attraverso il golfo di Aqaba raggiungono Israele.

5-10 giugno – Guerra dei Sei giorni tra Israele, Giordania, Egitto, Irak e Siria (III guerra arabo-israeliana). Israele, dopo aver compiuto bombardamenti aerei sugli aeroporti nemici, occupa il Sinai, Gerusalemme, la Cisgiordania e le alture del Golan.

ottobre – Manifestazioni in USA contro la prosecuzione della guerra nel Vietnam.

8 ottobre – In Bolivia viene ucciso Ernesto «Che» Guevara.

novembre – L'ONU dispone che Israele si ritiri dai territori occupati con la guerra dei Sei giorni e sollecita gli Stati arabi a riconoscere l'esistenza dello Stato d'Israele e a negoziare la pace: sia Israele sia i Paesi arabi sia l'OLP respingono la risoluzione.

17 novembre – L'Università Cattolica di Milano è occupata dagli studenti.

27 novembre – La Francia si oppone all'ingresso della Gran Bretagna nel Mercato comune.

30 novembre – Lo Yemen del Sud (ex Aden) proclama l'indipendenza ed è guidato dal Fronte di liberazione nazionale d'ispirazione marxista.

9 dicembre – In Romania Nicolae Ceauşescu assume la direzione del governo.
In Francia i gollisti subiscono una sconfitta nelle elezioni nazionali, che premiano le sinistre; tuttavia Georges Pompidou, Primo Ministro, resta in carica. A Bangkok si costituisce l'ASEAN (Associazione dell'Asia del Sud-Est), che riunisce cinque Stati non comunisti della regione: Filippine, Thailandia, Singapore, Malesia, Indonesia; scopo dell'organizzazione è di promuovere lo sviluppo economico e socio-culturale dei Paesi aderenti.

Milan Kundera scrive *Lo scherzo*; Régis Debray *Rivoluzione nella rivoluzione*. Hugo Pratt pubblica sulla rivista «Sgt. Kirk» *La ballata del mare salato*, prima avventura in cui compare Corto Maltese. Muoiono il pittore surrealista belga René Magritte, il direttore d'orchestra Victor De Sabata, il cantautore italiano Luigi Tenco e l'attore Antonio De Curtis, in arte Totò. Louis Buñuel dirige il film *Bella di giorno* con Catherine Deneuve; Peter Brook *Marat-Sade*; Miklós Jancsó *L'armata a cavallo*. I Cinesi fanno esplodere la loro prima bomba nucleare. Il chirurgo sudafricano Christiaan Barnard è autore del primo trapianto cardiaco. L'americano Ray Dolby mette a punto la riduzione del rumore di fondo.

1968

gennaio – Con l'elezione di Alexander Dubček a segretario del Partito comunista inizia in Cecoslovacchia un nuovo corso riformista che tenta di dar corpo ad un «socialismo dal volto umano» (primavera di Praga): pur conservando il sistema economico socialista vengono introdotte forme di pluralismo in ambito economico e politico, oltre alla libertà di stampa. Nel Vietnam del Sud i Vietcong scatenano l'offensiva del Tet e occupano l'antica capitale vietnamita Huè.

14-15 gennaio – Un terremoto devasta la valle del Belice in Sicilia, provocando oltre trecento morti.

31 gennaio – L'occupazione dell'Università di Trento innesca la contestazione studentesca in Italia.

marzo-aprile – Giappone, Repubblica Federale Tedesca, Polonia, USA, Messico, Turchia e Francia sono interessati dalle agitazioni studentesche.

1° marzo – Si verificano duri scontri tra polizia e studenti presso la facoltà di architettura a Roma: il bilancio è di circa cinquecento feriti (battaglia di Valle Giulia). Procedono le occupazioni di università e licei in tutta Italia.

4 aprile – A Memphis viene assassinato Martin Luther King; all'omicidio segue una sommossa di afroamericani negli Stati Uniti.

10-11 maggio – Con l'occupazione della Sorbona e la notte delle barricate nel Quartiere Latino divampa a Parigi il «maggio francese»; sono organizzati scioperi contro il governo e la polizia. De Gaulle indice nuove elezioni.

19 maggio – In Italia, alle elezioni politiche, il PSU perde voti e viene decisa nuovamente la scissione dei socialdemocratici.

5 giugno – Moro presenta le dimissioni a causa del ritiro dei socialisti dall'esecutivo. Il candidato democratico alla Presidenza, Robert Kennedy, viene assassinato a Los Angeles.

24 giugno – Giovanni Leone forma un governo di transizione monocolore democristiano, che resta in carica fino al 19 novembre.

30 giugno – Nelle elezioni francesi trionfano i gollisti.

29 luglio – Paolo VI promulga l'enciclica *Umanae vitae* con cui condanna il controllo delle nascite con mezzi artificiali.

21 agosto – Le truppe del Patto di Varsavia invadono la Cecoslovacchia e reprimono il tentativo riformista avviato da Dubček.

settembre – L'Albania esce dal Patto di Varsavia e si allea con la Cina. In Portogallo António Salazar è sostituito da Marcelo Caetano, che prosegue nella linea conservatrice del predecessore.

ottobre – In Perù, un colpo di Stato porta al governo una giunta militare nazionalista di sinistra, che attua una riforma agraria e nazionalizza banche e produzione petrolifera.

novembre – Il repubblicano Richard Nixon è il nuovo Presidente americano.

1° novembre – Gli Stati Uniti sospendono i bombardamenti sul Vietnam del Nord.

2 dicembre – Ad Avola la polizia apre il fuoco sugli scioperanti e uccide due braccianti.

12 dicembre – Mariano Rumor ricostituisce un governo di centrosinistra.

Ignazio Silone scrive *L'avventura di un povero cristiano*; John Updike *Coppie*; viene pubblicato postumo *Il partigiano Johnny* di Beppe Fenoglio. Muore Salvatore Quasimodo. Il regista Costantin Costa-Gavras dirige il film *Z, l'orgia del potere*; Stanley Kubrick *2001: Odissea nello spazio*. La sonda spaziale americana *Apollo 8* con a bordo tre astronauti orbita attorno alla Luna. In Egitto i templi di Abu Simbel, che la diga di Assuan minaccia di sommergere, vengono trasportati a una quota superiore a quella originaria.

1969

gennaio – Iniziano a Parigi i negoziati di pace che vedono impegnati i delegati di USA, Vietnam del Sud, Vietnam del Nord e Fronte di liberazione nazionale.

febbraio – Yasser Arafat è eletto al Cairo Presidente del Comitato esecutivo dell'OLP.

12 febbraio – I sindacati indicono uno sciopero generale per abolire i salari differenziati a seconda delle zone geografiche.

marzo – Scontri di frontiera tra URSS e Cina lungo il fiume Ussuri.

aprile – Dubček è sostituito nella direzione del Partito comunista da Gustáv Husak. In Francia, il referendum promosso da De Gaulle per una riforma regionale e del Senato vede la vittoria delle opposizioni di sinistra.

25 aprile – Una bomba devasta lo stand espositivo della FIAT alla Fiera campionaria di Milano.

11 giugno – A Mosca, nell'ambito della Conferenza dei partiti comunisti, Enrico Berlinguer condanna la repressione attuata in Cecoslovacchia.

15 giugno – In seguito alle dimissioni di De Gaulle è eletto Presidente il gollista Georges Pompidou.

4 luglio – Nuova scissione del Partito socialista: l'ala destra dà vita al Partito socialista unitario (PSU, dal 1971 Partito socialista democratico italiano) e i suoi Ministri si ritirano dal governo Rumor, che cade.

21 luglio – Viene trasmesso in mondovisione l'allunaggio americano della missione spaziale Apollo 11: gli astronauti Neil Armstrong e Edwin Aldrin camminano sulla superficie lunare.

agosto – Guerra civile in Irlanda del Nord, a Belfast e Londonderry, tra cattolici ed estremisti di destra protestanti. L'intervento dell'esercito inglese non placa le tensioni.

5 agosto – Rumor, dimissionario dal 5 luglio, forma il suo secondo governo (monocolore DC), con l'appoggio esterno dei socialisti.

settembre – Il colonnello Muammar Gheddafi destituisce re Idris I e proclama la Repubblica araba di Libia.

3 settembre – Muore ad Hanoi Hô-Chi-Minh, padre della lotta per l'indipendenza del Vietnam.

11 settembre – Con lo sciopero dei metalmeccanici inizia l'«autunno caldo» nel mondo del lavoro, periodo caratterizzato da lotte sindacali che mettono in discussione l'organizzazione del lavoro e rivendicano l'egualitarismo.

ottobre – Il nuovo Cancelliere della Germania Federale Willy Brandt promuove l'*Ostpolitik*, un'apertura all'URSS e ai Paesi dell'Est europeo. Negli USA dimostrazione per la fine della guerra nel Vietnam.

novembre – A Helsinki iniziano i lavori tra le delegazioni americana e sovietica per la limitazione degli armamenti nucleari strategici (SALT).

9 novembre – Arnaldo Forlani è il nuovo segretario della DC.

20 novembre – Accordo tra Italia e Austria per la costituzione di un sistema di autogoverno in Alto Adige.

dicembre – Gli USA elaborano un piano per la soluzione del conflitto in Medio Oriente (piano Rogers) accettato da Egitto, Giordania, Israele e respinto dall'OLP.

12 dicembre – Strage di piazza Fontana a Milano: l'attentato terroristico ai danni della Banca dell'Agricoltura provoca diciassette morti e quasi novanta feriti. Il sanguinoso episodio segna l'inizio della «strategia della tensione» messa in atto da gruppi neofascisti.

14 dicembre – Giuseppe Pinelli, ferroviere anarchico, arrestato per l'attentato a piazza Fontana, muore in circostanze oscure cadendo dalla finestra della questura di Milano durante un interrogatorio.

Philip Roth pubblica *Lamento di Portnoy*; Charles Bukowski *Taccuino di un vecchio sporcaccione*; Noam Chomsky *L'America e i suoi mandarini*. A Woodstock si tiene un festival di musica rock cui assistono migliaia di giovani. Luchino Visconti realizza il film *La caduta degli dei*; Dennis Hopper *Easy Rider* (con cui si afferma l'attore Jack Nicholson); Michelangelo Antonioni *Zabriskie Point*. La missione americana Apollo 12 compie un secondo viaggio sulla Luna. Il *Concorde*, aereo civile supersonico di fabbricazione anglo-francese, compie il primo volo. Esce il primo numero de «il manifesto».

1970

gennaio – Le forze governative nigeriane debellano i secessionisti del Biafra, duramente colpiti da fame e stenti.

marzo – Entra in vigore il trattato di non proliferazione nucleare, firmato da un centinaio di Paesi eccetto Francia, India, Cina, Israele, Brasile. In Cambogia un colpo di Stato appoggiato dagli USA porta alla destituzione del presidente Norodom Sihanouk; inizia la guerriglia antigovernativa del Fronte unito nazionale khmer (FUNK).

19 marzo – A Erfurt si incontrano i rappresentati delle due Germanie.

27 marzo – Nasce il terzo governo Rumor, che riconferma la formula del centrosinistra.

aprile – I movimenti di liberazione in Vietnam, Laos e Cambogia istituiscono un Fronte di liberazione dell'Indocina.

14-20 maggio – Il parlamento italiano approva lo Statuto dei lavoratori, che regola i rapporti lavorativi e le libertà sindacali.

giugno – In Inghilterra i laburisti perdono le elezioni a vantaggio dei conservatori, che formano il nuovo esecutivo.

7-8 giugno – In Italia si svolgono le prime elezioni regionali.

luglio – Gheddafi annuncia il sequestro di tutti i beni degli Italiani residenti in Libia e procede alla nazionalizzazione delle compagnie petrolifere.

6 luglio – Rumor rassegna le dimissioni per i dissensi nella coalizione.

14 luglio – Reggio Calabria è interessata da una rivolta seguita alla designazione di Catanzaro a capoluogo della Regione.

6 agosto – Emilio Colombo costituisce un governo di centrosinistra.

settembre – In Cile il socialista Salvador Allende è eletto Presidente e avvia riforme socioeconomiche.

7 settembre – Diverse bombe vengono fatte esplodere a Reggio Calabria; la rivolta, scoppiata nel luglio precedente, porta a scontri con la polizia, assalti alla questura, alla prefettura e alle sezioni dei partiti di sinistra.

16-24 settembre – In Giordania si verificano sanguinosi scontri tra l'esercito giordano e i Palestinesi, che re Hussein vuole allontanare dal Paese (Settembre nero).

ottobre – In Egitto Anwar al-Sadat subentra a Nasser alla guida del Paese.

novembre – Gli USA riprendono i bombardamenti sul Vietnam del Nord.

9 novembre – Muore a Colombey-les-Deux-Eglises Charles De Gaulle.

dicembre – Manifestazioni popolari in Polonia contro la crisi economica e sanguinosa repressione a Danzica; a Władisław Gomulka succede alla testa del Partito operaio unificato Edward Gierek, Ministro della Difesa è il generale Wojciek Jaruzelski. Il cancelliere Brandt firma con la Polonia il trattato di Varsavia, che normalizza i rapporti tra i due Stati e fissa il confine polacco lungo l'Oder-Neisse.

1° dicembre – In Italia il parlamento approva la legge sul divorzio (legge Fortuna-Baslini).

7-8 dicembre – Fallisce il tentativo organizzato da Junio Valerio Borghese, ex comandante della X flottiglia MAS della Repubblica di Salò, di dare corpo a un piano eversivo finalizzato a instaurare un governo autoritario in Italia.

Jean-Paul Sartre pubblica *L'idiota della famiglia*; Eric Segal *Love Story*; il teologo Hans Küng *Infallibile? Una domanda*. Muoiono il filosofo e matematico Bertrand Russell e lo scrittore Mishima Yukio. La sonda *Lunik 16* riporta sulla Terra campioni del suolo lunare; *Lunik 17* lancia sulla Luna un robot per esplorarne la superficie. Iniziano i voli regolari del Boeing 707, che può trasportare fino a 490 passeggeri.

1971

gennaio – In base agli accordi tra le autorità giordane e l'OLP i guerriglieri palestinesi non possono condurre operazioni terroristiche contro Israele avendo come punto di partenza la Giordania.

febbraio – Riprendono in Italia violenti disordini. In Svizzera un referendum popolare concede il diritto di voto alle donne. L'Algeria nazionalizza le compagnie petrolifere francesi sul suo territorio.

16 febbraio – Il Consiglio regionale della Calabria riconosce Catanzaro capoluogo della Regione.

10 marzo – Nel Pakistan orientale viene proclamata la Repubblica del Bangladesh con Dacca capitale.

17 marzo – Il Ministro dell'Interno, Franco Restivo, rende noto all'opinione pubblica italiana il fallito colpo di Stato del dicembre dell'anno precedente.

3 maggio – A Berlino Est Erich Honecker succede a Walter Ulbricht alla direzione del Partito comunista.

giugno – A Malta la vittoria laburista di Dom Mintoff segna l'inizio di una politica neutralista cui fa seguito la chiusura delle basi militari inglesi nell'isola.

13 giugno – Le amministrative parziali registrano un calo della DC e un'avanzata del MSI.

luglio – Il Cile nazionalizza le miniere di rame suscitando l'ostilità dei monopoli internazionali del settore e la componente conservatrice della società cilena.

15 agosto – Gli USA sospendono la convertibilità del dollaro in oro; la moneta americana viene svalutata anche nei confronti delle monete occidentali.

settembre – Nasce l'Unione delle Repubbliche arabe, cui aderiscono Egitto, Libia e Siria.

25 ottobre – La Cina è ammessa all'ONU e dispone di un seggio permanente nel Consiglio di sicurezza; la Cina nazionalista di Formosa è invece espulsa dal consesso internazionale.

dicembre – Guerra tra India e Pakistan, appoggiate rispettivamente da URSS e Cina; l'ONU interviene per sospendere gli scontri.

24 dicembre – Il democristiano Giovanni Leone è eletto Presidente della Repubblica grazie all'appoggio del MSI.

Heinrich Böll pubblica il romanzo *Foto di gruppo con signora*; Alberto Moravia *Io e Lui*. Luchino Visconti realizza *Morte a Venezia*; Stanley Kubrick *Arancia meccanica*. Muore Coco Chanel. La missione americana Apollo 15 esplora la superficie lunare a bordo di un semovente elettrico.

1972

30 gennaio – A Londonderry si verificano violenti scontri tra soldati inglesi e cattolici (domenica di sangue); l'IRA (Irish Republic Army) compie numerosi attentati terroristici.

15 gennaio – Colombo lascia la direzione dell'esecutivo in seguito all'uscita del PRI.

17 febbraio – Primo governo di Giulio Andreotti, monocolore democristiano.

21 febbraio – Il presidente Nixon si reca in Cina: è l'inizio della normalizzazione dei rapporti tra le due potenze.

26 febbraio – Per la prima volta nella storia della Repubblica Leone scioglie anticipatamente le Camere e indice nuove elezioni.

3 marzo – Le Brigate rosse sequestrano il dirigente della Sit-Siemens Idalgo Macchiarini, che viene rilasciato poche ore dopo.

13-17 marzo – Al XIII Congresso del PCI Enrico Berlinguer è nominato segretario del Partito, Luigi Longo presidente.

14-15 marzo – L'editore Giangiacomo Feltrinelli viene ritrovato a Segrate, presso un traliccio dell'alta tensione, ucciso dall'esplosione di un ordigno.

1° aprile – Entra in vigore la normativa che assegna le funzioni amministrative alle regioni.

maggio – USA e URSS raggiungono a Mosca l'accordo sugli armamenti nucleari strategici (SALT I).

7-8 maggio – Elezioni anticipate in Italia per il rinnovo del parlamento, che riconfermano la maggioranza relativa democristiana, segnano un lieve successo comunista, il crollo di PSIUP, PSI e PSDI, l'avanzata del MSI.

17 maggio – Un gruppo d'estrema sinistra assassina il commissario Luigi Calabresi perché ritenuto responsabile della morte dell'anarchico Pinelli.

31 maggio – Nell'attentato fascista a Peteano, in provincia di Gorizia, perdono la vita cinque carabinieri.

giugno – Riprendono i bombardamenti americani sul Vietnam del Nord.

17 giugno-settembre – Scoppia in USA lo scandalo Watergate: alcuni collaboratori del presidente Nixon sono incriminati per spionaggio politico dopo essere penetrati nel palazzo Watergate, sede dei democratici.

26 giugno – Si costituisce il secondo governo Andreotti, caratterizzato da una coalizione di centrodestra.

luglio – In seguito alla sconfitta elettorale di maggio dal PSIUP nasce il PDUP (Partito di unità proletaria). In Egitto, Sadat fa allontanare i consiglieri militari sovietici.

agosto – Franco Freda e Giovanni Ventura vengono incriminati per la strage di piazza Fontana a Milano.

5 settembre – Durante le Olimpiadi a Monaco di Baviera un gruppo di terroristi palestinesi prende in ostaggio gli atleti israeliani; il conflitto che segue con la polizia tedesca causa la morte di nove ostaggi e di cinque terroristi.

novembre – Congresso del PSI: Francesco De Martino è eletto alla segreteria. In America Nixon viene rieletto alla Presidenza. In Inghilterra il governo conservatore blocca i prezzi e i salari a causa della crisi economica che colpisce il Paese.

15 dicembre – In Italia viene introdotta la legge sull'obiezione di coscienza.

30 dicembre – Nixon annuncia la sospensione dei bombardamenti sul Vietnam del Nord.

Italo Calvino scrive *Le città invisibili*; Carlo Fruttero e Franco Lucentini *La donna della domenica*. Muoiono a Roma Ennio Flaiano, a Venezia Ezra Pound. Francesco Rosi realizza *Il caso Mattei*; Bernardo Bertolucci *Ultimo tango a Parigi*, con Marlon Brando; Francis Ford Coppola *Il padrino*. Viene messa a punto la risonanza magnetica. A Riace, in Calabria, sono scoperte due statue bronzee greche della metà del V secolo a.C.

1973

1° gennaio – Gran Bretagna, Irlanda e Danimarca sono i nuovi membri del Mercato comune: nasce l'«Europa dei nove».

27 gennaio – A Parigi il segretario di Stato Henry Kissinger e il nordvietnamita Le Duc Tho raggiungono un accordo che prevede la fine della guerra nel Vietnam e l'unificazione dei due Stati.

febbraio – A Cipro l'arcivescovo Makarios III è riconfermato nella carica di Presidente, ma crescono le tensioni tra i fautori dell'unione alla Grecia (*Enosis*) e i Turco-ciprioti.

marzo – In Argentina il candidato peronista Hector Campora vince le elezioni e la giunta militare gli cede il potere.

maggio – Negli USA il Senato avvia l'inchiesta per far luce sullo scandalo Watergate.

17 maggio – Alla questura di Milano esplode una bomba che provoca quattro morti; autore dell'attentato è un anarchico che in seguito risulterà legato ad ambienti dell'estrema destra.

25 maggio – In seguito a gravi episodi di violenza la Camera concede l'autorizzazione a procedere contro Giorgio Almirante per il reato di ricostituzione del Partito fascista.

giugno – Il segretario del PCUS Leonid Brežnev si reca a Washington in visita ufficiale.

10 giugno – Amintore Fanfani sostituisce Forlani alla segreteria della DC.

12 giugno – Dimissioni del governo Andreotti per l'uscita dall'esecutivo del PRI.

21 giugno – La Repubblica Federale Tedesca con il Trattato fondamentale riconosce l'esistenza della Repubblica Democratica Tedesca.

luglio – In Afghanistan un colpo di Stato pone fine al regno di Mohammed Zahir Shah; presidente della Repubblica è Mohammed Daud. In Grecia un referendum abolisce la monarchia, sostituita dalla Repubblica presidenziale; primo Presidente è il colonnello Georgios Papadopulos.

7 luglio – Quarto governo Rumor, di centrosinistra.

settembre – Jaun Domingo Perón torna in Argentina ed è nominato Presidente. Le due Germanie diventano membri dell'ONU.

11 settembre – Colpo di Stato in Cile contro il presidente Allende, che viene ucciso mentre difende il palazzo presidenziale; si instaura la dittatura del generale Augusto Pinochet.

6 ottobre-novembre – Quarta guerra arabo-israeliana (guerra del Kippur): gli Israeliani, dopo aver subìto l'attacco di Egitto e Siria, riprendono il controllo della riva orientale del Canale di Suez. L'intervento dell'ONU costringe i Paesi coinvolti nelle operazioni belliche a una tregua. Egitto e Israele sottoscrivono un armistizio.

12 ottobre – Berlinguer propone il compromesso storico, per una collaborazione tra DC e PCI.

dicembre – Luis Carrero Blanco, capo del governo spagnolo, viene assassinato dai terroristi baschi dell'ETA.

2 dicembre – I Paesi dell'OPEC, riuniti a Teheran, decidono di quadruplicare il prezzo del greggio: l'aumento ha gravi ripercussioni sull'economia degli Stati industrializzati. In Italia vengono adottate misure per il razionamento dei carburanti.

17 dicembre – Strage all'aeroporto di Fiumicino: un gruppo di terroristi palestinesi colpisce con bombe al fosforo un aereo di linea della Pan Am, causando oltre trenta morti e quindici feriti.

Natalia Ginzburg pubblica *Caro Michele*; Richard Bach *Il gabbiano Jonathan Livingston*; Carlo Sgorlon *Il trono di legno*. A Mantova vengono portati alla luce affreschi del Pisanello. Muoiono Pablo Picasso, il violoncellista Pablo Casals e l'attrice Anna Magnani. Federico Fellini realizza *Amarcord*; Marco Ferreri *La grande abbuffata*; Luis Buñuel *Il fascino discreto della borghesia*; George Lucas *American Graffiti*.

Gli USA inviano verso Saturno la sonda *Pioneer 11*. Viene preparata negli USA una pillola anticoncezionale a basso dosaggio.

1974

gennaio – Israele evacua la sponda orientale del Canale di Suez.

gennaio-marzo – L'Inghilterra è interessata dallo sciopero dei minatori, che costringe il governo conservatore alle dimissioni.

febbraio – Lo scrittore Aleksandr Solženicyn è espulso dall'URSS per attività antisovietiche.

14 marzo – Quinto governo Rumor, di centrosinistra, che gode dell'appoggio esterno del PRI.

25 aprile – In Portogallo un colpo di Stato militare rovescia il regime dittatoriale e apre la strada alla democrazia («rivoluzione dei garofani»).

18 aprile – Le Brigate rosse sequestrano a Genova il magistrato Mario Sossi, rilasciato dopo un mese di detenzione.

maggio – In Portogallo il generale Antonio de Spinola è nominato Presidente della Repubblica e si costituisce un governo in cui siedono tutti i principali partiti. In Francia è eletto Presidente Valéry Giscard d'Estaing, che batte il candidato socialista François Miterrand; Primo Ministro è il gollista Jacques Chirac.

6 maggio – Nella Repubblica Federale Tedesca il cancelliere Willy Brandt rassegna le dimissioni in seguito alle accuse di spionaggio mosse a un suo collaboratore (affare Guillaume); Helmut Schmidt, il nuovo Cancelliere, guida un governo di coalizione tra socialdemocratici e liberali.

12 maggio – Referendum sul divorzio: vittoria dei «divorzisti» (59,1%) nella consultazione popolare voluta dalla DC sull'abrogazione della legge Fortuna-Baslini.

28 maggio – Strage fascista in piazza della Loggia a Brescia durante una manifestazione sindacale: otto i morti, oltre cento i feriti.

1° luglio – Isabelita Perón sostituisce il marito alla guida dell'Argentina.

15 luglio – A Cipro si verifica un colpo di Stato contro l'arcivescovo Makarios III da parte della fazione favorevole alla Grecia; reparti turchi sbarcano nella parte settentrionale dell'isola. L'intervento dell'ONU scongiura un conflitto greco-turco ma l'isola rimane divisa in due zone.

23 luglio – Cade in Grecia il regime dei colonnelli e viene richiamato l'ex Primo ministro in esilio Kostas Karamanlis.

3-4 agosto – Strage sul treno *Italicus*, 12 i morti, 48 i feriti. L'attentato è rivendicato da Ordine Nero.

9 agosto – Nixon, coinvolto nello scandalo Watergate, si dimette e viene sostituito dal vicepresidente Gerald Ford.

9 settembre – Il capo delle Brigate rosse Renato Curcio viene catturato a Pinerolo.

3 ottobre – Dimissioni del quinto governo Rumor.

4 ottobre – Viene spiccato un mandato di cattura contro il banchiere Michele Sindona per falso in bilancio nella gestione della Banca privata italiana.

novembre – Arafat interviene all'Assemblea generale dell'ONU sulla questione palestinese. Le prime elezioni libere in Grecia vedono trionfare Karamanlis, che costituisce un governo di centrodestra.

23 novembre – Si forma il quarto governo Moro (bicolore DC-PRI con appoggio di PSI e PSDI).

13 dicembre – Il governo crea il Ministero dei Beni culturali e ambientali.

Elsa Morante scrive *La storia*; Leonardo Sciascia *Todo modo*; Jean-Paul Sartre *Ribellarsi è giusto*; Aleksandr Solženicyn *Arcipleago gulag*; Alex Haley *Radici*; viene pubblicato postumo *Roma senza papa* di Guido Morselli. Esce a Milano il primo numero de «Il Giornale» diretto da Indro Montanelli. L'architetto Minoru Yamasaki progetta il World Trade Center a New York. Liliana Cavani gira il film *Il portiere di notte*; Pier Paolo Pasolini *Il fiore delle Mille e una notte*; Rainer Werner Fassbinder *Effi Briest*, con l'attrice Hanna Schygulla. L'India fa esplodere una bomba atomica.

1975

gennaio – Il Portogallo riconosce l'indipendenza dell'Angola.

febbraio – Nella parte settentrionale di Cipro, sotto controllo turco, si costituisce uno Stato autonomo. A Lomé, nel Togo, quarantasei Paesi si associano alla CEE per una cooperazione commerciale.

6 marzo – In Italia l'età minima per votare viene abbassata a diciotto anni.

9 marzo-aprile – Finisce, con l'entrata dei Vietcong a Saigon e l'evacuazione delle truppe americane, la guerra del Vietnam.

aprile – In Portogallo si tengono le prime elezioni libere.

16 aprile – In Cambogia le truppe del Fronte unito nazionale khmer (FUNK) si impossessano della capitale Phnom Penh.

22 aprile – È approvato in Italia il nuovo diritto di famiglia, in cui è sancita la parità giuridica dei coniugi.

maggio – Nella Repubblica Federale Tedesca si apre il processo contro i capi del gruppo terroristico Baader-Meinhof, responsabili di gravi attentati politici.

15 maggio – A Milano si registra il primo caso di gambizzamento da parte delle Brigate rosse con l'agguato al capogruppo comunale democristiano Massimo De Carolis.

22 maggio – Vengono concessi più ampi poteri a polizia e magistratura: la legge Reale prevede il fermo giudiziario e amplia i casi per cui è autorizzato il ricorso alle armi da parte delle forze dell'ordine.

5 giugno – In uno scontro a fuoco nel Monferrato tra Brigate rosse e forze dell'ordine rimane uccisa la moglie di Curcio, Margherita Cagol.

8 giugno – Riapertura del Canale di Suez, chiuso dalla guerra dei Sei giorni del 1967.

15 giugno – Alle elezioni amministrative (che vedono per la prima volta la partecipazione dei diciottenni) si registra un'avanzata del PCI, che ottiene il 33,4% dei voti.

luglio – In Libano divampa la guerra civile tra i cristiani maroniti di Pierre Gemayel, i drusi di Kemal Joumblatt, i Palestinesi e l'esercito.

26 luglio – Benigno Zaccagnini sostituisce Amintore Fanfani alla segreteria della DC.

agosto – Alla Conferenza sulla sicurezza e la cooperazione in Europa a Helsinki vengono ribaditi i princìpi della distensione tra Est e Ovest. Nel Bangladesh una dittatura militare guida il Paese. Nel processo a carico dei colonnelli greci, fautori del colpo di Stato del 1967, le condanne a morte sono commutate in ergastoli.

settembre – L'ammiraglio portoghese Pinheiro de Azevedo costituisce un governo di coalizione con i partiti vittoriosi nelle elezioni di aprile (socialisti, comunisti e popolari democratici).

ottobre – L'Argentina è scossa a una grave crisi politica per gli scontri tra governativi e la guerriglia d'ispirazione peronista (*montoneros*).

2 novembre – Pier Paolo Pasolini è assassinato da un giovane in circostanze non del tutto chiarite.

10 novembre – Firma del Trattato di Osimo fra Italia e Jugoslavia, che stabilisce in via definitiva la frontiera tra i due Paesi e risolve la questione della Zona B dell'ex territorio libero di Trieste, ovvero l'Istria nordoccidentale, ceduta agli Jugoslavi.

17 novembre – PCI e PCF fissano in un documento comune il modello del socialismo per l'Occidente.

20 novembre – In Spagna muore Francisco Franco e sale al trono re Juan Carlos I di Borbone.

dicembre – Nel Laos viene proclamata la Repubblica democratica popolare.

Gavino Ledda pubblica *Padre padrone*; Giampaolo Pansa *Berlinguer e il professore*; lo storico Renzo de Felice *Mussolini il Duce. Gli anni del consenso 1929-1936*; lo storico Emmanuel Le Roy Ladurie *Storia di un paese. Montaillou*; Umberto Eco *Trattato di semiotica generale*; viene edito postumo *Scritti corsari* di Pier Paolo Pasolini, raccolta di articoli apparsi sul «Corriere della Sera». Robert Altman realizza *Nashville*; Pier Paolo Pasolini *Salò o le 120 giornate di Sodoma*; Akira

Kurosawa *Dersu Uzala*; Ingmar Bergman *Il flauto magico*. Due sonde sovietiche si posano su Venere. Una navicella spaziale americana si aggancia nello spazio a una sovietica. Gli scavi archeologici a Ebla portano alla luce quindicimila tavolette d'argilla con caratteri cuneiformi. Viene messa in commercio la registrazione video VHS. La ditta Rank Xerox realizza la fotocopiatrice a colori.

1976

14 gennaio – Dopo 13 anni si concludono i lavori della Commissione antimafia.

18 gennaio – Curcio viene catturato a Milano.

6 febbraio – Dilaga lo scandalo Lockheed: la società aerospaziale americana ha versato tangenti a politici della DC e del PSDI per l'acquisto di aerei Hercules C130 da parte del Ministero della Difesa. Lo scandalo raggiunge anche Giappone e Olanda.

11 febbraio – Quinto governo Moro, monocolore DC.

marzo – Alla conclusione del XXV Congresso del Partito comunista sovietico Brežnev è confermato segretario. Berlinguer, dalla tribuna, sostiene «le vie nazionali al socialismo».

24 marzo – Un colpo di Stato militare in Argentina depone Isabelita Perón, al cui posto subentra il generale Jorge Rafael Vidéla.

26 marzo – Saragat è eletto Presidente e segretario del PSDI in sostituzione di Mario Tanassi.

aprile – In Cambogia il Primo ministro Pol Pot instaura una feroce dittatura comunista che causa milioni di morti.

6 maggio – Il terremoto in Friuli provoca mille morti, migliaia di feriti e ingenti danni.

9 maggio – Nel carcere di Stoccarda viene trovata morta la terrorista Ulrike Meinhof.

giugno – Nasce la Repubblica socialista del Vietnam. A Entebbe, in Uganda, atterra un aereo di linea dell'Air France partito da Tel Aviv e dirottato da terroristi palestinesi, che chiedono la liberazione di loro connazionali detenuti in Israele, Francia, Svizzera, Germania e Kenya.

8 giugno – Le Brigate rosse assassinano in un agguato Francesco Coco, procuratore della Repubblica di Genova, e la scorta.

15 giugno – Enrico Berlinguer afferma in un'intervista che «l'ombrello NATO» rappresenta una garanzia per la realizzazione del socialismo in un clima di libertà.

17-22 giugno – A Soweto, nel Sud Africa, scoppia la rivolta nera, repressa in modo sanguinoso.

20 giugno – Alle elezioni politiche si registra un avvicinamento del PCI alla DC.

luglio – Il Vaticano sospende *a divinis* il vescovo Marcel Lefebvre per la sua ferma opposizione alle innovazioni adottate dal Concilio Vaticano II. Il socialista Mário Soares forma il nuovo governo portoghese.

4 luglio – Reparti speciali israeliani liberano gli ostaggi a Entebbe.

10 luglio – Un incidente nell'industria chimica ICMESA a Seveso provoca una pericolosa fuoriuscita di diossina. Ordine Nuovo assassina a Roma il procuratore della Repubblica Vittorio Occorsio.

15-16 luglio – Bettino Craxi è il nuovo segretario del PSI.

30 luglio – Terzo governo Andreotti, monocolore DC, con l'astensione dei partiti dell'arco costituzionale.

agosto – In Libano i cristiano-maroniti entrano nel campo profughi palestinese di Tel El Zaatar e compiono una strage (quattromila morti).

8 settembre – A New York viene arrestato il banchiere Michele Sindona.

9 settembre – Muore Mao Tse-tung.

14 ottobre – Aldo Moro è il nuovo presidente della DC.

2 novembre – Negli USA viene eletto Presidente il democratico Jimmy Carter.

Lidia Ravera e Marco Lombardo-Radice pubblicano *Porci con le ali*; lo storico Carlo Ginzburg *Il formaggio e i vermi*; Paolo Spriano il quinto volume della *Storia del partito comunista italiano*. Esce il primo numero de «la Repubblica». L'architetto Oscar Niemeyer progetta il palazzo della Mondadori a Segrate; gli architetti Gilberto e Tommaso Valle il Palasport di San Siro. Federico Fellini realizza *Il Casanova di Federico Fellini*; Bernardo Bertolucci *Novecento*; Stanley Kubrick *Barry Lyndon*; George Lucas *Guerre stellari*; Nagisa Oshima *L'impero dei sensi*. Le sonde americane *Viking 1* e *2* si posano su Marte. In Cina vengono riportate alla luce migliaia di statue di ceramica a grandezza naturale di guerrieri e cavalli, sepolte nella tomba dell'imperatore Ch'in.

1977

6 gennaio – In Cecoslovacchia 200 dissidenti politici firmano «Charta '77», con cui chiedono il rispetto dei diritti umani.

18 gennaio – Incomincia a Catanzaro il processo per la strage di piazza Fontana.

21 gennaio – La Camera approva la legge sull'aborto.

11 febbraio – In Etiopia il colonnello Hailé Mariam Menghistu conquista il potere e stringe accordi con l'URSS; gli occidentali sono espulsi dal Paese.

17 febbraio – Il segretario della CGIL, Luciano Lama, è contestato dagli studenti che occupano l'Università di Roma.

marzo – In Svizzera un referendum popolare respinge la proposta di allontanare i lavoratori stranieri e di limitare le naturalizzazioni. A Madrid i segretari dei Partiti comunisti italiano (Enrico Berlinguer), francese (George Marchais) e spagnolo (Santiago Carrillo) formulano i princìpi dell'eurocomunismo. In Spagna vengono legalizzati il Partito comunista e il diritto di associazione sindacale.

10 marzo – I deputati Luigi Gui e Mario Tanassi sono deferiti alla Corte costituzionale per l'affare Lockheed con l'accusa di corruzione.

3 maggio – Il processo previsto a Torino a carico di alcuni brigatisti non ha luogo per la mancanza di giudici popolari.

1°-3 giugno – Le Brigate rosse gambizzano i giornalisti Vittorio Bruno, vicedirettore del «Secolo XIX», Indro Montanelli ed Emilio Rossi, direttore del TG1. Nel corso del mese altri giornalisti saranno feriti in attentati terroristici.

15 giugno – In Spagna si tengono le prime elezioni libere dopo la morte di Franco: vince l'Unione del centro democratico (guidata da Adolfo Suárez, Primo Ministro), i socialisti di Felipe Gonzáles sono il secondo partito, mentre i comunisti di Santiago Carrillo sono sconfitti.

21 giugno – In Israele il Partito laburista, al potere da 29 anni, è sconfitto dal Likud (il Partito nazionalista di centrodestra); il capo del governo Menahem Begin offre il Ministero degli Esteri al laburista Moshe Dayan.

luglio – In Pakistan un colpo di Stato pone fine al governo del presidente Ali Bhutto; al suo posto sale al potere il generale Zia ul-Haq.

agosto – Con l'espulsione della «banda dei quattro» (gli ultimi eredi della linea politica di Mao) ha inizio in Cina la critica alla «rivoluzione culturale» con la nuova guida del Partito e del Paese, Deng Xiaoping, che introduce radicali modifiche nell'economia cinese.

15 agosto – A Roma fugge dall'ospedale militare del Celio Herbert Kappler, l'ex ufficiale tedesco condannato per l'eccidio delle Fosse Ardeatine.

5 settembre – A Colonia il gruppo terroristico Rote Armee Fraktion (RAF, detta anche Banda Baader-Meinhof) rapisce l'industriale Hanns Martin Schleyer, presidente della Federazione industriale tedesca: per la sua liberazione viene chiesto il rilascio dei capi del gruppo.

ottobre – Nel carcere di Stoccarda sono rinvenuti i cadaveri dei tre capi della RAF; Schleyer è assassinato dai suoi rapitori. Italia e Algeria raggiungono un accordo sul gasdotto tra i due Paesi.

novembre – L'aviazione israeliana compie incursioni in Libano contro le basi palestinesi.

16 novembre – Il giornalista Carlo Casalegno, vicedirettore de «La Stampa», viene ferito mortalmente a Torino dalle Brigate rosse.

19 novembre – Il presidente Sadat incontra in Israele Begin.

dicembre – A Tripoli i rappresentanti di Libia, Siria, Algeria, Yemen del Sud e OLP condannano l'incontro tra Sadat e Begin.

Leonardo Sciascia pubblica *Candido ovvero un sogno fatto in Sicilia*; Bernard-Henri Lévy *La barbarie dal volto umano*; lo psicanalista Erich Fromm *Avere o essere?*. Gli architetti Renzo Piano e Richard Rogers progettano il Beaubourg a Parigi. Muoiono la cantante lirica Maria Callas, il cantante Bing Crosby e Charlie Chaplin. Luis Buñuel realizza *Quell'oscuro oggetto del desiderio*; Andrej Tarkovskij *Lo specchio*. Viene messo in orbita il satellite europeo *Meteosat* per la trasmissione delle previsioni meteorologiche.

1978

gennaio – In Tunisia gli scontri tra esercito e dimostranti durante lo sciopero generale contro l'autoritarismo di Habib Burghiba provocano 50 morti.

febbraio – In Nicaragua inizia la rivolta contro il dittatore Anastasio Somoza.

28 febbraio – Moro avanza la proposta di una maggioranza comprendente anche il PCI.

9 marzo – Si apre a Torino il processo alle Brigate rosse, che terminerà con la condanna di Curcio e Alberto Franceschini.

12 marzo – Quarto governo Andreotti, monocolore DC, sostenuto da PCI, PSI, PRI, PSDI. Per la prima volta i comunisti appoggiano il governo, mentre i liberali siedono all'opposizione.

marzo – I Palestinesi compiono un'incursione in territorio israeliano che provoca una strage tra i civili. Le autorità di Tel Aviv bombardano i campi dei *feddayn* nel Libano meridionale e occupano il territorio.

16 marzo – A Roma, in un agguato delle Brigate rosse in via Fani, viene rapito Aldo Moro e gli uomini della scorta sono assassinati.

29 marzo – Congresso PSI a Torino: nel simbolo, falce e martello vengono sostituiti dal garofano.

27 aprile – In Afghanistan un colpo di Stato militare porta al governo Muhammad Taraki, segretario del Partito comunista.

maggio – In Cecoslovacchia sono arrestati i dissidenti che hanno firmato «Charta '77».

1° maggio – Inizia il processo per lo scandalo Lockheed.

9 maggio – Dopo cinquantacinque giorni di prigionia, i brigatisti fanno rinvenire nel centro di Roma il cadavere di Aldo Moro.

giugno – Scoppia la guerra tra Vietnam e Cambogia: le forze vietnamite occupano parte del territorio cambogiano; la Cina sostiene il governo di Pol Pot.

6 giugno – Entra in vigore in Italia la legge sull'aborto.

11-12 giugno – Referendum per l'abrogazione della legge Reale sull'ordine pubblico e di quella sul finanziamento dei partiti: vincono i no.

15 giugno – Si dimette il presidente della Repubblica Giovanni Leone, accusato di speculazione e di pesanti irregolarità fiscali.

luglio – La Cina sospende gli aiuti all'Albania per le critiche alla nuova linea politica inaugurata a Pechino.

9 luglio – Il socialista Sandro Pertini è eletto nuovo Presidente della Repubblica.

Primo Levi pubblica *La chiave a stella*; Piero Chiara *Il cappotto di astrakan*; Giuseppe Prezzolini *Diario 1900-1941*; Camilla Cederna *Giovanni Leone*; Leonardo Sciascia *L'affaire Moro*. Giorgio Strehler rappresenta a Milano *La Tempesta*. Ermanno Olmi realizza *L'albero degli zoccoli*; Woody Allen *Io e Annie*. Due astronauti russi tornano sulla Terra dopo 139 giorni di permanenza nello spazio. Negli USA viene isolato il virus dell'AIDS (sindrome da immunodeficienza acquisita). In Inghilterra nasce una neonata concepita in provetta. In Italia è approvata la legge secondo cui gli ospedali psichiatrici sono aboliti e l'assistenza a chi soffre di turbe mentali è effettuata in ospedali generali.

Bibliografia

Una serie di contributi, divisi per area tematica, per chi volesse approfondire alcuni aspetti raccontati in questa Storia d'Italia. *Si è scelto di privilegiare testi in lingua italiana e di facile reperibilità.*

Per un inquadramento generale del periodo:

B. Bongiovanni, *Storia della guerra fredda*, Laterza, Roma-Bari 2008

V. Castronovo (a cura di), *Storia dell'economia mondiale*, vol. V, *La modernizzazione e i problemi del sottosviluppo dal secondo dopoguerra agli anni Ottanta*, Laterza, Roma-Bari 2001

A. De Bernardi e M. Flores, *Il Sessantotto*, il Mulino, Bologna 1998

M. Del Pero, *La guerra fredda*, Carocci, Roma 2009

E. Di Nolfo, *Storia delle relazioni internazionali 1918-1992*, Laterza, Roma-Bari 1994

M. Kurlansky, *'68. L'anno che ha fatto saltare il mondo*, Mondadori, Milano 2004

E.J. Hobsbawm, *Il secolo breve*, Rizzoli, Milano 1997

A. Polsi, *Storia dell'*ONU, Laterza, Roma-Bari 2009

J.J. Sheehan, *L'età post-eroica. Guerra e pace nell'Europa contemporanea*, Laterza, Roma-Bari 2009

Per l'Italia repubblicana:

A. Agostini, *«la Repubblica». Un'idea dell'Italia (1976-2006)*, il Mulino, Bologna 2005

L. Ambrosi, *La rivolta di Reggio. Storia di territori, violenza e populismo nel 1970*, prefazione di S. Lupo, Rubbettino, Soveria Mannelli 2010

M. Arcelli (a cura di), *Storia, economia e società in Italia 1947-1997*, Laterza, Roma-Bari 1997

C. Arcuri, *Colpo di Stato*, Bur, Milano 2007

G. Barbacetto, *Il Grande Vecchio*, Bur, Milano 2010

F. Barbagallo, *Enrico Berlinguer*, Carocci, Roma 2007

– (a cura di), *Storia dell'Italia repubblicana*, vol. III, *L'Italia nelle crisi mondiali. L'ultimo ventennio*, Einaudi, Torino 1996-1997

– (a cura di), *Storia dell'Italia repubblicana*, vol. II, *La trasformazione dell'Italia. Sviluppo e squilibri*, Einaudi, Torino 1995

R. Canosa, *Storia della magistratura in Italia da Piazza Fontana a Mani Pulite*, Baldini Castoldi Dalai, Milano 1996

A. Casalegno, *L'attentato*, Chiarelettere, Milano 2008

G. Chiarante, *Con Togliatti e con Berlinguer. Dal tramonto del centrismo al compromesso storico (1958-1975)*, Carocci, Roma 2008

Z. Ciuffoletti, M. Degl'Innocenti e G. Sabbatucci (a cura di), *Storia del PSI*, vol. III, *Dal dopoguerra a oggi*, Laterza, Roma-Bari 1993

S. Colarizi, *Storia del Novecento italiano. Cent'anni di entusiasmo, di paure, di speranze*, Bur, Milano 2010

–, *Storia politica della Repubblica. 1943-2006. Partiti, movimenti e istituzioni*, Laterza, Roma-Bari 2008

–, *Biografia della Prima Repubblica*, Laterza, Roma-Bari 1998

–, *Storia dei partiti nell'Italia repubblicana*, Laterza, Roma-Bari 1998

G. Crainz, *Il Paese mancato. Dal miracolo economico agli anni ottanta*, Donzelli, Roma 2003

P. Craveri, *La Repubblica dal 1958 al 1992*, in *Storia d'Italia*, diretta da G. Galasso, vol. XXIV, Utet, Torino 1996

G. De Lutiis, *Storia dei servizi segreti in Italia*, Editori Riuniti, Roma 1998

G. De Rosa e G. Monina (a cura di), *L'Italia repubblicana nella crisi degli anni Settanta. Sistema politico e istituzioni*, Rubbettino, Soveria Mannelli 2003

C. Feltrinelli, *Senior service*, Feltrinelli, Milano 1999

G. Fiori, *Vita di Enrico Berlinguer*, prefazione di E. Scalfari, Laterza, Roma-Bari 2004

S. Flaminghi, *La tela del ragno. Il delitto Moro*, Kaos, Milano 1993

F. Focardi, *La guerra della memoria. La Resistenza nel dibattito politico italiano dal 1945 a oggi*, Laterza, Roma-Bari 2005

M. Franzinelli, *Il Piano Solo. I servizi segreti, il centro-sinistra e il «golpe» del 1964*, Mondadori, Milano 2010

G. Galli, *L'Italia sotterranea. Storia, politica e scandali*, Laterza, Roma-Bari 19983

P. Ginsborg, *Storia d'Italia dal dopoguerra a oggi*, Einaudi, Torino 1989

A. Giovagnoli, *Il caso Moro. Una tragedia repubblicana*, il Mulino, Bologna 2005

–, *Il partito italiano. La Democrazia cristiana dal 1942 al 1994*, Laterza, Roma-Bari 1996

– e S. Pons (a cura di), *L'Italia repubblicana nella crisi degli anni Settanta. Tra guerra fredda e distensione*, Rubbettino, Soveria Mannelli 2003

C. Guarnieri (a cura di), *Il sistema politico italiano*, il Mulino, Bologna 2006

P. Ignazi, *Il polo escluso. Profilo storico del Movimento sociale italiano*, il Mulino, Bologna 1998

F. Imposimato e S. Provvisionato, *Doveva morire*, Chiarelettere, Milano 2008

S. Lanaro, *Storia dell'Italia repubblicana. Dalla fine della guerra agli anni novanta*, Marsilio, Venezia 1992

A. Lepre, *Storia della prima Repubblica. L'Italia dal 1942 al 1992*, il Mulino, Bologna 1993

G. Lo Bianco e S. Rizzo, *Profondo nero*, Chiarelettere, Milano 2009

V. Lomellini, *L'appuntamento mancato. La sinistra italiana e il dissenso nei regimi comunisti (1968-1989)*, Le Monnier, Milano 2010

F. Malgeri e L. Paggi (a cura di), *L'Italia repubblicana nella crisi degli anni Settanta. Partiti e organizzazioni di massa*, Rubbettino, Soveria Mannelli 2003

G. Mammarella, *L'Italia contemporanea 1943-2007*, il Mulino, Bologna 2008

–, *La prima Repubblica dalla fondazione al declino*, Laterza, Roma-Bari 1992

G. Orsina e G. Quagliariello, *La crisi del sistema politico e il Sessantotto*, Rubbettino, Soveria Mannelli 2005

F. Pinotti, *Poteri forti*, Bur, Milano 2005

S. Romano, *Guida alla politica estera italiana. Dal crollo del fascismo al crollo del comunismo*, Rizzoli, Milano 1993

G. Sabbatucci e V. Vidotto (a cura di), *Storia d'Italia*, vol. VI, *L'Italia contemporanea. Dal 1963 a oggi*, Laterza, Roma-Bari 1999

P. Scoppola, *La repubblica dei partiti. Evoluzione e crisi di un sistema politico 1945-1996*, il Mulino, Bologna 1997

A. Silji, *Malpaese. Criminalità, corruzione e politica nell'Italia della prima Repubblica 1943-1994*, Donzelli, Roma 1994

N. Tranfaglia, *Anatomia dell'Italia repubblicana 1943-2009*, Passigli, Firenze 2010

S. Turone, *Storia del sindacato in Italia. Dal 1943 al crollo del comunismo*, Laterza, Roma-Bari 1998

–, *Politica ladra. Storia della corruzione in Italia 1861-1992*, Laterza, Roma-Bari 1993

G. Vacca, *Tra compromesso e solidarietà. La politica del PCI negli anni Settanta*, Editori Riuniti, Roma 1987

L. Violante (a cura di), *Il Parlamento*, *Storia d'Italia*, *Annali*, vol. 17, Einaudi, Torino 2001

Y. Voulgaris, *L'Italia del centro sinistra 1960-1968*, Carocci, Roma 1998

Per la contestazione e il terrorismo:

A. Bravo, *A colpi di cuore. Storie del sessantotto*, Laterza, Roma-Bari 2008

G. Bianconi, *Mi dichiaro prigioniero politico. Storia delle Brigate rosse*, Einaudi, Torino 2003

G. Bocca, *Noi terroristi. Dodici anni di lotta armata ricostruiti e discussi con i protagonisti*, Garzanti, Milano 1985

–, *Il terrorismo italiano 1970-1980*, Rizzoli, Milano 1981

M. Calabresi, *Spingendo la notte più in là. Storia della mia famiglia e di altre vittime del terrorismo*, Mondadori, Milano 2007

A. Cazzullo, *I ragazzi che volevano fare la rivoluzione. 1968-1978: storia di Lotta continua*, Mondadori, Milano 1998

G. Cingolani, *La destra in armi. Neofascisti italiani tra ribellismo ed eversione*, Editori Riuniti, Roma 1996

M. Clementi, *Storia delle Brigate rosse*, Odadrek, Roma 2007

D. Della Porta, *Il terrorismo di sinistra*, il Mulino, Bologna 1990

– e G. Pasquino (a cura di), *Terrorismi italiani*, il Mulino, Bologna 1984

G. Fasanella e A. Franceschini, *Che cosa sono le* BR, Bur, Milano 2004

F. Ferraresi, *Minacce alla democrazia. La destra radicale e la strategia della tensione in Italia nel dopoguerra*, Feltrinelli, Milano 1995

M. Franzinelli, *La sottile linea nera. Neofascismo e servizi segreti da piazza Fontana a piazza della Loggia*, Rizzoli, Milano 2008

G. Galli, *Il partito armato. Gli «anni di piombo» in Italia, 1968-1986*, Kaos, Milano 1993

A. Grandi, *Insurrezione armata*, Bur, Milano 2005

–, *Giangiacono Feltrinelli. La dinastia, il rivoluzionario*, Baldini & Castoldi, Milano 2000

M. Lazar e M.-A. Matard-Bonucci (a cura di), *Il libro degli anni di piombo. Storia e memoria del terrorismo italiano*, Rizzoli, Milano 2010

R. Lumley, *Dal '68 agli anni di piombo. Studenti e operai nella crisi italiana*, Giunti, Firenze 1998

G.C. Marino, *Biografia del Sessantotto. Utopie, conquiste, sbandamenti*, Bompiani, Milano 2004

D. Novelli e N. Tranfaglia (a cura di), *Vite sospese. Le generazioni del terrorismo*, Baldini Castoldi Dalai, Milano 2007

A. Orsini, *Anatomia delle Brigate rosse. Le radici ideologiche del terrorismo rivoluzionario*, Rubbettino, Soveria Mannelli 2010

G. Panvini, *Ordine nero, guerriglia rossa. La violenza politica nell'Italia degli anni Sessanta e Settanta (1966-1975)*, Einaudi, Torino 2009

A. Serra, *Poliziotto senza pistola. A Milano negli anni di piombo e della malavita organizzata*, Bompiani, Milano 2008

C. Simoni (a cura di), *Memoria della strage. Piazza Loggia 1974-1994*, Grafo, Brescia 1994

A. Sofri, *La notte che Pinelli*, Sellerio, Palermo 2008

S. Tarrow, *Democrazia e disordine. Movimenti di protesta e politica in Italia 1965-1975*, Laterza, Roma-Bari 1990

V. Tessandori, *«Qui Brigate rosse». Il racconto, le voci*, Baldini Castoldi Dalai, Milano 2009

C. Vecchio, *Ali di piombo*, Bur, Milano 2007

–, *Vietato obbedire*, Bur, Milano 2005

S. Zavoli, *La notte della Repubblica*, Mondadori, Milano 1992

Per le vicende europee:

P. Anderson, M. Aymard, P. Bairoch, W. Barberis e C. Ginzburg, *L'Europa oggi, Storia d'Europa*, vol. I, Einaudi, Torino 1993

P. Bairoch ed E.J. Hobsbawm, *L'età contemporanea. Secoli XIX-XX, Storia d'Europa*, vol. V, Einaudi, Torino 1996

E. Bettiza, *La primavera di Praga 1968: la rivoluzione dimenticata*, Mondadori, Milano 2008

G. Boffa, *Dall'URSS alla Russia. Storia di una crisi non finita. 1964-1994*, Laterza, Roma-Bari 1995

D. Caccamo, *Introduzione alla storia dell'Europa orientale*, NIS, Roma 2003

F.M. Cataluccio e F. Gori, *La Primavera di Praga*, Franco Angeli, Milano 1990

E. Collotti, *Dalle due Germanie alla Germania unita*, Einaudi, Torino 1992

B. Fowkes, *L'Europa orientale dal 1945 al 1970*, il Mulino, Bologna 2004

F. Guida (a cura di), *Era sbocciata la libertà? A quaranta anni dalla Primavera di Praga (1968-2008)*, Carocci, Roma 2008

F. Leoncini (a cura di), *Alexander Dubček e Jan Palach. Protagonisti della storia europea*, Rubbettino, Soveria Mannelli, 2009

U. Mählert, *La* DDR. *Una storia breve 1949-1989*, Mimesis, Milano-Udine 2009

G. Mammarella, *Europa-Stati Uniti. Un'alleanza difficile. 1945-1985*, Laterza, Roma-Bari 1996

A. Papo e G. Nemeth Papo, *Storia e cultura dell'Ungheria*, Rubbettino, Soveria Mannelli 2000

B. Sands, *Un giorno della mia vita. L'inferno del carcere e la tragedia dell'Irlanda in lotta*, a cura di S. Calamati, Feltrinelli, Milano 2005

A. Varsori (a cura di), *Alle origini del presente. L'Europa occidentale nella crisi degli anni Settanta*, Franco Angeli, Milano 2007

Per l'Europa comunitaria:

L. Ganapini (a cura di), *Dall'Europa divisa all'Unione Europea*, Guerini & Associati, Milano 2007

M. Gilbert, *Storia politica dell'integrazione Europea*, Laterza, Roma-Bari 2008

G. Mammarella e P. Cacace, *Storia e politica dell'Unione Europea 1926-2005*, Laterza, Roma-Bari 1998

B. Olivi, *L'Europa difficile*, il Mulino, Bologna 1995

Per le vicende extraeuropee:

S. Bellucci, *Storia delle guerre africane. Dalla fine del colonialismo al neoliberalismo globale*, Carocci, Roma 2007

V. Castronovo, *Piazze e caserme. I dilemmi dell'America Latina dal Novecento a oggi*, Laterza, Roma-Bari 2007

E. Guevara, *Diario in Bolivia*, prefazione di F. Castro, Feltrinelli, Milano 2003

G. Codivini, *Storia del conflitto arabo israeliano palestinese*, Bruno Mondadori, Milano 1999

A. Del Boca, *Gheddafi. Una sfida dal deserto*, Laterza, Roma-Bari 2001

M. Del Pero, *Henry Kissinger e l'ascesa dei neoconservatori. Alle origini della politica estera americana*, Laterza, Roma-Bari 2006

E. Gandini e T. Saleh, *Sacrificio. Chi ha tradito Che Guevara?*, con DVD, Rizzoli, Milano 2007

L. Incisa di Camerana, *I ragazzi del Che. Storia di una rivoluzione mancata*, Corbaccio, Milano 2007

S. Karnow, *Storia della guerra del Vietnam*, Rizzoli, Milano 1997

B. Lewis, *La costruzione del Medio Oriente*, Laterza, Roma-Bari 2006

M. Mamdani, *Musulmani buoni e cattivi. La guerra fredda e le origini del terrorismo*, Laterza, Roma-Bari 2005

G. Mammarella, *Liberal e conservatori. L'America da Nixon a Bush*, Laterza, Roma-Bari 2004

–, *Storia degli Stati Uniti dal 1945 a oggi*, Laterza, Roma-Bari 1993

–, *Da Yalta alla perestrojka*, Laterza, Roma-Bari 1990

–, *L'America da Roosevelt a Reagan. Storia degli Stati Uniti dal 1939 a oggi*, Laterza, Roma-Bari 1984

F. Mazzetti, *Da Mao a Deng*, Corbaccio, Milano 2002

M. Novaro, *Stati Uniti e America Latina dal 1945 a oggi*, Carocci, Roma 2008

–, *La dittatura argentina (1976-1983)*, Carocci, Roma 2006

Bibliografia

A. Pellitteri, *Introduzione allo studio della storia contemporanea del mondo arabo*, Laterza, Roma-Bari 2008
C. Vercelli, *Storia del conflitto israeliano-palestinese*, Laterza, Roma-Bari 2010
–, *Breve storia dello Stato d'Israele 1948-2008*, Carocci, Roma 2009
M.B. Young, *Le guerre del Vietnam 1945-1990*, Mondadori, Milano 2007

INDICI

INDICE DEI NOMI

INDICE DELLE CARTINE

SOMMARIO

APPENDICE

INDICI

Finito di stampare nell'aprile 2021 presso
Grafica Veneta - via Malcanton, 2 - Trebaseleghe (PD)
Printed in Italy